LAS AMERICAS PUBLISHING CO. • NEW YORK 10

RAMON SENDER

NOVELAS
EJEMPLARES
DE CÍBOLA

RAMON SENDER

NOVELAS EJEMPLARES DE CÍBOLA

Copyright © 1961 by Ramón Sender

Published by
LAS AMERICAS PUBLISHING COMPANY
152 East 23rd Street, New York 10, N.Y.

All rights reserved. No part of this book may be reproduced in any form by mimeograph or any other means without permission in writing from the publisher.

Esta edición de las NOVELAS EJEMPLARES DE CIBOLA de Ramón Sender se imprimió en New York el día 15 de noviembre de 1961.

Hecho el depósito que exige la ley.

Manufactured in the United States of America by Cocce Press.

INDICE

I. La madurez del profesor St. John 7

II. El cetro 79

III. El padre Zozobra 93

IV. El lago 131

V. La terraza 139

VI. El buitre 169

VII. Aventura en Bethania 176

VIII. El desierto 221

IX. Delgadina 229

X. La montaña 262

XI. Los invitados del desierto 269

XII. El cariamarillo 316

I

LA MADUREZ DEL PROFESOR ST. JOHN

Cuando llegaron Ira y su novio John a la casa de Valle Hondo al sur de la tierra de Cíbola creyó el primo Ernest que estaban ya casados y les ofreció un dormitorio matrimonial. Al ver que no eran mas que novios tuvo que rectificar, lo que fue ligeramente desairado.

John pensaba: ¿habrá cometido ese error deliberadamente? Porque solía hacer cosas como esa.

Estaba la casa en la falda de un monte. El primo Ernest Bayarte iba la mayor parte del día con botas y calzones de montar, pero con la chaqueta de un pijama de seda —de delicada seda natural— en lugar de camisa. Esto ofendía a Ira y a John para quienes la alusión a la ropa de dormir era indecorosa.

John St. John Martin había oído decir a su madre que las prendas de dormir no se podían llevar sino dentro del dormitorio. Y miraba a su primo un poco extrañado pensando: él lo sabe también, pero lo hace a propósito.

No era fácil, sin embargo, averiguar las intenciones de Ernest Bayarte, incluso en las cosas aparentemente más triviales y simples.

Entre la servidumbre había un indio que inquietaba a Ira. Los primeros días no podía sostenerle la mirada.

Aquella noche era clara, silenciosa, con una luna grande en el cielo y el croar lejano de las ranas. John se preguntaba: ¿cómo es posible que haya ranas si en este país no se ve agua por ninguna parte?

Pero las ranas se oían por la noche.

El primo Ernest después de la cena se puso a hablar del criado indio que iba y venía en su traje blanco, calzado con huaraches. Dijo que aquel hombre había cometido años antes un parricidio en la aldeíta de Méjico donde vivía. John e Ira escuchaban con los ojos agrandados por el asombro.

Habían pasado a la biblioteca. El primo Ernest hablaba y el indio que se llamaba Buenaventura escuchaba desde la puerta sonriendo: "Sonríe —explicaba Ernest— porque supone que hablamos de él, pero no comprende lo que digo porque no habla gringo".

Aquella sonrisa del indio Buenaventura mientras su amo contaba como había asesinado a su padre alucinaba sin embargo a Ira.

John disimulaba su incomodidad. Estaba la biblioteca en una sala de altos techos. Había libros en inglés y en español y cuadros de algún valor. John seguía pensando: "Vaya una manera que tiene mi primo de escoger la servidumbre". Pero Ernest explicaba:

—Lo encontré en una excursión que hicimos al otro lado de la frontera. Vivía en el desierto, en una cueva. Lo traje conmigo y creo que nos ha tomado cariño. El cariño de un criminal —añadió sonriendo— es más firme que el de un hombre honrado.

Se decía Ira que todo en aquel país parecía empujarles a niveles irregulares y violentos. Pero sonreía y callaba siguiendo el consejo de John.

Nadya entraba y salía. Era una especie de amazona de largos brazos y dientes de caballo. Se dedicaba a la antropología. El romanticismo cultural de los antropólogos irritaba al profesor St. John.

Cuando hablaba Ernest se dirigía siempre a Ira, y John se preguntaba: "¿por qué no se dirige nunca a mí?" A veces hacía crujir impaciente la mecedora en la que estaba sentado.

El primo Ernest hizo contar al indio su crimen. "En pocas palabras", le advirtió varias veces. Rígido, con la mano apoyada en el respaldo de un sillón, el indio comenzó a hablar. Se veía que aquello lo había contado otras veces. John se preguntaba aún: "¿Es que hay una manera de contar en público como uno ha matado a su padre?"

Decía el indio mirando a su amo Ernest: "En mi juventud yo tenía un sarape a cuadros blancos y negros y un caballo que se llamaba Payaso y me conocía y me seguía como un perro".

Traducía Ernest aquellas palabras al inglés y por su acento complacido se veía que estaba orgulloso del criado indio. Este seguía:

—Al volver del mercado, algunos días me quedaba sin saber qué rumbo tomar porque había siete. Era linda la vida entonces con un caballo y con tantos rumbos. Pero no todos eran buenos. Había tenido que dejar uno de ellos porque cuando llegaba al barranco ciego se me presentaba un animal que parecía un coyote y nunca pude sacar si era coyote o perro o persona. Venía de costado con la cabeza gacha. Mi caballo corcobiaba y al final salía del camino dando un brinco y se ponía al galope.

Mientras el primo Ernest traducía, no podía John evitar su resentimiento. Admiraba la tranquila energía de su primo y le irritaba su propia admiración. "¿Por qué hace hablar al indio? ¿Se está burlando de nosotros?" Escuchaba distraído y miraba al indio quien con su traje blanco de algodón y su rostro apergaminado y liso parecía dibujado a lápiz. Las pupilas le habían sido marcadas haciendo girar el lápiz sobre la punta y eran ellas y las cejas lo único que parecía vivo. El indio decía que en aquellos tiempos iba cada día al mercado. Y añadía:

—Tuve que dejar el camino del barranco ciego y tomar el que se abría al ladito aunque daba un rodeo muy grande.

Escuchando al indio John miraba una mano de mujer momificada que Ernest había sacado de una sepultura antigua y que conservaba como pisapapel. John no sabía entonces que fuera la mano de una mujer muerta y creía que era de madera.

El indio seguía:

—El segundo camino lo tuve que dejar también porque algunos días oía delante de mí el ruido de un bastón golpeando la tierra lo mismo que se ve en la danza de los viejitos. Ni el bastón ni el hombre se veía, pero el ruidito allí estaba. Yo frenaba el caballo y no sabía qué hacer. Al caballo tampoco parecía gustarle aquel ruido. Tuve que dejar también ese camino y aunque el tercero no era más que una vereda de venaditos desde aquel día volví a casa caminando por él. Todo era cosas contrarias, decía yo. Un día en un recodo de la vereda encontré una garza blanca que me dijo: "Mira por ti, Buenaventura, que los caminos están escasos".

El primo Ernest traducía una vez más con cierta fruición y dirigiéndose siempre a Ira:

—Tuve que dejar la tercera senda —continuó Buenaventura y para encontrar otro rumbo decente caminé más de una hora por monte raso. Al oscurecer vi cruzar delante de mí un conejo. Aquella era una mala señal y resolví caminarme atrás y buscar el quinto rumbo. Sólo me quedaban tres y tenía el corazón apretado. El quinto camino era larguito y por él fui sin encontrar nada. Pero un día apareció un hombre sentado a un lado. El hombre tenía los ojos claros y la nariz grande, pero no tenía boca. Y dijo: "Ya veo, el caballo no quiere pasar". Yo le pregunté cómo hablaba si no tenía boca. El hombre alzó la mano en el aire y vi que en la palma tenía una boca con la que hablaba. Pasé dando un rodeo, pero al día siguiente cuando vi al hombre sentado en el recodo del camino me faltó coraje y volví al mercado. Busqué otro camino, el sexto. Sólo quedaban dos. Estaba seguro también de tener algún mal encuentro en el sexto y pensaba: ¿qué será lo que me espera allí? Ya lo decía yo: encontré un árbol que en lugar de crecer menguaba. Mostraba John su falta de interés mirando la lámpara de hierro forjado que colgaba del techo. Parecía también dibujada a lápiz, con un lápiz muy negro. El indio seguía:

—Aquel árbol menguaba en lugar de crecer porque dos años atrás se había colgado allí un hombre. No me gustaba aquel camino y busqué el séptimo. Ese era el último y si lo perdía tendría que andar ya siempre descaminado porque no había más. Es decir, que los otros los habían robado los españoles. Aquellas desgracias que ocurrían siempre a la misma hora entre dos luces no sucederían con la fuerza del día, pensaba yo. Sería bueno salir antes del mercado, de manera que cuando volviera a la milpa no fuera de noche todavía. Eso pensaba yo como digo a sus mercedes. En el séptimo camino, que era el más largo, había que echar a andar una hora antes para llegar a casa con el sol. Desde la ventana de mi choza escuchaba la risa de una mujer y era la garza blanca. Los malos encuentros acudían a la milpa. Por el séptimo camino bajaba la niebla. Envuelto en mi sarape de cuadros blancos y negros no tenía miedo de la niebla, pero un día cerca ya de casa el animal se detuvo en seco. En la tierra, al lado de un maguey, se veía un niño envuelto en una mantita blanca. Bajé del caballo, tomé el niño en los brazos y alcancé con una mano el arzón. Quería subir al caballo, pero el animal reculaba corcobiando. Por fin conseguí montar. El animal rompió a correr y entonces yo le dije al chamaquito: ¿quieres vivir en la milpa conmigo? El niño respondió como una persona grande: "Sí, pero mira mis dientes". Abrió la boca y me enseñó unos dientes amarillos como los de un perro cabañero. Yo lo solté y el caballo dio un brinco al sentir el chamaco rodando por las ancas. Salimos al galope. Al día siguiente mi caballo se escapó y desde entonces anda sin rumbo. Yo quedé flojo y ruin por los caminos. Al lado estaba la milpa de mi padre. Nos veíamos cada día, pero no nos hablábamos porque él no tenía nada que decir. Una tarde cogí un cuchillo y esperé la noche. Era un día callado y fresco como una rosa. Me arrimé a la estera donde dormía mi padre y lo maté. Quiso defenderse y sin querer le dí también en la palma de la mano. La herida de la mano me recordaba al hombre que tenía allí la boca y hablaba por ella. Después de matar a mi padre —añadió el indio— me senté a la puerta. Miraba las sombras delante y en alguna parte una voz cantaba una canción tonta. Tenía que buscar un lugar con tierra santa para mi padre. Era lo que correspondía, después de haberlo matado. ¿Qué menos puede hacer un hijo? John e Ira se miraron. Aquellas palabras incongruentes el primo Ernest las había traducido de un modo mecánico y sin expresión. Es decir, que no les daba importancia. "Así es él", pensaba John. Ella se inclinaba hacia atrás con las piernas cruzadas. Parecían sus piernas dibujadas con un buril de punta finísima. El indio seguía:

—La tierrita santa no se roba. Yo tenía que trabajar hasta que pudiera ahorrar bastante dinero para comprarla y llevar allí el cuerpo de mi padre. Entonces se me ocurrió otra idea. Compraría una losa de mármol también y una cruz y cuatro faroles de hierro, uno para cada esquina. Era de noche. Levanté el cuerpo de mi padre y lo saqué a la puerta. Una vez allí me dije: pronto será de día y lo verán los que pasen. Entonces me lo puse al hombro y lo llevé a una cueva. Volví a la milpa, me acosté en la misma estera de mi padre y me dormí. Al caer el sol desperté y fui a buscar trabajo. Como todas las cosas son de una manera u otra, yo pensaba de qué manera sería el patrón que me encontrara y qué clase de trabajo me darían. A veces me acordaba de mi padre y pensaba que la justicia me castigaría si se enterara. Pero no lo sabía nadie. Mientras nadie lo supiera era como si yo no lo hubiera hecho. Y nadie se enteró. Hasta ahora que yo lo digo a vuestras mercedes. En las mismas afueras de la población y sin entrar en ella encontré trabajo. Ni las manos ni los hombros ni los pies eran necesarios para aquel empleo. Sólo los ojos. Tenía que estar sentado toda la noche frente a un montón de vigas de madera y hierro. Las miraba y eso era todo. Así pasaron los meses. Por la noche veía lamparitas en el aire. Y decía santiguándome:

...*fierrito de los faroles,*
cristalito de la cruz,
padre nuestro amén Jesús.

El indio respiraba hondo, hacía una pausa y seguía:

—Al cabo de los meses tenía ahorrados quince pesos. Compré un lugar en la tierra bendita que me costó trece, pero no quería llevar allí a mi padre hasta tener la losa, la cruz y los faroles porque ya digo que mi padre era muy decente. Calculé que tendría que trabajar unos quince años y dormía de día y trabajaba de noche.

Se impacientaba John y a veces tenía ganas de levantarse y salir de allí, pero viendo a su lado a Ira se contenía. No quería

dejarla sola. Miraba John al indio pensando que estaba escuchando la confesión de un atrasado mental.
Volvía el indio a hablar:
—Pasaban las noches. Nunca llegó nadie a llevarse las vigas, que la verdad pesaban mucho para ser robadas. Yo había sacado una linterna vieja y algunas noches ponía un cabito de vela. En esos once años había visto el sol pocas veces. Por fin tuve los ciento cincuenta pesos y me despedí del patrón. Compré todo lo necesario y fui a ver a mi padre. Encontré al muertito donde lo dejé, sólo que consumido y en los meritos huesos. Tenía aún su sarape atado a la cintura con una cuerda. Yo estaba contento, pero no sabía qué hacer. Miraba los huesos de mi padre sin parpadiar y preguntaba: ¿tiene su mercé alguna malquerencia contra mí? La calavera se inclinaba hacia la derecha diciendo que no, lo mismo que cuando vivía. Al moverse la calavera hizo un ruidito en la piedra. Yo me santigüé. En once años sólo dos veces vide el sol. ¿Y usted, padre? preguntaba. ¿Dónde está? ¿En el cielo o en el infierno? ¿No está en el infierno? La calavera dijo que no. Una vez, dos veces. Yo sentía hormiguillo en la nuca porque tenía miedo. Pero pregunté todavía: ¿Hay más gentes en ese lugar donde está su mercé? ¿Hay santos? Tardaba en responder. Dígame su merced, ahora que lo sabe. ¿Hay Dios? La calavera remegió de derecha a izquierda diciendo que no. Entonces yo me retiré, me senté en un saliente del muro y me puse a cavilar. Si no hay Dios ¿para qué la tierrita bendita y los faroles y la losa de piedra?
Traducía Ernest y miraba a Ira mientras el profesor St. John disimulaba un bostezo que le llenó los ojos de lágrimas. El indio seguía:
—Llevaba allí más de una hora cuando vi que de la calavera salía un ratoncito montés que marchaba despacio hacia la salida. Pasó al lado mío apartándose un poco y mirándome como pensando: es el hijo que viene a ver a su difunto padrecito.
—Pero si la calavera se movía —dijo Nadya sólo para hacer hablar al indio— era porque el ratón estaba dentro.
—Mi padre lo había puesto allí con esa intención, digo para que me dijera a mí que no. Mi padre era así y yo lo conocía bien. Entonces yo me marché a la población y me emborraché con perdón y estuve dos semanas sin saber lo que hacía. La vida era buena. Luego me pasaron otras cosas bastante lastimeras, que no las digo por no hacer el cuento demasiado largo y no trasnochar a los señores y un día me vi saliendo de la ciudad sin saber a dónde ir. Hacía tiempo que los siete caminos estaban maleficiados. No podía estar en la ciudad porque sabía que no

había Dios y los otros me miraban como si lo hubiera. Entonces los señores comprenderán con sus buenas luces. Por entonces yo había robado ya dos o tres veces algunos dineros y no tenía caballo para escapar. Tiempos atrás conocí a otro compadre que tuvo hambre y también robó. Entonces lo atraparon y lo fusilaron en una aldeíta que tenía una higuera grande en la plaza. Los señores sacarán su luz de lo que digo. De seguir en la ciudad tendría que robar una vez y otra. Estaba yo muy bruja entonces. Vi unas montañas lejos, caminé, busqué un agujero al resguardo del aire y dormí. Desperté al amanecer con mucha hambre. Pasó un lagarto corriendo con la cabeza alzada. De chico cantaba yo cuando veía a un lagarto:

> ... *anda a casa de tu abuela*
> *a buscar huaraches viejos.*

Tradujo Ernest estos versos y oyéndolos el profesor St. John pensaba: ¡qué simpleza! Y veía a Ira adormecerse. Pero el indio no había terminado:

—El lagarto tenía hambre. Yo veía la tierra amarilla que si se raspaba era roja. Y estaba solo. Y levantaba la cabeza y decía: al menos si tuviera caballo... pero ni eso. Malamente lo pasé. Tuve que comer raíces que desenterraba con las uñas como el mero tejón. Después de un mes de vivir así las piernas no me aguantaban. Aquello era el fin. Una tarde oí cerca chillidos como de pájaros grandes. Fuí subiendo por las peñas hasta que llegué a un nido donde había tres aguiluchos que al verme se pusieron a sacudir las alas. Se veían feos. Junto al nido había medio conejo y me lo llevé. Fui bajando al valle. Allí lo comí. Luego me eché a dormir y cuando desperté me encontré de mejor temple. Y hacía mis cavilaciones. Si fueran grandes las águilas no sería tan fácil, digo yo, quitarles su meriendita. Había oído hablar de águilas que se llevan un hombre por los aires y me preguntaba si el águila madre sería tan grande como para eso. Todas las tardes llegaba al oscurecer con su vuelo plano y en las patas alguna presa. Al día siguiente esperaba yo que saliera para la caza y entonces subía a robarles a los aguiluchos lo que les quedaba del día anterior. Una vez encontré un conejo entero y me lo llevé. Bajaba tan deprisa que me lastimé en la esquina de una roca. Corrí a mi agujero y por si acaso el águila me había visto cerré la abertura con una piedra de buena talla. Al oscurecer estuve mirando a la montaña. El águila volvía como siempre con las garras ocupadas. Cuando el águila se marchó al día siguiente volví a trepar poquito a poco y me arreglé otra vez mejor o peor con lo que robé a aguiluchos. Pasaron así muchos días. Yo, la verdad, me sentía seguro. Ya no me temblaban las piernas.

Oyendo aquello Nadya sonreía, echaba el humo al techo y miraba a Ira quien ponía alguna atención. El profesor St. John pensaba: para compartir esta clase de emociones hay que bajar a un nivel mental muy simple. Al de las orugas si es que tienen mente. Seguía escuchando por cortesía, sin interés.

—Una mañana —decía el indio— trepaba yo por la cantera como siempre. Y llegué arriba y tenía la mano dentro del nido cuando vi volver a la madre. Al principio pensé que era otra águila, pero pronto se ladeó para perder altura y yo dejé la caza en su sitio y comencé a bajar. Tropezaba por todas partes. No sabía donde poner el pie. Una mano me falló y casi caí al barranco. A un águila no se le habla, ustedes comprenden. ¿Qué podría decirle yo? Y seguía bajando. Sentí la sombra de las alas sobre la cantera. Levanté la cabeza y vi que ella venía rodiando por el aire. Llegué por fin a terreno llano y corrí con toda mi fuerza, que no era entonces mucha. La sombra del águila se veía cerca, a un lado y al otro encima de mi cabeza. Yo tenía miedo. Me ha visto, decía bastante apurado. Y un águila corre más que un hombre. Yo corría y pensaba en lo que después de muerto me había dicho mi padre empleando como lengua al ratoncito gris. Y corría. Pero la sombra del águila pasaba por encima y se iba delante mío para volver a pasar. Vi en el suelo una raíz del grosor de un brazo que salía de la tierra. Quise arrancarla para defenderme, no pude y salí corriendo. El águila me perseguía bajando en rodeos anchos. Alcé la cabeza. El águila dejó caer algo y volvió a remontarse. Vi un conejo todavía caliente a mis pies. El águila iba tomando otra vez altura y volvió al nido. Yo recogí el conejo y me fui a mi cueva quitándole la piel. Al día siguiente apareció don Ernesto con la señora Nadya, aquí presente, que iban con otros buscando huesos. Ya se sabe la manía de los gringos con los huesos. Le conté todo esto a doña Nadya y don Ernesto me trajo aquí con ellos. Y aquí estoy yo, el indio Buenaventura para servir a ustedes.

Miraba el indio grave e indiferente. John se levantó, se puso las manos en los bolsillos de la chaqueta y contemplando un cuadro en el muro dijo:

—Si el águila dejó caer un conejo fue por casualidad y sin ningún propósito ni intención. En todo caso —añadió cambiando de tema— es ya tarde y mañana vamos a ir a las cavernas de Grandwall. ¿Están lejos?

Ernest hizo señal al indio de que se marchara y Nadya dijo

sacudiendo la ceniza del cigarrillo sobre el mármol de la base de la chimenea:

—No. Veinte millas. Yo no voy nunca. No puedo ir porque padezco claustrofobia.

Añadió que Ernest tampoco iría porque tenía en algún lugar un asunto urgente. Al decir esto último guiñó un ojo. Esto le pareció a John de una gran impertinencia.

Quería Ernest oir algún comentario sobre la narración del indio, pero John e Ira parecían evitar el tema. Ira dijo por fin:

—Tal vez esas cosas no son para entenderlas con la razón.

John no decía nada. El primo Ernest viéndolo contrariado rompió a reír y luego explicó a Nadya:

—Siempre ha sido así, John. Ahí lo tienes ofendido por las palabras del indio. Matar a su padre no es tan terrible.

No quiso responder John.

Se retiraron a dormir y al día siguiente el profesor St. John fue a las cavernas con su novia Ira. Pero ella no entró. Según dijo, en las cavernas sentía igual que Nadya la angustia de los lugares oscuros y cerrados. Se quedó en el coche con un libro. Un libro de aventuras del suroeste.

Se unió John a un grupo de unas cincuenta personas y ya dentro, al final de un largo pasadizo y al perderse los reflejos de la luz exterior, se sintió en una oscuridad completa. El suelo descendía en una suave rampa. Encendió el guía su lámpara y dijo como el que recita una lección:

—Las cavernas que ustedes visitan fueron descubiertas en 1831 por el sabio geólogo Mr. Ermitage que las recorrió alumbrándose con antorchas de resina. El instituto de Geodesia le dedicó esta lápida:

Iluminaba una losa de mármol incrustada en el muro:

John St. John Ermitage
1793-1868

No se interesaba John en geología ni en geodesia, pero estaba orgulloso de que su bisabuelo Mr. Ermitage —pariente suyo y no de Ernest— hubiera descubierto aquellas cavernas. Estaba satisfecho de saberse en cierto modo por aquella circunstancia superior a la masa de los turistas. Dijo al guía que era biznieto del sabio Ermitage —por eso tenía interés en visitar la caverna— y el guía iluminó con su lámpara el rostro del profesor. Todos lo miraron con respeto.

Pensaba John que Ira se conducía de un modo ligeramente inesperado y nuevo desde que estaba en Valle Hondo. Parecía más segura de sí y más adulta. No le extrañaba este hecho al profesor, pero se preguntaba: ¿cuál es la Ira verdadera? ¿la de Nueva York o la de aquí? Era una preocupación legítima de enamorado, según creía.

No le parecía bien que se hubiera quedado fuera, pero el pretexto era razonable. El hecho de que su novia tuviera en su carácter un rasgo común con Nadya —claustrofobia— le sorprendía.

Iba el grupo de turistas bajando hasta desembocar en un recinto inmenso cuyos límites no se veían.

—Este es el que nosotros llamamos el *hall de los murmullos* —dijo el guía.

Al mismo tiempo encendió un reflector, que por un instante, iluminó un ancho paisaje calcinado. El espectáculo era soberbio y el profesor pensó un momento en ir a buscar a su novia, pero renunció.

Haciendo avanzar sus pies en la oscuridad con cautela se decía que si hubiera en aquellas cavernas un accidente (emanaciones letales de gas carbónico o un derrumbamiento o cualquier otra cosa) y murieran todos, Ira se quedaría sola en Valle Hondo bajo el mismo techo de Nadya, con Ernest y el indio parricida. Tres tipos extraños. La convivencia con ellos no sería un placer para una muchacha como Ira.

El guía volvió a hablar:

—Esta parte del muro está cubierta de silicatos. Vean como brilla, señores.

Había una especie de friso de materia cristalina que refractaba la luz. Una mujer dijo "qué lindo" como si se tratara de una obra de arte. En aquel momento se oían corrientes de agua despeñadas en alguna parte lejana.

—Un torrente fantasma —explicaba el guía—. Una ilusión acústica. Por que aunque hay un río subterráneo se trata de un río tranquilo que en todo su curso no tiene un desnivel de dos metros. Hay peces en ese río. Son peces ciegos y moluscos ciegos también. Tanto los unos como los otros son de una voracidad monstruosa.

Mostraba un lugar donde la roca ofrecía la huella fósil de una zarpa de megaterio. John estaba en aquel momento pensando en Ira. Recordaba el día que la conoció, es decir, el día que la vió por vez primera, porque aquel día no lo presentaron a ella. Fue un día luminoso, todo azul y blanco (blanco por la nieve). Aquellos recuerdos tan llenos de luz en un lugar tan oscuro le parecían dulces al enamorado John. Era John St. John Martin profesor de griego en la Universidad de Middletown. *Associate professor,* lo que no estaba tan mal a los treinta y dos años. Vió a Ira por primera vez en el jardín de la casa del presidente de la Universidad dos años antes con motivo de un acto al que asistió la facultad entera. Pensando en el indio Buenaventura y en su primo se decía John: ¡Qué mundos tan diferentes y opuestos! Sin embargo, desde el norte de New England donde estaba su Universidad a la montaña donde vivía el primo Ernest, no había más de seis horas en avión. ¡Pero qué mundos más distintos! se decía otra vez.

En la casa del presidente, es decir, en el jardín, había muchas caras *newenglanders* que parecían más inglesas bajo la brisa fría y colonial. Una brisita punzante. Gabanes de pieles, sonrisas sin alegría, frases banales a media voz. Todo el mundo demasiado afeitado y cuidadoso de sí hasta un extremo impresionante. Cualquier país habría estado orgulloso de tener a aquellos hombres como ciudadanos.

Se trataba de conmemorar un hecho aparentemente baladí: el cumpleaños de un roble centenario. Era un árbol que conservaba su nombre latino en una etiqueta atada al tronco. El profesor St. John creía estar viendo aquella etiqueta en las sombras de la caverna. La etiqueta tenía dos palabras latinas: *Quercus borealis*. A la sombra de aquel árbol había sucedido un día alguna cosa histórica.

Junto al viejo decano de Artes y Ciencias se veían las tres hijas del presidente a quienes el anterior profesor de griego, doctor Kotapos, ya jubilado, llamaba con los nombres de las tres carabelas de Colón: La Pinta, La Niña y la Santa María, porque eran anchas, ligeras y tenían algo flotante y aventurero.

Recordaba aquello el profesor diciéndose: "Desde el momento en que salimos de New England hasta ahora, no he podido ver a Ira separada de mí y en perspectiva, ni mucho menos, recordar los incidentes de nuestra relación a lo largo de un año y medio. Estábamos siempre —por decirlo así— demasiado juntos". Claro es que por otra parte aquella proximidad de cada momento le encantaba.

El guía de las cavernas detenía a la comitiva con un gesto paternal y aconsejaba:

—Miren a la bóveda, señores.

Alzaba John la cabeza y viendo tan alta la techumbre pensaba: parece un cielo de tormenta que se hubiera solidificado de pronto. Pero en la voz del guía el profesor creía estar oyendo el discurso del presidente de su Universidad. Refería el presidente aquel lejano día la historia del *Quercus borealis*. Recordaba la fecha ya lejana e histórica en que el plantón de aquel árbol fue llevado allí desde Inglaterra. Un árbol noble, un símbolo que todos miraban con veneración. Aquel árbol había visto pasar ocho presidentes universitarios. Hizo una alusión amable a la presencia de algunos consejeros de la Universidad, cuyos nombres fueron acogidos con aplausos. El presidente llevaba en la mano una pequeña placa de zinc en la que se podía leer: *"Quercus borealis — Primer Centenario de su transplante a este lugar — 24 de marzo de 1934"*. En el momento en que cambiaba la antigua placa por la nueva el Dr. Kotapos, antiguo profesor de griego a quien John St. John acababa de sustituir, decía entre dientes: "Sólo nos falta complicar en nuestras vanidades al mundo vegetal".

Recordaba el profesor St. John el árbol y también a Kotapos y hasta las tres carabelas de Colón con ternura. La Universidad era el verdadero hogar del profesor. Pero luego pensaba en sí mismo. Lo curioso era que al pensar en sí mismo se interponía la imagen del primo Ernest traduciendo la narración del indio Buenaventura. Odiaba John aquella tendencia de su primo hacia el mundo de las emociones transcendentes. Odiaba, en general, a la gente del suroeste tan expresiva. ¿Por qué aquellas gentes habían de mostrar el contento y el odio en los ojos, en las manos, en la línea del cuerpo antes que en las palabras? ¿Por qué habían de proteger indios parricidas que cuentan historias de una extravagancia frenética? Aquello le parecía irregular. John adoraba la arquitectura griega, sin curvas, toda columnas frías y capiteles. Toda ángulos rectos. El barroquismo en los edificios, en los templos, en la conducta de los hombres, en las manifestaciones de la mente, le aturdía.

Y desde las sombras de las cavernas recordaba que los griegos llamaban a aquellos lugares *hipogeos*.

Volvía con la imaginación al jardín del presidente de la Universidad. El presidente seguía hablando junto al árbol. En aquel momento el Dr. Kotapos había atrapado el brazo de su sucesor St. John, a quien trataba de dar consejos:

—Si quiere que el departamento de griego prospere, debe usted cultivar la amistad de las mujeres ricas. Debe aprender a sacarles el dinero. ¿Conoce usted a la señora Brash?

Aquella expresión —sacarles el dinero— le parecía a John del todo inadecuada. Y además odiaba los consejos. Sin embargo, preguntó:

—¿Quién es la señora Brash?

Kotapos le indicó discretamente una mujer ya otoñal y sin atractivos. A su lado había otra muy joven. Fue para John una revelación violenta aquella muchacha. Decíase asombrado: me

doy cuenta de que es esa la mujer a quien he estado buscando toda mi vida.
Al terminar el discurso del presidente, vió John que la muchacha había desaparecido. "Y pensar —se dijo en las cavernas de Grandwall— que ahora viajamos juntos y va a ser mi esposa y la he dejado ahí fuera en el coche leyendo una novela de cowboys como una niña y esperándome"...
De su arrobo le sacó el guía que seguía hablando:
—¿Ustedes ven? —decía acercándose a una sima e iluminándola hacia abajo—. Ahí están los restos de miles de pequeños animales: conejos, ardillas, chipmunks. Sólo los huesos. Los esqueletos limpios y mondos. Durante cientos de siglos han ido cayendo ahí desde alguna madriguera a donde se acogen tal vez huyendo de otros animales. Eso mismo sucede un poco más abajo con la diferencia de que los pobres animalitos perseguidos no caen a un abismo sino al río. Al río subterráneo. Los peces y los moluscos devoran a un conejo o una ardilla en menos de un minuto y dejan el esqueleto limpio y mondo. ¿No es interesante?
—No es interesante —dijo una mujer—. Es horrible.
Hubo algunas risas. John pensó que también a Ira le habría parecido aquello horrible. El guía seguía hablando y el profesor se trasladaba de nuevo con su imaginación al jardín del presidente de la Universidad. Hombres de ciencias, de letras, con frentes sólidas, ojos apagados y, a menudo, perfiles de una extrema obstinación. Y recordaba también el campus. Le gustaba la arquitectura renacentista llena de alusiones helénicas. Parecía una acrópolis griega con columnas claras de mármol sobre lienzos de piedra gris.
Noble de veras, el campus.
Al final del discurso del presidente hubo aplausos y el ruído despertó a una ardilla que vivía en una oquedad del mismo árbol. El animalito se asomó y olfateó la nieve. Se acercaba la primavera, pero hacía frío aún. Miró con desconfianza a toda aquella gente y volvió otra vez a su agujero. Un profesor de física que había tenido el premio Nobel reía mirando a la ardilla embobado.
El profesor St. John contemplando a Mrs. Brash —una señora de firmes caderas— se decía: "Según Kotapos, esa dama se interesa por la cultura helénica." Le parecía un buen pretexto no para tratar de sacarle dinero sino para entrar en relación con la muchacha que poco antes la acompañaba.
¿Dónde estaría aquella criatura?
Estuvo John el resto de la tarde con la señora Brash to-

mando té y charlando. Parecía ser Mrs. Brash mujer de carácter firme y de expresión directa. No era ella quien se interesaba por el griego sino una cuñada suya. El profesor admiraba a la señora Brash por ser tía de la muchacha. Averiguó también que la sobrina se llamaba Ira y no tenía madre. Esto último le parecía, sin saber por qué, favorable y propicio.

En aquellos tiempos John se sentía con frecuencia desanimado. Tenía treinta y dos años. "¿No seré demasiado viejo para ella?" Ira no tenía más que diecinueve.

Nunca había creído en el amor a primera vista, es decir, en el flechazo y, sin embargo, estaba pasando por la experiencia.

¡Qué curioso recordar todo aquello en las cavernas llenas de sombras! El guía hablaba y a veces se sentía profesoral:

—Algunos animales del mioceno probaban a erguirse en dos patas sobre las de atrás y a andar en posición vertical. No lo consiguieron. Parece que sólo lo ha conseguido el hombre. Bueno, y el canguro. ¿No es verdad, profesor?

Decía el profesor para sí: "¿Por qué me lo pregunta a mí? ¿Qué tengo que ver yo con los animales del mioceno? Yo no soy naturalista". Y pensaba en Kotapos, su antecesor en la cátedra de griego que había intentado años atrás obtener dinero de la cuñada de Mrs. Brash, mujer rica que tenía un nombre un poco humorístico: Madame de la Flanelle. Era de origen francés. El Dr. Kotapos había ido a ver años antes a Mme. de la Flanelle acompañado de Mrs. Brash. La millonaria era una señora rubia vestida de una manera sensacional y Kotapos fue presentado como el mejor helenista del condado, lo que sonaba de un modo irónico. Al darle Mme. de la Flanelle la mano al profesor éste sintió que le daba también una correíta al final de la cual había un perro spaniel. Mme. de la Flanelle, sin dejar de sonreír a su cuñada, pidió al profesor que llevara el perrito a pasear alrededor del hotel y le advirtió:

—Si se detiene al pie de un árbol, por favor, no le dé usted prisa.

Bajando la escalera con el spaniel, Kotapos se decía: "Me gustaría saber si ha hecho esto con la intención de molestarme a mí personalmente o de mostrar su escepticismo por el griego y por las humanidades en general".

Aquí comenzó y terminó la relación de Kotapos con la millonaria. El viejo doctor, enviando al profesor St. John hacia ella, quizás obedecía a una inclinación pérfida o tal vez nada más a su humor bromista. Podría ser que creyera de veras que St. John podría impresionar a la millonaria y obtener un subsidio. En todo caso, al helenista Kotapos le gustaba burlarse de la gente. Pero no era hombre de mala intención en el fondo. El día de la fiesta en el parque, John suscitaba esas miradas diagonales que se tienen para la gente nueva y recién llegada. "Yo estaba entonces —pensaba el profesor desde la caverna de Grandwall— en una situación que no puedo recordar sin cierto rubor. En un estado de inmadurez lamentable." Tal vez exajeraba. En todo caso, al llegar John al aula de griego el busto de Zenón de Citio salió de las sombras para ocupar el puesto presidential después de sacar de él al cínico Anthistenes (predilecto de Kotapos) y condenarlo al rincón de un viejo armario. Desde aquel momento se veía que el profesor St. John sucedía a Kotapos como un período de civilización sucede a otro. El período declinante era el de los cínicos. Como se puede suponer Kotapos no se dejaba vencer pasivamente. La resistencia de Kotapos no podía ser, sin embargo, más inocente. Alguna discusión doctrinal, la manía de dar consejos y la inclinación pérfida a poner a su sucesor en alguna situación más o menos resbaladiza no para que cayera sino sólo para que descompusiera su gesto de vez en cuando tratando de recuperar el perdido equilibrio.

John apuntó en un cuadernito que llevaba siempre consigo: "Evitar discusiones de principios con el Dr. Kotapos."

De todo eso hacía más de dos años, pero le parecían a John dos siglos. El profesor se sentía a gusto en la pequeña ciudad universitaria, silenciosa y limpia.

El carillón del campus tocaba al mediodía con ligeras desafinaciones, algunas canciones antiguas, entre ellas *Swanee River*, *God bless América* y *Sweet Genevieve*. La torre estaba en lo alto de una colina.

Llevaba el profesor St. John el eco de aquellas campanas en sus oídos. En el fondo de la caverna creía oirlas otra vez. El guía golpeaba con un dedo una fina estalactita que quedaba vibrando como un diapasón. Y repetía:

—Es al final del mioceno cuando aparecen esos animales que hoy llamamos antropoides. ¿Es realmente de ellos de donde desciende el hombre? No seré yo quien se atreva a contestar.

Algunos días el guía se sentía especialmente doctoral.

Seguía el profesor oyendo en su recuerdo las campanas del campus. Vivía en una casa particular con dos ancianitas hermanas y solteras que le cedieron tres habitaciones. La casa tenía un jardincillo interior con cierta gracia parecida —pensaba John— a los peristilos griegos.

Se encontraba a gusto allí. Había alfombras gruesas y en el

peristilo un cupido de mármol rosa con un trasero un poco demasiado conspícuo, creía él.

En la clase los alumnos escuchaban sus conferencias en un silencio respetuoso. La atención de los jóvenes, sin embargo, tenía motivos muy distintos de la conferencia en sí misma. El profesor St. John nunca exponía su opinión desde un solo punto de vista sino que recordando al griego Heráclito ofrecía después el punto de vista contrario. No era que John se interesara por la filosofía. Sólo era maestro en lenguas clásicas. Pero el paso dialéctico de un lado de la verdad al otro le gustaba y lo hacía usando una frase puente: *por otra parte* . . . Esperaba el profesor que la síntesis final acabara por desprenderse sola. Repetía la expresión *por otra parte* a menudo. Los alumnos hacían apuestas a pares o nones sobre el número de veces que dijera aquellas palabras. Se cruzaban hasta ocho o nueve dólares y a veces más. Aquellos días la conferencia era sensacional. Rumores de entusiasmo o de decepción cruzaban la sala. Aquella ansiedad asombraba un poco a John.

Cuando Kotapos encontraba a su sucesor en la calle se disponía a darle consejos, pero a menudo olía a whisky y John solía excusarse mirando el reloj.

Por entonces se sentía John pesado de movimientos y el médico le recomendó que hiciera ejercicio. También le aconsejó el matrimonio, como si pudiera uno —pensaba John— casarse por razones higiénicas. No obstante, al recibir este consejo recordó a Ira, la sobrina de Mrs. Brash. Casado con ella quiza —se decía— su vida adquiriría esa cualidad que los griegos expresaban con una palabra noble: *hedonismo*. Seguía pensando si aquel aire extraño que algunos le atribuían sería resultado de una vida sin afectos. "Quizás soy demasiado soltero". De los consejos del médico siguió por el momento que se refería al ejercicio físico y fue al gimnasio del campus. En el gimnasio como en todas partes pensaba en Ira.

Era la presencia de Ira fantasmal, fugitiva e inolvidable.

Encontró en el gimnasio a varios estudiantes y uno de ellos le dijo:

—Estos ejercicios son muy saludables. Mire usted mi pecho.

Hinchaba los pulmones y encogía el vientre. Dijo que en una semana su caja torácica se había ensanchado tres pulgadas. ¿En una semana? Dos horas después de hacer ejercicios respiratorios con las gafas puestas John fue a vestirse. Trataba en vano de abrocharse el chaleco. Los dos lados de esa prenda se negaban a unirse sobre el pecho y entre la fila de botones y la de ojales había un espacio de dos pulgadas. El profesor decía:

—Es increíble, señores, con sólo dos horas de ejercicio. Los muchachos le habían cosido en la espalda del chaleco una alforza de medio palmo. Era la broma clásica. Salió John muy feliz con el chaleco desabrochado y se dirigió a su oficina. Encontró en ella una invitación del comité de deportes de nieve y recordó que Mrs. Brash le había dicho que si quería lo llevaría en su coche. Pasarían por la finca de Mme. de la Flanelle y podrían detenerse un momento a saludarla. El acento de Mrs. Brash parecía una promesa, pero esperaba John otra cosa mejor que ver a la cuñada rica. Esperaba conocer a su sobrina Ira.

Pensaba el profesor: he comenzado a hacer vida atlética y mi pecho se ha ensanchado dos pulgadas en un solo día. Debo continuar. Se dejó caer en el sillón y respiró hondo. Sonaban las campanas del campus. Aunque eran los últimos días de marzo, la nieve al otro lado de las anchas ventanas caía lentamente y más que de frío, hablaba de pureza.

El recuerdo de aquella pureza —desde las cavernas de Grandwall— le conmovía. "Allí todo tan blanco —se decía— y aquí todo tan negro". Y entre aquellas claridades y aquellas sombras un repertorio de incidentes a veces gratos a veces no tan agradables de recordar. A veces incluso un poco sórdidos. Le avergonzaban. No era una vergüenza humillada sino más bien la conciencia de lo inadecuado de algunas de sus reacciones en los primeros tiempos de su noviazgo con Ira.

¡Qué tiempo aquel tan reciente y tan lejano! Todo acabó bien y no tenía derecho a quejarse. En las cavernas volvía John a oir las explicaciones del guía sin escucharlas, pensando en la universidad de Middletown.

Camino del club de esquiadores, se detuvieron aquel día, como había dicho Mrs. Brash, en casa de su cuñada Mme. de la Flanelle. Iba con ellos en el coche el profesor de psicología, Dr. Hall, un hombre flaco que tenía fama de ingenioso. Como Mme. de la Flanelle, a quien esperaba realmente era al profesor de griego, el de psicología se mantuvo discretamente aparte. Pero el perro de Mme de la Flanelle, el lindo spaniel, se acercó al Dr. Hall y le olió los zapatos. Parece que el olor no le disgustó y ladró a media voz. La millonaria dijo:

—Mi perro le quiere a usted, Dr. Hall.

—A falta de otra cosa he tenido siempre cierto *dog's appeal*, —contestó Hall con una resignación cómica.

Reprimía Mrs. de la Flanelle la risa, pero de vez en cuando se le escapaban pequeñas explosiones de regocijo pensando en el *dog's appeal*. Mrs. Brash se contagió. El profesor St. John se encerró en su concha como un caracol. Mme. de la Flanelle le pidió noticias sobre sus planes en el departmento de griego y el profesor con un aire casual le habló del Boletín de Estudios Helénicos que publicaría un día —era su sueño dorado— si la Universidad le daba medios. Luego habló francamente de la cantidad que necesitaría para una empresa como aquella. La señora lo escuchó hasta el fin para decir de pronto:

—No puedo contestarle porque yo no trato nunca de negocios en el campo sino en mi casa de Boston.

Ah, vamos —pensó John—. Ese es uno de sus trucos para cortar el paso a los pedigüeños. Pero él no le había pedido nada, en realidad.

La conversación quedó interrumpida y como el profesor no hacía nada por reanudarla, Mrs. Brash intervino y se puso a hablar de la buena condición de la nieve para esquiar. El profesor St. John se sentía decepcionado y no quería aceptar su derrota. Se atrevió a decir que no creía que su boletín pudiera ser considerado como un negocio y por lo tanto bien podía Mme de la Flanelle hablar de él en el campo o en la ciudad.

—¡Claro, que es un negocio! —dijo ella.

—Permítame usted que discrepe —insistió John exagerando en el tono la cortesía.

—En todo caso, ¿no busca usted dinero? —preguntó ella de una manera abrupta.

—Yo no, —dijo él otra vez incómodo— sino el departamento de lenguas clásicas de mi universidad. En cierto modo, señora —añadió sonriendo— se trata de una deuda antigua, la deuda de la riqueza con las artes y las letras, es decir con la cultura.

—Una deuda moral, supongo. ¿Eh? Me alegro de ver que estamos de acuerdo. Entonces no estoy obligada a dar sino algún que otro consejo.

El que rió ahora fue el profesor de psicología. Las palabras de Mme de la Flanelle no merecían aquella carcajada, pero el Dr. Hall trataba de adular a la millonaria y tal vez de conquistarla para su propio departamento.

La cosa iba mal. El trillo iba —como suele decir— por las piedras. John se calló prudente.

Intervino Mrs. Brash para decir que era hora de marcharse y el profesor St. John se dijo: "No le he sido agradable a Mme de la Flanelle. Lo siento, pero no importa. Soy ya mayorcito para andar halagando como un pícaro a las viejas ricas". El profesor de psicología había conquistado en cambio a Mme de la Flanelle a través del perro.

Aquello le parecía indigno a John.

Salieron. Después de haber cerrado Mme de la Flanelle la puerta se oyó ladrar dentro al perro y a su ama imponerle silencio. El perro ladraba de un modo que se diría sofisticado. Se puso el coche en marcha. Las cadenas que habían puesto en las ruedas traseras para no patinar producían un ruidito que se repetía regularmente y que podía ser como una pequeña risa. La señora Brash encontró los ojos del profesor St. John en el espejito retrovisor y como si hubiera sido sorprendida en delito, parpadeó nerviosamente.

El profesor de psicología Dr. Hall tarareaba una canción y abrió un poco el cristal de la ventanilla para que saliera el humo de su cigarrillo.

Llegaron al club. Era un sólido edificio de piedra gris que enmedio de la nieve parecía negra. Alrededor había docenas de esquíes clavados verticalmente y alzándose con el remate doblado, como serpientes.

Entraron y se acercaron a la chimenea. Mrs. Brash se perdió escaleras arriba con una de las chicas que andaban por allí. El profesor las siguió con la mirada muy intrigado, pero no pudo ver a la joven sino de espaldas.

Era la atmósfera del club de una confortable sencillez campesina y como siempre, las muchachas imponían sus propias normas. Los hombres parecían más atentos al deporte que a ellas como si quisieran demostrarles que no les interesaban. Esto no lo podía comprender el profesor St. John quien se dijo: "En mis tiempos era diferente". Luego se asustó un poco pensando que hablaba como un viejo y que consideraba natural que hubiera una generación más joven con costumbres diferentes de las suyas. La verdad era que él no había tenido aún *su propia juventud*.

Se veían enormes pieles de oso tendidas en el suelo y en las paredes. Dos esquíes se cruzaban en aspa encima de la chimenea. Las muchachas parecían atareadas con sus botas. Algunas se quitaban los calcetines y se los volvían a poner después de dejar al aire sus pies que sobre la alfombra oscura parecían luminosos. Casi todas tenían esa actitud desenvuelta —las piernas demasiado abiertas— que tienen las mujeres cuando visten pantalones.

Algunos deportistas pensaban ir a las pruebas de saltos que en el valle próximo estaba celebrando otro club. Se discutían nombres de esquiadores famosos. Parecía tener mucho prestigio uno que se había roto la pierna derecha el año anterior y ya curado, volvía a intervenir en las pruebas.

Esperaban algunos chicos en su oscuro inconsciente que se la volviera a romper en las pruebas de aquel día.

Había un viejo flemático y gris con la pipa en los dientes que atendido por un empleado del club a quien llamaban Pat, iba de un rincón a otro huyendo del bullicio. Se sentaba, ponía los pies en otra silla o en el brazo de un sofá o en la moldura de una ventana y volvía a encender su pipa apagada. Cuando el bullicio llegaba hasta él se iba a otra parte sin decir una palabra seguido de Pat que llevaba el vaso, la botella y un cubo con hielo.

Según Pat, campesino de sólida osamenta, aquel caballero iba al club a pasar los fines de semana y se dedicaba a beber whisky y a leer novelas de detectives hablando lo menos posible con nadie. Se llamaba Mortland. En verano iba también al club y solía pescar en un lago próximo, pero no llevaba los peces al club sino que volvía a arrojarlos al agua y decía que un verdadero deporte no debe tener utilidad alguna. Este grave caballero mirando un día años atrás el tablero de anuncios oficiales donde algunos pescadores proclamaban sus hazañas protestó porque uno de ellos decía haber pescado en una sola jornada veinticuatro truchas y la ley no permitía pescar sino veinte como máximum. Cuando le dijeron a Mortland que el pescador había sido castigado, exigió que al lado de aquella arrogante declaración se exhibiera el resguardo de la multa so pena de darse de baja en el club. Y así se hizo. Por este detalle algunas personas tenían la más alta idea del silencioso caballero.

En fin el club era un club como los demás y con las mismas gentes esquiadoras que en invierno cambiaban los esquíes por la caña de pescar.

Fue John invitado a asistir a las pruebas de saltos, pero le dijeron que si quería llegar a tiempo tenía que salir en seguida. Nunca se había calzado el profesor unos esquíes, pero el muchacho que lo invitaba le recordó que había visto en el almacén del club un par de raquetas suizas y que con una en cada pie, podía llegar, si quería, no sólo al lugar de las pruebas sino al polo norte.

El profesor se puso las raquetas y salió al campo. Tenía que andar con las piernas abiertas y eso le daba un aire un poco torpe.

Llevaría diez minutos caminando de aquella manera cuando un esquiador pasó velozmente a su lado y le gritó algo que no pudo entender. ¿Por qué grita tanto? se dijo John extrañado.

Desde el fondo de la caverna se recordaba a sí mismo enmedio de la nieve. Se veía en el centro de un paisaje inmaculado. A veces se oía un grito lejano que parecía de un ave y resultaba ser una de aquellas agrestes muchachas. La nieve, el viento daban a todas las cosas un tremendo aspecto aventurero sin dejar de ser idílico. Agitando un poco la rama de un abeto se oyó el dulce resbalar de la nieve sobre la nieve. Un sonido exquisito. Se sentía allí tan a gusto que sonreía sin darse cuenta. "Mi yo ideal y mi yo real —pensaba entonces— se dan la mano felices". Ahora en la caverna aquello de sus yos diferentes le parecía desairado. Cursi. El amor le había cambiado, le estaba educando todavía y hacía de él, poco a poco, un hombre diferente.

No tan poco a poco. En los últimos meses se habían producido en su carácter cambios notables.

De las preocupaciones de aquel tiempo sólo le quedaba la de la rectitud moral y la gravedad helénicas. Recordando la equivalencia de algunas formas y algunos sentimientos —a través de símbolos prestigiosos— pensaba que la grave y noble columna griega seguía siendo su norma. La columna jónica. "En todos mis actos debo hacer intervenir a la columna —se decía— o sea preservar la mejor idea moral de mí mismo". Y añadía: "Sin respetarme a mí mismo no podría vivir".

Sacudía otra rama y oía caer la nieve con un rumor de sedas. Al profesor no le interesaban las pruebas de saltos, pero iba detrás de los esquiadores por una inclinación gregaria de hombre desocupado.

Pasó a su lado una muchacha y el profesor se sobresaltó porque casi chocó con él. "Va como un proyectil", se dijo. Luego pasó otra más despacio y mirándolo a los pies, le dijo:

—Buenos días, Donald Duck.

Llevaba ella un chal de colores vivos que con la velocidad flotaba detrás, alegremente. El profesor contestó alzando la voz:

—Buenos días, señorita colibrí.

Al ver que ella se detenía, el profesor fue avivando el paso para alcanzarla. La muchacha miraba con atención a un abeto y le ordenó con un gesto familiar y autoritario que no se acercara más. El profesor se detuvo mudo y expectante. Ella contemplaba el abeto y hurgaba con la mano en su pantalón acusando graciosamente la curva del trasero. John oyó dentro de su pecho una voz misteriosa que le advertía: *es ella. Ella es.* La muchacha sacaba un cacahuete y lo ofrecía en su mano extendida frente al abeto.

Pasó un largo espacio sin que sucediera nada.

El profesor se decía muy extrañado: es ella. Aunque con el rostro congestionado por el frío, parecía o podía parecer otra.

Había en su traje un detalle chocante. Llevaba en la parte posterior del pantalón sueco sobre la nalga derecha un pequeño corazón recortado en tela azul y atravesado por una flecha blanca. Aquel detalle en aquel lugar era demasiado epigramático por decirlo así y el profesor no sabía qué pensar.

—Apártese más. ¿Me ha oído usted? —dijo ella indignada. John retrocedió tres pasos. Ella insistía en ofrecer la palma de su mano al abeto nevado sin éxito. Por fin renunció:

—Los *chickadees* son amigos míos, pero usted los ha asustado.

Se trataba de unos pájaros de nieve un poco más pequeños que los gorriones que acudían a comer a la mano de la gente. El profesor le propuso que le cediera un cacahuete y en cuanto extendió la mano, dos *chickadees* llegaron, tomaron su presa, lo miraron de reojo graciosamente y volvieron con alegría a su rama. El profesor estaba radiante.

—¿Quiere usted darme otro? —preguntó.

—Los he traído —dijo ella rencorosa— para que vengan a comerlos a mis manos y no a las suyas.

—Oh, —dijo él asustado.

Y añadía para sí: "No puede ser ella, tan ruda y desenvuelta". Ira volvió a mirarlo de reojo:

—No sabe esquiar, no sabe lo que son los chickadees. Entonces ¿qué sabe usted?

—Soy —dijo John, presentándose— el profesor St. John, del departamento de griego de la Universidad.

—Ah, al parecer sabe usted griego.

John se puso colorado y echó a andar otra vez. Se imaginó a sí mismo bastante cómico con aquellas raquetas, pero de pronto ella lo alcanzó:

—Perdóneme, profesor. Quiero ofrecerle mis excusas. Además como parece ser usted uno de los . . . de los más serios y responsables entre toda la gente del club quiero decirle algo importante. Pero ¿será usted capaz de guardar el secreto? Es una pregunta muy delicada.

Se decía John mirándola a los ojos: "Es ella, pero si es ella, es demasiado joven para mí". Se había puesto la muchacha algún líquido en la piel para defenderla del frío y parecía una muchacha de cristal. Trataba de hacer una pregunta. Y dudaba, pero al fin se decidió mirando alrededor y bajando la voz. Quería saber si el profesor la consideraba una de esas mujeres a cuyo paso por la calle un hombre puede silbar en dos tonos. Como John, perplejo, tardaba en contestar, ella repitió:

—Quiero que me diga si soy o no una mujer . . .

Y silbó ella misma igual que un soldado a la vista de una joven estimulante. El profesor vacilaba:
—Desde el punto de vista de...
—No hay puntos de vista. Diga si o no.

Creyó el profesor halagarla diciendo que ella pertenecía a otra clase más distinguida de mujeres, sugería delicadezas morales y apelaba al espíritu más que a la vulgar materia. Un hombre no silbaría en dos tonos al verla, pero...
—Ya veo —interrumpió ella decepcionada—. Ya comprendo.

Resbalaba por la nieve alejándose. En aquel momento apareció un grupo de esquiadores y ella se detuvo y les dijo a grandes voces:
—Voy a dar una vuelta por Monte Perdido.
—¿Tú sola?
—Si nadie me acompaña, yo sola.
—Es peligroso —le advirtieron prudentemente—. Hay avalanchas de nieve.

Gritó la muchacha que no tenía miedo a las avalanchas y desapareció entre las curvas de dos colinas.

El profesor tuvo la evidencia de un peligro. ¿A dónde irá —se dijo— esta criatura responsable de su juventud y de su belleza? Recordándola con el corazón azul y la flecha blanca en la parte más prominente del dorso de su pantalón suspiró y siguió lentamente su camino.

—Esa chica —dijo uno de los jóvenes esquiadores, acercándose a John— es muy atrevida y podría matarse si es verdad que va a Monte Perdido.

—¿Cómo se llama? —preguntó el profesor con una expresión un poco boba.

Nadie le contestó. Las mujeres lo miraban a los pies. El profesor tenía ganas de decirles que no había nacido con las raquetas puestas y que podía quitárselas si quería. Pero los jóvenes siguieron adelante y el profesor se decía: ¿cómo abandonan a esa chica sabiendo que va a un lugar tan peligroso?

Llegó a las pruebas atléticas cuando estas habían terminado ya. El campeón no se había roto hueso alguno aquel año. Compró el profesor cacahuetes y con la esperanza de que los *chickadees* volvieran a su mano inició el regreso. Al llegar a donde supuso que estaban los pájaros, comenzó a llamarlos. Uno se posó en su cabeza. Después saltó a la mano. La familiaridad de aquellos pájaros le conmovía. Por fin reanudó la marcha recordando las palabras de la muchacha y diciéndose: "Para preguntar lo que ella me ha preguntado a mí es necesario ser muy joven." Aquella pregunta correspondía al género de curiosidades irresponsables de la infancia. Pero era hermosa. Era sobrehumanamente hermosa, la niña.

Y silbó como ella quería que los hombres silbaran al verla. Luego miró alrededor satisfecho de comprobar que no le había oído nadie.

Volvió al club y se quitó las raquetas. Durante la comida buscó en vano a Ira con la mirada. "Se fue por Monte Perdido donde hay avalanchas". A fuerza de repetírselo a sí mismo con una inquietud creciente tuvo que decirlo a Mrs. Brash. No dijo John quien era la muchacha porque en realidad no lo sabía entonces, pero Mrs. Brash preguntó alarmada si la muchacha llevaba un corazón azul "en el trasero". Y declaró que era su sobrina.

¡Amarga certidumbre para el profesor St. John!

Recordaba John desde la oscura caverna de Grandwall el acento de Mrs. Brash —asustada y temerosa—. Era un acento donde se advertía una completa falta de respeto para él. "Es natural —decíase John—. Debía ser yo entonces una persona un poco difícil de estimar fuera de mis cursos de griego". Mrs. Brash se levantó de la mesa y anduvo pidiendo aquí y allá noticias sobre Ira. De vez en cuando le decía a John: "Pero hombre de Dios, ¿qué clase de persona es usted?" Como si él tuviera la culpa.

El caso es que John se sentía culpable y no sabía qué hacer.

Todo lo que pudo averiguar Mrs. Brash fue que su sobrina no había llegado a las pruebas de saltos ni regresado al club. Viendo tan inquieta a Mrs. Brash el profesor salió al porche, se calzó las raquetas otra vez y se dirigió al lugar donde había visto desaparecer a la muchacha. Había dejado en su plato, heroicamente, medio *filet mignon*. Caminaba más deprisa de lo que las raquetas le permitían y se fatigaba tanto que a veces le faltaba el aliento. Entonces se detenía a descansar y sentía llegar el aire frío a sus pulmones con delicia.

Todo estaba blanco a su alrededor.

Después de caminar una hora tras las huellas de Ira el profesor a quien nadie acompañaba vió que los relejes de los esquíes se desviaban hacia un abismo y se perdían allí. Tuvo la certidumbre de una desgracia. Considerando a la muchacha herida o muerta cada detalle de su corta y frívola conversación con ella tomaba proporciones enormes. Recordó también el color de sus ojos entre gris-azul y tuvo la impresión de que cuando se alejó iba muy triste. ¿Por qué motivo? ¿Era posible que se pusiera tan triste porque los hombres no silbaban a su paso?

Seguro del accidente el profesor trataba de descender al

abismo lo que a primera vista parecía imposible cuando oyó un silbido. Contestaron otros más próximos y en pocos minutos se congregaron a su alrededor hasta quince o veinte personas que llegaban y frenaban ladeándose y lanzando al aire abanicos de nieve. Uno llevaba cuerdas, otro un botiquín de urgencia y todos daban muestras de gran ansiedad. El profesor les hizo ver como las huellas de los esquíes se perdían en la ladera del abismo, sobre el vacío.
Nadie dudaba ya de que Ira había caído al fondo del precipicio.
Ataron al profesor para descolgarlo y entretanto llegaron otros alpinistas. Algunos llevaban gemelos de campo y el profesor requirió los del más próximo y se puso a investigar. Fue el primero en descubrir abajo dos esquíes que se cruzaban en forma de aspa o de X en la nieve. Esa X no era ya por desgracia ninguna incógnita como dijo un alumno de matemáticas.
Aquellos esquíes en la nieve impoluta hacían pensar que Ira había caído de cabeza y estaba allí "clavada" —así dijo otro estudiante— en la nieve.
¡Qué momentos aquellos!
Recordándolo desde la caverna de Grandwall sonreía John con tristeza y se decía: "Realmente un hombre puede hacer tonterías. Es decir un hombre enamorado". Todo aquello era una farsa, una burla infantil. No pudo imaginar John que aquel día era en América el "día de los tontos", el primero de abril. El día de las bromas. Y cayó en la trampa de los estudiantes con todo su descuido de hombre de buena fe.
Era ese mismo día que en los países latinos celebran el día de los inocentes. John estaba muy lejos de sospecharlo.
Atado por debajo de las axilas y por la entrepierna y sostenido por más de veinte personas fue descendiendo. La cuerda resultó corta y el profesor quedó balanceándose y girando sobre sí mismo mientras otros muchachos iban a buscar más cuerda y la empalmaban. Jóvenes y viejos hacían fotografías. En algún lugar debían estar ahora aquellas fotos y no faltaría quien riera mostrándolas y contando la divertida ocurrencia. Cuando el profesor llegaba a tocar el fondo del abismo volvían a alzarlo un par de yardas tirando de la cuerda.
—¡Más! —gritaba impaciente, viendo sobre la nieve los esquíes de Ira.
Enzarzados en discusiones los estudiantes no le oían. Por fin pudo el profesor llegar hasta el lugar de la tragedia. Se puso a separar la nieve alrededor y vió que no había debajo de los esquíes cuerpo alguno. Este descubrimiento suscitó entre los que

estaban arriba comentarios diversos que el profesor no sabía como interpretar.

Vió en los esquíes grabado en esmalte el corazón azul y la flecha —emblema deportivo de Ira— y suspiró. Desde arriba le daban consejos:

—Un poco más a la derecha.

Alguien arrojaba bolas de nieve indicándole lugares que debía inspeccionar y cuando el profesor gritaba: "allí no puede haber nadie" le contestaban cosas extrañas. Habían encendido los jóvenes antorchas de resina. El profesor llamaba con todas sus fuerzas:

—¡Iiiiiira...!

Pat, el sirviente del club, había llegado con una camioneta e imitaba el eco:

—... ra.

"Es curioso —pensaba el profesor—. Ahora hay eco y antes no lo había". Pero aburridos por fin los estudiantes, le gritaron que volviera a atarse a sí mismo con la cuerda. El profesor no podía dejar aquellos lugares sin saber lo que había sido de la pobre muchacha. Preguntó:

—¿Y si está más abajo el cuerpo enterrado en la nieve?

—No es probable —gritó alguien— porque acaban de llegar noticias de que Ira está en el club tomando el té con su tía.

"Se ha salvado", pensó John con un suspiro de alivio. Y repetía: "No importa cómo se ha salvado, más tarde me lo dirán". Estaba seguro de que había existido el accidente. Un accidente grave allí, en el abismo.

Cogió los esquíes, se aseguró la cuerda bajo las exilas y volvieron a alzarlo, pero de pronto les faltaban fuerzas a los estudiantes y el profesor descendía otra vez. Por fin llegó arriba mojado y fatigado. Ninguno de los estudiantes era de griego, lo que no dejó de extrañarle. Preguntaba a los más próximos: ¿Pudo la muchacha salir por sus propios medios?

Pero le contestaban con clamores y vítores.

Aquellos turbulentos jóvenes marchaban delante y a los costados del profesor con antorchas. Ahora —pensaba él— la veré a ella, le hablaré y no podremos menos de ser amigos. Podía imaginarlo todo menos que aquel día era el primero de abril.

Los chicos gritaban aún y lo aclamaban y él respondía dando las gracias satisfecho.

El porche del club estaba lleno de gente esperando. El profesor se quitó las raquetas. Luego, acompañado por los clamores de la juventud, entró en el salón y fue en busca de Ira que estaba poniendo un disco en la gramola. En medio de aquel bullicio el silencioso Mortland se levantó y fue con su pipa y su libro al rincón más lejano.

¡Qué noche aquella, inolvidable! Recordándola dos años después, John se avergonzaba todavía, pero pensaba suspirando: "Lástima. Mi decoro sufrió. Podría decirse que allí mi columna griega se desniveló un poco. Bastante, se desniveló. Me costó sangre del corazón el levantarla otra vez".

Por otra parte a John no le preocupaba haber hecho el ridículo. "Estoy dispuesto a volverlo a hacer —pensaba— en cualquier momento por Ira". Fue necesario todo aquello para que entrara en relación y amistad con la muchacha y lo daba por bien empleado.

Además aquella noche en el club la única persona que no se reía de John era ella. Ira lo trataba en verdadero héroe. Creía John todavía que el accidente había sucedido y le dijo con cierta emoción que en el momento en que descubrió sus esquíes en el fondo del abismo había oído la canción de un *chickadee*. Ella sonrió. Aquella sonrisa era casi una promesa y permitió a John presentir lo que habría de pasar después. Había acertado de lleno. Pero la cosa no fue tan fácil.

Los estudiantes gritaban aún y el solitario Mr. Mortland, en lugar de instalarse en el rincón al que se dirigía regresó al centro de la sala y enmedio de la expectación de toda aquella gente alzó la voz y dijo:

—Perdónenme, ustedes, si les estoy molestando con mi silencio.

Se fue escaleras arriba seguido de Pat que llevaba el cubo de hielo y el whisky con su solemnidad habitual. Los estudiantes miraban asombrados y Mr. Mortland caminaba por la galería del segundo piso con la satisfacción de haber cumplido su deber.

Entretanto la gente joven volvió a su algazara.

Tomó Ira al profesor del brazo y lo llevó a la pista de baile. Su tía los miraba y movía la cabeza entre desesperada y escéptica. Disfrutaba Ira en la familia de una fama de atolondrada bastante merecida. Su padre Mr. Rudyarson hombre rico tenía demasiadas preocupaciones para pensar en ella y le había puesto sucesivas institutrices con todas las cuales —una tras otra— había peleado Ira ruidosamente. También peleaba con su padre. Después de cada incidente de aquellos, se marchaba de casa sin avisar. Solía irse con su tía Brash, tratando así de crear una rivalidad familiar, pero no lo conseguía porque el

Sr. Rudyarson no tenía nada de sentimental. La chica se desesperaba creyéndose ignorada o al menos disminuída en la opinión y sobre todo, en la estimación de sus parientes. Y suspiraba a solas sintiéndose una mártir. Había en aquel momento sólo dos o tres parejas en la pista. Ira dijo al profesor:

—Usted es un hombre valiente.

—¿Yo? —preguntaba John feliz.

—Si yo hubiera estado en el fondo del precipicio, usted me habría salvado con peligro de su vida, ¿verdad?

—Sin duda, Ira. Pero por fortuna no fue necesario.

Ella le oprimió la mano:

—Todavía huele usted a nieve.

Recordaba John que aquel "olor de nieve" percibido por ella le había estimulado y sostenido a veces en sus crisis de desaliento. Desde entonces, John sentía gratitud por la nieve. Y el hecho de que un meteoro interviniera en su destino de enamorado, le parecía encantador.

Bailando en el club, le dijo Ira de pronto:

—Tenemos que ser amigos. Yo le enseñaré a usted a esquiar para que no vuelva a ponerse esas raquetas horribles.

Los estudiantes se divertían. Había toda clase de tipos allí, entre ellos, un joven con aficiones literarias que simulaba un inconformismo amargo. En vista de que no lo habían visto sonreír nunca, algunos estudiantes tenían de él la más alta idea. Y aquella noche, mirando a John bailar con Ira, el estudiante sonreía, distante y superior. John se preguntaba: ¿por qué sonríe con ironía? ¿Qué hay en Ira o en mí que justifique esa sonrisa? No podía entenderlo.

Sentía en aquel joven algo frustrado y malsano.

Dos años más tarde en la caverna de Grandwall estaba recordando aquello cuando el guía encendió un poderoso reflector y lo proyectó sobre una superficie de cristal que se movía lentamente. El río subterráneo. Ver debajo de la tierra una enorme masa de agua en movimiento producía una incómoda desorientación.

Volvía el profesor a sus recuerdos. Al mismo tiempo se decía: "No sé por qué me torturo con estas memorias. Yo no era ridículo ni desairado entonces sino únicamente joven, inexperto y generoso". No había nada que reprocharse en todo aquello.

Algunos se quedaron a dormir en el club, entre ellos Ira y su tía. También John, como es natural. La tía Brash obligó a su sobrina a acostarse temprano, después de averiguar que en la burla contra el profesor no había tenido su sobrina otra intervención que la de prestar sus esquíes.

Algo más lejos del cuarto de ellas, el profesor, acostado, se hacía las siguientes reflexiones: "Ella está ahí cerca, lo que no deja de tener para mí un sentido inefable. Cuando bailábamos me oprimió la mano. Y me dijo que olía a nieve. Yo la amo a ella. La aman al mismo tiempo mi yo real y mi yo ideal". El recuerdo de aquellos "yos" le hacía ruborizarse otra vez en las sombras de la caverna. En fin —pensaba— sus sentimientos de aquel tiempo podían resumirse en una voluntad de convivencia con el ideal femenino. Pero mucho cuidado —se decía aun, entonces—. Su amor debía ser apolíneo, es decir, consciente, lógico y sereno. Nada de emociones ni de embriagueces dionisíacas.

Junto al río subterráneo oía la voz del guía:

—En la superficie se ven a veces pequeños peces de forma muy extraña. Son especies subterráneas que fueron clasificadas cuidadosamente por los discípulos del profesor Ermitage.

Volvía John a sus recuerdos. Aquella noche del club daba vueltas en su cama mirando los muebles fríos y el suelo pavimentado con maderas brillantes, ensambladas en forma de puntas de flecha. Por fin se durmió.

Despertó avanzada la mañana y durante el desayuno se enteró de que volverían a Middletown antes del mediodía. Con Ira.

Poco después estaban en camino. Ira se había sentado al lado de su tía y el profesor iba detrás. Mrs. Brash estaba de mal humor:

—No quiero que se repitan esas cosas —decía.

—¿Qué cosas?

—Eso de que te escapes de tu casa y vengas conmigo. Voy a llamar por teléfono a su padre en cuanto lleguemos.

—¿Para qué?

—Para que no piense que yo tengo la culpa.

—El no piensa en eso. ¿Tú crees que le importo yo a mi padre?

Veía el profesor en el perfil de Ira una especie de serenidad doliente. La orejita descubierta era como una joya. ¡Qué diferencia entre Ira y su tía! Mrs. Brash era sólo animalidad y materia, por decirlo así. Ira en cambio, era forma —idea aristotélica—. Forma y esencia. Es decir, lo que la gente suele llamar estilo.

Al llegar a Middletown las mujeres dejaron al profesor en su casa. Se quedó John pensando en Ira y no resignándose a perderla de vista, la llamó por teléfono poco después para recordarle que le había prometido enseñarle a esquiar.

—¡Pero no hay nieve aquí! —dijo ella.

—No es indispensable la nieve.

Aquel deporte como todos —decía John— tenía tal vez una parte teórica que se podía aprender en cualquier lugar. Ella lo invitó a ir al día siguiente.

Andaba el profesor como un fantasma por el campus. Vió a Kotapos. El cínico miraba al estoico y lo saludaba de un modo cordial, pero reticente:

—¿Qué cuenta el héroe de los abismos de Monte Perdido?

Había una resonancia irónica en aquello, pero John no sabía en qué podía consistir. Al día siguiente fue a ver a Ira. Alrededor de la casa de Mrs. Brash había un pequeño parque cercado con altos muros. Tiempos atrás el tío de Ira, que vivía aún y tenía un humor un poco raro, había puesto un letrero al lado de la puerta: *Cuidado con el perro*. Los que llegaban se asustaban y esperaban hallar una fiera, pero lo que aparecía era un animalito insignificante, amistoso y cordial. Entonces el tío explicaba:

—Pongo ese letrero para que tengan ustedes cuidado y no pisen al pobre animal al entrar.

La caseta del perro estaba vacía, pero Mrs. Brash conservaba el rótulo como un recuerdo sentimental.

Al verse delante de Ira creyó el profesor que lo mejor sería iniciar un tema neutro. Dijo que el día anterior había comprado cacahuetes y que los *chickadees* habían acudido a sus manos. Ella preguntó qué clase de cacahuetes eran y el profesor sacó uno del bolsillo, Ira lo mordió, estuvo un momento saboreándolo y dijo:

—Bien, no tienen sal. Lo digo porque la sal da a esos pájaros mucha sed y no pueden beber bastante agua para compensarla. Entonces mueren.

—Oh.

Tenía Ira las mejillas y la frente un poco curtidas por el frío. El profesor se decía que la mujer lleva en sí misma —en su carne— una sugestión del infinito sin necesidad de los atributos del alma, con su simple presencia física. No sabía si aquello lo pensaba por estar enamorado o era una verdad *per se*. Le pareció un problema importante sobre el cual debería volver a meditar más despacio.

De pronto Ira fue al teléfono diciendo a su tía a grandes voces:

—Puesto que Ciro está al llegar, voy a pedir que le reserven habitación en el hotel.

Desde el cuarto próximo, la tía dijo que no había nada que reservar porque Ciro no haría noche en Middletown sino que volvería inmediatamente a Nueva York con ella.

—¿Con quién? —preguntó Ira asustada, negándose a comprender.

—Contigo.

—No veo ninguna necesidad.

—Yo sí. Es lo que tu padre ha dispuesto. Irás a Nueva York con Ciro y no hay más que hablar.

Ese nombre —Ciro— puso en guardia a John. Al profesor le sonaba como Cyros, el fundador del imperio persa. La tía insistía:

—Irás con él. Tu padre me ha insultado por teléfono, como si yo tuviera la culpa. ¿Te parece bien?

La muchacha callaba, impresionada. Llevó a John al jardín. John pensaba: "Pobre Ira. No es feliz." Seguramente quería despertar cariño y sólo conseguía reprimendas y palabras ágrias. Quería que su padre y su tía pelearan por ella y no lo conseguía sino muy a duras penas. Quería también que John silbara en dos tonos al verla, pero John consideraba aquello inadecuado.

¡Qué difícil, la existencia!

Había alguna nieve en las sombras del lado norte del jardín. La tarde, sin embargo, no era fría. Sacó ella sus esquíes y enseñó al profesor a ponérselos. Con ellos puestos, al lado de la avenida central del parque, el profesor la escuchaba en éxtasis.

—Las rodillas dobladas y flexibles. Vamos, profesor, no se ponga sentimental.

La tía Brash los vió por una ventana y se dijo: "Ese hombre es un bendito de Dios por mucho griego que sepa". Llamó a Ira, quien al separarse del profesor le ordenó que se mantuviera con las rodillas dobladas, inclinado hacia adelante y la cabeza levantada. El profesor, con los ojos todavía en éxtasis, oyó detenerse un coche al otro lado de la puerta del jardín. Seguía en aquella violenta actitud, cuando un joven cuyo rostro recordaba el perfil de un pez apareció a la vuelta de un pinabeto y al ver al profesor se llevó un gran susto. Ira decía dentro de la casa a grandes voces: "Mi padre no me quiere. Tú me echas de casa. Hasta el mayordomo pregunta por mí tres días después de haberme marchado, como si nadie se hubiera dado cuenta de que existo en el mundo. El tonto de Ciro . . ." Ciro al oir esto, levantó una ceja como los perros levantan una oreja.

El profesor lo miraba, satisfecho: "Este es el tonto de Ciro", pensaba.

Ira salió al jardín e hizo las presentaciones. Ciro le hablaba a Ira repitiendo: *padre ha dicho* . . . o bien: *como dice padre* . . . El profesor se preguntaba: ¿qué padre es ese? Ira no tenía hermanos. Ciro no podía ser su hermano. Se refería sin duda a Mr. Rudyarson, padre de Ira, pero ¿por qué decía *padre* y no *tu padre*? Ella se fue adentro y Ciro dijo al profesor:

—Ira es una criatura todavía —miró el reloj y añadió— pero esta vez Mr. Rudyarson está de veras enfadado. Y con motivo.

—¿Cuál es el motivo? —preguntó John.

—No le gusta que salga con el coche por las carreteras heladas.

Se asomó al interior de la casa y dijo a voces:

—¿Dónde está la maleta? ¿No tiene una maleta?

Mrs. Brash dijo que sí y entró Ciro a buscarla. Ira salía al mismo tiempo lánguida y triste:

—Me voy —dijo al profesor tendiéndole una mano.

—Cuanto lo siento.

—Si lo siente tanto ¿por qué no hace usted algo para retenerme? ¿No me salvó la vida en Monte Perdido? Haga algo, hombre. Vaya al coche de Ciro y robe la llavecita del contacto. Saque la llave y démela a mí. Ciro creerá que se ha perdido y tal vez podré quedarme aquí un par de días mientras la busca.

—¿Por qué quiere quedarse aquí?

John esperaba que ella le dijera algo agradable, pero lo único que dijo fue que odiaba la vida de familia porque su padre le ponía institutrices y era intolerable un hogar donde todos los parientes estaban de acuerdo para impedirle el menor movimiento con el pretexto de protegerla. Además nadie le quería a ella en el mundo.

Habiendo dejado Ciro la maleta de Ira en el coche, volvía a buscar los esquíes. El profesor se los quitó parsimoniosamente. Ira ordenó a Ciro que los llevara al desván con lo que pensaba ganar tiempo para la aventura de la llave. Otra vez solos, Ira empujó al profesor:

—Vaya usted al coche y tráigame la llavecita.

John habría robado en aquel momento el mismo cáliz del Graal. Salió. pero el coche que estaba frente a la puerta no era el de Ciro porque éste se había estacionado más adelante. El profesor sacó la llave del coche de un desconocido. Se la dió a Ira y cuando llegó Ciro y salieron los tres ella protestaba todavía:

—No necesito que me lleve nadie a Nueva York. Tengo mi coche y puedo ir yo misma.
—Precisamente, Ira. Padre no quiere que conduzcas.

El profesor St. John los vió dirigirse a otro coche que estaba un poco distante, ponerlo en marcha sin dificultad y arrancar. El asombro impidió a John recoger el adiós desesperado que Ira le dedicaba desde la ventanilla.

¡Qué fatalidad lamentable! Recordando este incidente en la oscuridad de la caverna el profesor decía para sí: "Tengo ahora la sensación de varias torpezas superpuestas. Era estúpido y trivial todo aquello con Ira. Kotapos, Mortland —dueño de aquel coche; tenía que ser Mortland el clubman solitario— y conmigo mismo!" Pocas veces se había sentido en la vida tan desairado como aquella, frente a la casa de Mrs. Brash.

¡Oh, como podían complicarse las pequeñas cosas en la vida! En las sombras de la caverna el guía había apagado el reflector. Oía pasar el agua subterránea y explicaba:

—Miren la superficie y de vez en cuando verán un pequeño resplandor amarillo. Peces. No exactamente peces sino moluscos. Raros moluscos. Pequeños monstruos luminosos. En este momento oyen mi voz y se acercan a la orilla esperando algo.

Pero el profesor contemplando en el agua aquellos pequeños resplandores (los monstruos luminosos) con indiferencia, volvía a sus recuerdos.

Por desgracia, el propietario del coche andaba por allí. Alto, flaco, cargado de espaldas, se acercaba haciendo gestos desacordados. Lo acompañaba un desconocido.

No se atrevía el profesor a huir y se quedó afrontando dignamente el peligro. Pensaba confesar la verdad con todas sus circunstancias, aunque no podía hacerlo sin dañar de algún modo a Ira. El hecho de que Ira y la verdad fueran incompatibles, le producía cierta pesadumbre. No sabía qué decir y mirando a Mortland, se limitaba a pensar: "Es un clubman de costumbres estrictas".

Ignoraba si aquello era bueno o malo en aquellos momentos. Decidió de pronto volver la espalda y abandonar cobardemente el campo. Pero los otros le seguían y el desconocido que acompañaba a Mr. Mortland iba diciendo:

—Este caballero ha robado la llave de su coche. ¿Con qué fines? Ah, eso yo no lo sé ni por lo tanto me puede usted pedir una opinión.

Sintiéndose alcanzado John, se detuvo y dijo algo a Mr. Mortland, quien alzaba los brazos exasperado:

—¡Qué juego ni qué historias! Esto es lo que yo llamo un atentado contra la propiedad. ¡Déme usted la llave ahora mismo! John no la tenía. Se la había llevado Ira. Mortland lo miraba tenazmente a los ojos y murmuraba: "A este individuo yo lo he visto en la montaña". John callaba. Mortland había estacionado su coche allí porque iba a visitar a Mrs. Brash, de la cual era amigo. John esperaba que Mrs. Brash le ayudara, si no por él mismo, por su sobrina.

Entretanto, el escándalo fue notable. El profesor tenía la boca seca y no sabía qué decir. La gente se aglomeraba y cuando la cosa presentaba peor aspecto, se presentó Kotapos, quien for fortuna conocía a Mortland. Consiguió aplacarlo después de hacer prolijas reflexiones sobre la moralidad del claustro universitario en general y del profesor St. John en particular.

Fue providencial la presencia del doctor cínico.

Viendo John que Kotapos aplacaba a la fiera y aconsejado por él se fue subrepticiamente. Avivaba el paso a medida que se alejaba. Y oía detrás la voz grave de Mortland repitiendo: "A ese individuo lo he visto yo en el club". Pero John pudo llegar a su casa sin más incidentes. Kotapos se quedó en el lugar de la catástrofe cubriendo la retaguardia como dijo después. Iba pensando John por el camino: "Tengo que hablar con Mrs. Brash". Desde su casa llamó por teléfono a la tía de Ira y le contó lo sucedido. Ella dijo que acababa de hablar con Mr. Mortland y que iba a poner un telegrama a Ira pidiéndole la llave. Luego añadió:

—Mi sobrina es una niña, pero me extraña que un hombre de la edad de usted, se haga cómplice de sus travesuras.

Esto dolió de veras al profesor porque la alusión a su edad parecía disminuir sus esperanzas.

Pasaron algunos días sin tener nuevas noticias sobre el asunto. John no se atrevía a preguntar. Kotapos lo encontró en la calle y le dijo:

—¿Qué cuenta el ladrón de llaves de automóviles?

La protección de Kotapos era incómoda de veras porque le autorizaba a tomarse confianzas. Trataba el profesor cínico de explicarle que entre ellos había muy poca diferencia. Pero John no lo admitía. Un cínico era hoy igual que en el pasado, un vagabundo harapiento sin idea de la rectitud moral. El estoico por el contrario era un hombre de conducta rectilínea y realmente noble. Un aristócrata no sólo por la apariencia y conducta sino por la conciencia y la mente. Ciertamente John es-

taba agradecido a Kotapos por lo de la llave, pero la gratitud no suprime las diferencias de escuela ni de clase.
—¿Es verdad que Mr. Mortland se ha dirigido al decano? —preguntó de pronto John.
No lo oyó Kotapos porque en aquel momento contestaba al saludo del jardinero que estaba arrojando estiércol sobre la hierba seca. Aquel olor a estiércol era el de la primavera en el campus. Lo recordaba John en la caverna de Grandwall con deleite.
Otro empleado limpiaba con una larga escoba mojada el desnudo de mármol de un Prometeo encadenado sobre su pedestal de granito gris. El jardinero limpiaba y estornudaba al mismo tiempo y al pasar los profesores, les dijo:
—Todos los años cuando hago esta faena atrapo un resfriado
—y añadió satisfecho de sí: —Un resfriado psicosomático.
Los dos profesores se alejaron discutiendo una vez más las diferencias entre estoicos y cínicos.
El profesor St. John recibió algunos días después una carta de Ira que abrió con mano temblorosa: "Querido John St. John: envié a mi tía la llave y por ese lado todo está en orden. Espero que ha descansado de sus emociones. No sé qué decirle. Me encuentro en la posición de la persona que escribe por vez primera a su salvador y su cómplice en hurtos y otras altas empresas. Envíeme usted noticias de Middletown y proponga un tema para el futuro. Me gustaría tener con usted relaciones postales, pero por Dios que el tema no sea de griego y que en todo caso no sea difícil.
"Guárdese de los peligros de la turbulenta juventud.—Ira".
Leyó y volvió a leer el profesor la carta, encontrando siempre el mismo tono de alegría amistosa y descuidada.
El papel era una hoja de fina vitela sacada de un block y observándolo con cuidado vió entre los renglones la presión de la pluma que había escrito antes otra carta en la hoja de encima. Leyó en aquellas huellas su propio nombre, la palabra "abismo" y otra dudosa que podría ser "desengañarle". La idea de que ella le hubiera escrito antes otra carta (tal vez más de una) y la hubiera roto le halagó porque correspondía a las dudas emocionales, pensaba él, que acompañan el nacimiento de una amistad profunda. Tal vez al nacimiento del amor. Decidió contestarle en seguida:
"He pensado en usted y en lo que sucedió en la montaña y si he de serle sincero me alegro de que la lentitud que me imponían las raquetas el día del accidente me impidiera llegar antes. ¿Por qué? Si la hubiera salvado a usted la habría obli-

gado a gratitud. Por esa razón —al llegar aquí John vaciló un momento, pensando que tal vez aquel no era el instante de decirlo todo, pero recordó que, según los griegos peripatéticos, la verdad no podía sufrir por circunstancias de tiempo y lugar, y continuó: para decirle que la amo. Porque yo no quiero su graitud, amiga mía, sino su amor. Pero su inclinación debe ser libre y no condicionada por el recuerdo de haber sido salvada de la muerte o al menos de un peligro grave.

"Espero que comprende usted, es decir, que acierto yo a explicarme.

"Dígame que me permite ir a verla a Nueva York ahora que se acercan las vacaciones".

Ella le llamó por teléfono con gran agitación de las viejecitas que cada vez que llamaban de larga distancia esperaban noticias sensacionales y le dijo:

—No quiero que venga de ningún modo.
—Pero Ira...
—¡No!
—En todo caso yo necesito verla.
—Vaya la primera semana del mes de julio al club montañés y allí nos veremos.

Colgó el teléfono. El hecho de que lo citara en el mismo lugar donde se conocieron parecía un buen presagio. Comenzó el profesor a pensar seriamente en sus planes de hombre enamorado.

¡Qué días aquellos, santo cielo! Todo era angélico o tal vez solamente bobo, pero en los dos casos, un poco más cerca del cielo que de la tierra.

Días después en casa del profesor de psicología, un grupo de colegas, en el que había algún estudiante y especialmente —John lo recordaba bien— el *sad sac* taciturno e irónico, se habló de mujeres y el profesor St. John oyó al Dr. Hall la siguiente opinión: "Con las mujeres pasa lo contrario que con los diplomáticos. Cuando un diplomático dice que sí, quiere decir quizá. Cuando dice quizá, quiere decir no. Y si dice que no, no es diplomático. Con las mujeres es al revés. Si dicen no, quieren decir quizá, si dicen quizá, quieren decir sí y si dicen que sí, entonces no son mujeres". Todos consideraban aquello ingenioso y certero.

John lo aplicaba a su caso. Y pensaba: "Ira está diciendo a cada paso *quizá*". Eso le hacía suponer que en el fondo había una afirmación latente y recordando al profesor de psicología y a los otros que estaban en aquella reunión pensaba desde la caverna de Grandwall: "ellos eran entonces gente más vieja que yo y con más experiencia en todos los sentidos sobre todo, en el sentido erótico".

Se puso en aquellos días a hacer números: "Herencia de mi madre (la mitad de la tercera parte de la casa de apartamentos de Tucson) 3,000. Bonos de guerra: 2,500. Dinero que me debe mi primo Ernest de Cíbola: 900. Mi cuenta en el banco: 1,200". Sumó y el total daba una cantidad suficiente para casarse y comenzar a vivir. Ella vendrá al club —pensaba— y allí nos pondremos de acuerdo.

Marcaba en un calendario con lápiz rojo los días que faltaban.

Entretanto Mrs. Brash recibió una carta de Ira diciendo que se había citado con el profesor en el club y la tía iba y venía por la casa preguntándose irritada: ¿para qué? ¿se puede saber para qué?

Durante el verano, era el club el punto de reunión de los pescadores contumaces porque había cerca grandes lagos y en ellos truchas mayores que las de los ríos, aunque menos suculentas.

Recordaba el profesor una vez más en las sombras al lado del río subterráneo: "En aquel tiempo era yo —quién iba a suponerlo— como esos moluscos ciegos de los que habla el guía. No veía nada. Ciego y todo, sin embargo, parece que al fin encontré el camino". Pero para encontrarlo tuvo John que producir más tarde en Nueva York un escándalo de proporciones que a distancia le parecían todavía penosas y excesivas. Su primo Ernest Bayarte no habría caído nunca en hechos como aquellos. Por nada del mundo le confesaría John a su primo lo que le sucedió con Ira en Nueva York aquel otoño.

"En definitiva mis hechos desairados no eran más que una prueba de generosidad juvenil —se repetía—. Y cualquier forma de generosidad es siempre noble."

No era inocencia ni simplicidad, sino juventud. Antes sucedieron otras cosas menores aunque igualmente lamentables. Cosas humorísticas en las que sin embargo —pensaba John— había un fondo dramático. Fue en el mismo club, durante el verano.

Cuando en la primera semana del mes de julio John llegó al club, tuvo una gran sorpresa. No podía concebir aquellos parajes tan verdes y sin nieve. Lo primero que hizo fue ir al lugar del "accidente" de Ira. Seguía creyendo aún que el accidente había existido. También aquel lugar era distinto. El efecto grandioso de la nieve había desaparecido y en su lugar el verde jugoso de los árboles y de la hierba era vulgarmente amable. La diferencia entre el verano y el invierno era la misma que podía haber entre la realidad y el sueño. John prefería el invierno blanco, el sueño. El abismo verde era más profundo y tenía un arroyo en el fondo. Se sentía a gusto en aquel lugar. A veces se adormecía al lado del abismo en la hora de la siesta y oía en el fondo el regato del agua. Era como si Ira le hablara en aquel agua cantarina. Tenía impaciencias y enervamientos. A veces sospechaba que tenía fiebre. La soltería. De lo más hondo de su naturaleza llegaban clamores y deseos que a veces lo alarmaban. "Si me abandonara —se decía— sería un hombre irregular". Pero no se abandonaba.

El primer viernes en la tarde llegó el silencioso Mortland quien, naturalmente, no había olvidado la peripecia de la llave. Pareció sorprendido al ver al profesor y dijo a Pat:

—Ese individuo tiene costumbres reprobables. ¿Cómo es posible que le permitan venir al club?

John había llevado consigo fichas y documentos para trabajar en un antiguo ensayo nunca terminado sobre el trayecto que siguió Ulises en la Odisea. Igual que otros mitos griegos Ulises se le presentaba a John como una sucesión de columnas de mármol. Según el mito así era el color, el estilo, la altura de las columnas y el lugar donde estaban emplazadas. Con Ulises eran las columnas más gruesas y los intercolumnios más cortos. El color, marfil viejo.

El paisaje donde estaban emplazadas era un desierto gris rojizo.

A veces interrumpía su trabajo John para escribir una carta a Ira diciéndole que sentía exacerbada la "voluntad de convivencia" con ella. Cuando llegó Mortland le escribió: "Ha llegado el hombre de la llave, digo el dueño del coche cuya llave robé. Lo considero un mal presagio como los griegos cuando les saltaba el buho del lado izquierdo del camino. Venga usted pronto y así desharemos el maleficio. Y yo podré marcharme".

Al leer la carta Ira no pudo menos de reir pensando: "No se atreve siquiera a escribir el nombre de Mortland". De eso dedujo que le tenía verdadero pánico.

Había pedido Mortland al camarero que le hiciera un informe semanal sobre las actividades del profesor. Le pagaría por cada uno tres dólares. En la primera semana Pat sólo pudo decirle que el profesor iba cada día a Monte Perdido y leía unos libros cuyas letras él no podía comprender. Su impresión personal era que el profesor estaba "un poco tocado". Incidentalmente el profesor le había preguntado cuánto tiempo pensaba Mr. Mortland estar en el club. Esta curiosidad de John llenó de recelos a Mr. Mortland. El profesor se dió cuenta de la vigilancia y queriendo eludirla, se fue a uno de los lagos y trató de pescar. Había lanchas en la orilla y salió remando en una de ellas. Buscó en el centro del lago una boya donde atar el bote. La encontró y estuvo pescando sin éxito alguno. Volvió al club y Pat le salió al paso para decirle que había atado el bote en una boya particular de Mr. Mortland en la que nadie tenía derecho a pescar más que el propietario. El incidente se complicó cuando Mortland lo supo.

Aquel solitario clubman veía en John su sombra negra.

Ira no llegaba todavía. Descubrió John cerca del lugar del "accidente" una pequeña choza con las puertas y las ventanas clavadas. Pertenecía al club y tenía agua y luz eléctrica. Podía vivir en ella, aunque tendría que ir al club a comer. El profesor se trasladó allí y la carta que escribió al día siguiente a Ira estaba fechada "al borde del abismo de Monte Perdido". Ella le contestaba: "No feche sus cartas *al borde del abismo* porque siento vértigo". Añadía que sus cartas revelaban una calma interior perfecta y que odiaba la serenidad de los griegos. John le contestaba hablando de la soledad, de la armonía y de los intercolumnios de Ulises.

Recordando aquello en las cavernas de Grandwall, sentía el profesor una tristeza de enamorado que quisiera haber sido perfecto para la amada desde el primer día. Pero aquella serenidad de la que Ira hablaba no era un defecto sino una norma, para él. No podría el profesor St. John vivir de otro modo.

Al fin Ira llegó. Se presentó conduciendo un Lincoln nuevo, color amatista. Su padre se lo había regalado a condición de que sólo saldría con él hasta el mes de noviembre cuando las carreteras comienzan a estar resbaladizas por el hielo. Llegó Ira al club muy preocupada y lo primero que dijo fue que tenía que volver a Nueva York en seguida. Hablaba de los incidentes del viaje con palabras aturdidas. Al parecer, tenía más importancia el viaje en sí mismo que el hecho de estar con John. El profesor, con estas observaciones, se sentía decepcionado y nervioso. Por si no bastaba ella dijo:

—Quiero hablarle claramente de una vez, John. Es inútil que me haga la corte. Seremos buenos amigos, pero nada más. No crea usted que vengo con una decisión ya hecha. No. Salí de casa al azar con verdaderas ganas de verle y de comprobar qué clase de pareja hacemos usted y yo. Pero a medida que me acercaba al club iba pensando que, francamente, no tenemos futuro. Somos demasiado diferentes y sin, sin . . . bueno, un profesor diría sin *reciprocidad*.

Hablando aquella muchacha le daba a John una impresión distinta que en sus cartas. Y el profesor se quedaba congelado por la sorpresa. Recordaba John que el día del salvamento en Monte Perdido había sentido nublársele los ojos en el momento en que descubrió los esquíes en la nieve. Ira recordaba que aquel mismo día le había preguntado al profesor si era una de esas mujeres a cuyo paso los soldados silban en dos tonos. Y el profesor había dicho que no. Recordándolo Ira se sentía desgraciada y rencorosa.

—Además usted —dijo viendo que el profesor seguía callado— no se conduce como un enamorado. Y la verdad es que sólo me casaré con alguien que sea capaz de perder la cabeza por amor. Que esté de veras loco por mí.

Pensaba el profesor: "Diga lo que quiera ha venido aquí a decirme que no." Tal vez el viaje lo había hecho sólo para probar su coche nuevo. Quedaba todavía en ella —eso sí— como una curiosidad amistosa. A veces veía el profesor un destello de esperanza, todavía. Más tarde, recordándolo, se decía que aquel día se había puesto a la defensiva con Ira de un modo idiota como un chico de quince años. Ella soltó a reír sin motivo aparente y le dijo:

—Hábleme en todo caso. Quiero oir su voz. Me gusta su voz porque es como si perteneciera a otra persona que está dentro de usted y que es lo contrario de lo que usted quiere aparentar. Vamos, hábleme.

Miraba el profesor los hombros de ella que eran mórbidos, redondos y desnudos. Y pensaba: "Todo le ayuda a ella a sentirse segura de sí. Sus hombros adolescentes, el coche color amatista y la luz misma de la mañana que parecía nueva también y hecha exclusivamente para ella". No podía mirarla sin que algo temblara en su voz. Ella decía:

—Hábleme de lo que hace en estas soledades cuando yo no estoy.

El profesor le contó su incidente con la boya de Mortland —que la hizo sonreír— y habló también de la enemistad de Pat a quien consideraba un cretinoide montañés. Le dijo otras cosas y después fue sacando sus notas sobre Ulises. Se las leyó todas, una tras otra, añadiendo comentarios sobre el amor, la constancia de Penélope, las habilidades siniestras de Circe. Habló también del símbolo de la serenidad y de la gravedad

helénicas (la columna, una vez más) que representaba al hombre eternamente solo entre el cielo y la tierra. La columna subiendo sola y vertical estaba, por decirlo así, implícita en los grandes mitos como Prometeo, los cíclopes, Tántalo, Procusto, Ariel. En las grandes tragedias era lo mismo. ¿Qué representaba Edipo sino una gran columna aislada en medio del desierto.
—Ya veo. ¿Y dice que le gusta a usted la soledad? ¿Le gusta estar solo como una columna griega?
—Me guste o no, la mayor parte de los seres humanos y sobre todo los verdaderos enamorados estamos así.
—¿Cómo?
—Solos entre el cielo y la tierra.
—No lo creo.
—Si tuviera tiempo la convencería. Aunque la soledad de la que hablo es distinta de la que tengo yo.
Ella se acomodó en su asiento como si fuera a quadarse allí toda la vida y ordenó:
—Convénzame usted.
Dijo el profesor que la soledad completa era una soledad acompañado de la mujer. La soledad que él tenía entonces era sólo media soledad.
—¿Media columna, truncada? —preguntaba ella, irónica.
John añadía que cuando las condiciones de la vida eran normales, bastaba que un hombre dijera a una mujer "te quiero" para habérselo dicho todo. Se supone que normalmente la gente carece de "epos" y de "pathos" y que era ese felizmente el caso de ella. El la había dicho que la quería y eso debía bastar. Soñaba con la columna griega que los representaba con sus dos soledades juntas en el desierto, entre el cielo y la tierra (un cielo y una tierra de ellos, enteramente de ellos y de nadie más). Esa era la soledad que él buscaba.
Ella creía que no bastaba con decir "te quiero" sino que había que demostrarlo. Un poco sobresaltado, John volvió a hablar de Ulises por parecerle un tema más seguro y ella le escuchaba y a veces parecía un poco deprimida. Otras veces su respiración se aceleraba y creía entender que el profesor al hablar de Ulises, hablaba de sí mismo y de sus propias ideas sobre el amor. Realmente aquellas ideas eran demasiado cultas. Se podía decir que John galanteaba a Ira "con notas al pie".
Ella miraba al suelo y pensaba: "Ciro le hace la corte a mi padre como si quisiera casarse con él y este profesor parece obstinado en demostrarme que le soy indiferente. ¡Oh, mi destino de mujer!" Creía de veras que era desgraciada. La miraba

a veces John con codicia —aquellos hombros desnudos y redondos—, pero disimulaba porque su codicia le parecía culpable. Es decir, dionisíaca.

—¿Por qué no se queda unos días aquí conmigo, Ira? —le suplicó.

Ella negó fría y ausente y como si aquella alusión le aguzara el deseo de marcharse, se levantó. John la invitó a visitar el lugar donde vivía.

—¿Al borde del abismo? —dijo ella irónica y añadió: —¿Por qué no escribe versos? Usted debe ser uno de esos galanes que escriben poesía:

*Oh, amada mía es el tiempo
dulce de la primavera . . .*

El se decía: "Esto no está bien. No debía burlarse de la poesía ni de mí". Pero no necesitaba el profesor hacer un gran esfuerzo para perdonarla. Y ella seguía hablando:

—Me quedaría aquí algunos días, pero es imposible.

—No veo la razón.

—Sería una locura y . . . no veo que usted la merezca. Sería una locura demasiado unilateral y un poco desairada para mí.

Respondía el profesor:

—¿Por qué hablar de locura? ¿De qué nos serviría a nosotros la locura?

—¿Y de qué nos sirve la cordura?

En aquel momento tuvo el profesor una idea luminosa: "Debo besarla". Y añadía para sí, poco después: "debo besarla quiera ella o no quiera". Esta decisión encendió sus ojos y sus mejillas. Sentía cierta espuma fría en la sangre. Balbuceó, quiso decir algo y no pudo. Ella miraba el reloj y decía que iba haciéndose tarde. Parecían sus palabras una delicada provocación, pero aquellos hombros desnudos que eran tan tentadores despertaban demasiado los deseos del profesor y le obligaban a ponerse en guardia contra ellos.

Por hacer algo sacó nuevas fichas de Ulises y estuvo media hora más hablando de la hija de Icaro y de la hija de Helios con sus mágicas artes. También de la fenicia Nausicaa. Del sentido de la fábula según la cual los hombres que acompañaban a Ulises se convirtieron en animales impuros. Ella escuchaba soñadora. Y John dijo unas palabras imprudentes. Renunciando al tema griego, dijo de pronto:

—¿Es usted de veras pariente de Mme de la Flanelle?

Pensó Ira indignada: "¿Se atreverá a hablarme del dinero para el boletín de estudios helénicos?" Volvió a mirar el reloj. El profesor le pedía que se quedara unos minutos más, pero echaron a andar de regreso hacia el club donde ella tenía el coche. Cuando llegaron era ya de noche, casi. No había luna. John le suplicó otra vez que se quedara, pero alarmada por aquella perspectiva, Ira se dirigió al automóvil. La acompañaba el profesor con una sensación de derrota aunque pensando todavía: tengo que besarla. Cuando se despedían la tomó por los hombros desnudos y dijo gravemente:

—Ira . . .

Le temblaba la mano izquierda y las dos estaban frías. Entonces sucedió algo que debía quedar presente en el recuerdo infausto. Más tarde en la caverna, al lado del río subterráneo, el profesor decía: "El azar. El azar me ponía una vez más en situación desfavorable, aunque aquella vez el azar se llamaba Pat".

El guía de las cavernas llamaba la atención sobre una mancha rojiza que se veía en la superficie del agua.

—Se diría que es sangre, ¿verdad? Sin embargo, no lo es. Es nada más que óxido de hierro.

Seguía el profesor con sus recuerdos. Estaban frente al club y cuando abría los brazos vacilante y heroico para abrazar a Ira el gran foco de la calzada que caía precisamente sobre ellos se encendió. Era como si el mundo entero se diera cuenta de los deseos del profesor y lo acusara públicamente. Retrocedió murmurando "perdóneme, Ira". Ella soltó a reír. Era una risa bondadosa, es verdad. Poniendo el coche en marcha encendió los faros:

—Adiós, John y cuidado con el precipicio.

El coche arrancó y dejó detrás olor de gasolina quemada. Era como si ella le hubiera dicho adiós para siempre y el profesor quedó perplejo, sintiéndose flotar bajo las luces escandalosas del club. Luces que sólo se encendían en las noches de gran fiesta. Pat reía en las sombras del porche.

—Adiós, Ira —repitió tardíamente el profesor.

Tuvo la impresión de que era un adiós para siempre. Cuando entró en el patio del club vió bajar a Mortland y huyendo de él se marchó a su choza.

Tenía la sensación deprimente del fracaso.

Estuvo dos días más en Monte Perdido, pensando en las cosas que debía haberle dicho a Ira y que no se atrevió a decir. Eran muchas y no resultaba fácil aclararlas y ponerlas en orden.

El resumen de sus reflexiones resultaba muy deprimente y parecía no dar lugar a la menor esperanza.

Dos días después encontró a Kotapos en Middletown. El viejo le preguntó:

—¿Es verdad que se casa usted con una chica muy bonita de Nueva York? La gente habla de eso.

Había alguna zumba evidentemente en aquellas palabras. John se puso a hablar de otra cosa. A veces Kotapos le llamaba Ulises (lo que no le disgustaba a John) pero a veces también se refería a su amada como a Circe tentadora y eso le parecía una libertad excesiva. Se lo dijo y desde entonces Kotapos la llamaba Nausicaa. Tampoco era correcto puesto que Ira no era fenicia. Suponía John que el colega cínico estaba enterado de su fracaso.

—¿Qué es lo que dice la gente? —preguntó.

—Hombre... lo que dice, según yo imagino, es que no es usted feliz.

—¿Y qué le importa eso a nadie?

—A los otros no sé, pero a mí sí que me importa. ¡Mucho, me importa!

Lo dijo con tanta honradez que John, por un instante, se sintió culpable de ingratitud con el colega cínico. Comprendiéndolo Kotapos quiso aprovechar aquel estado de ánimo para darle aquellos consejos que John no quería nunca escuchar:

—A la mujer hay que violarla, amigo mío. Moralmente, se entiende. Hay que anticiparse a los estados de presentimiento de la mujer e ir un poco más lejos de lo que ella espera. Hay que saltar sobre sus vacilaciones y ponerla ante los hechos consumados.

Lo miraba el profesor St. John pensando: ¿qué entenderá este hombre por hechos consumados? Sospechaba a veces que el viejo podía tener razón aunque nunca lo aceptaría delante de él. Por excepción aquel día Kotapos no olía a whisky.

Escribió John a su propia familia pidiendo la liquidación de su herencia. La facilidad con que sus parientes le enviaron el dinero, le pareció un buen síntoma. Su primo Ernest que le debía novecientos dólares le felicitó por sus planes de matrimonio —John había justificado así la reclamación de la deuda— y con el cheque le enviaba una carta muy cordial, invitando a los novios a pasar en su finca una temporada antes o después de la boda. Era Ernest un tipo curioso. Se dedicaba a la antropología como en otros tiempos se había dedicado a la caza o a la natación o a la esgrima. Era atropellado y confuso. Nada concreto se podía decir contra él, pero tampoco en su favor. No

había en su carácter líneas rectas sino arcos, curvas, bizantinismos y falsas brillanteces. El mundo emocional en el que se movía su primo le parecía sospechoso, incómodo y culpable a John.
Volvía a su casa pensando en las palabras de Kotapos. Aquello de los hechos consumados le intrigaba. La liquidación de la herencia era un hecho consumado. Un día decidió ir a ver a Mrs. Brash y le dijo que estaba enamorado de Ira y dispuesto a casarse con ella.
—¿Eso me lo dice usted a mí? —preguntó Mrs. Brash exagerando impertinentemente la sorpresa.
El profesor creyó que debía explicar la historia de sus relaciones con Ira y dijo que suponía que Mrs. Brash, como pariente más próximo, debía ser la primera en saberlo.
—¿En saber qué?
—Bueno, en tener noticias. Es obvio, señora.
Aquella gestión le parecía a John también un hecho consumado. Mrs. Brash preguntó si la visita la hacía de acuerdo con Ira y al decir John que no, pareció tranquilizarse. Pero desde aquel momento trató al profesor con una frialdad insolente. Se puso a hablar del tiempo y luego de Mme de la Flanelle como si quisiera recordarle su fracaso con ella cuando intentó plantear el "negocio" del boletín. Pero el profesor lo echó a broma, rió y satisfecho de sí mismo (recordándolo en la caverna se avergonzaba de aquel optimismo sin base), fue a su casa, puso algunas camisas en un maletín y salió para tomar el tren de Nueva York. Creía estar realizando otro hecho consumado de los que hablaba Kotapos. Entretanto Mrs. Brash llamó por teléfono a su sobrina y le dijo:
—No hay que jugar con los sentimientos de los hombres. Ese profesor está enamorado de ti.
—No es posible. No tiene la menor idea de lo que es el amor.
—Ni es necesario para enamorarse.
Esta respuesta le pareció a Ira bastante sabia.
John llegó a Nueva York y se fue al Hotel Continental, cerca de la casa de Ira. Le esperaba una sorpresa. Encontró en la calle a Kotapos. Era como hallarse dos connacionales en un país lejano. El Dr. Kotapos lo invitó a comer, pero John dijo que no sabía si podría ir. Kotapos no cedió por eso y añadió que si a la hora de la cena se encontraba solo y aburrido acudiera al restaurante El Adriático donde le esperaría hasta las siete.
¡Qué tarde inolvidable aquella!

No tardó en llegar John ante la casa de Ira. Quería sorprenderla y por eso no la llamó por teléfono. Un poco le extrañó que viviera en una casa tan lujosa. Estaba frente a la puerta principal disponiéndose a llamar cuando llegó un coche, se detuvo y bajó un joven —el mismo con cara de pez que conoció en Middletown—. Llevaba una gran cartera de cuero negro.

—Ah, es usted —dijo Ciro un poco extrañado.

En aquel momento la puerta se abría y aparecía en ella el propio Mr. Rudyarson, padre de Ira, con uno de sus secretarios. Una presencia realmente ejecutiva que se hacía más evidente en el pliegue ancho y duro de la boca. Tal vez no parecía muy inteligente, pero sin duda era hombre de determinación. Al ver a Ciro le dijo con impaciencia:

—¿Dónde se mete usted, pingüino?

El Sr. Rudyarson estaba de mal humor. A Ciro aquella libertad de palabras le parecía la expresión natural de la confianza con la cual lo distinguía Mr. Rudyarson. Este fue hacia el coche, que poco después arrancaba. Ciro que seguía al lado del profesor se lo quedó mirando:

—Lo siento por usted —le dijo, sombrío—. Le ha hecho mala impresión a papá.

—¿Qué papá?

—Mr. Rudyarson.

—Pues a quien ha llamado pingüino ha sido a usted —dijo John alegremente.

Entraron en el vestíbulo. Ciro descolgó un teléfono interior y habló con Ira llamándola *darling*. Disimulaba John su asombro. Subieron. En un saloncito de recibir apareció Ira y al ver a John se ruborizó hasta la raíz de los cabellos. Ciro se acercó, la besó en la frente y el profesor sintió que alguien —no vió quién— le tomaba el sombrero de las manos.

—Veo que hay —dijo a Ira disimulando su emoción— novedades en su vida. ¿O tal vez me equivoco?

Tomó Ciro una actitud impertinente:

—No se equivoca usted en lo más mínimo.

—Las opiniones de usted —respondió John con firmeza— pueden ser respetables, pero no me interesan en este momento. Es a ella a quien le hago la pregunta.

Pidió Ira a Ciro que los dejara solos y comenzó a hablarle a John con un acento de cortesía convencional diciendo sólo cosas indiferentes. Trataba de llenar con palabras los silencios y eso era todo: "Había en nosotros la base de una amistad que estimo mucho y que debemos conservar siempre, pero nada más. Siento haber dado lugar a un malentendido y le ruego que me perdone".

Añadió mirando las puertas vidrieras que estaban a la espalda de John:

—Hoy no tengo tiempo. Debía usted haber llamado por teléfono antes de venir. Hoy lo siento mucho, pero no tengo tiempo.

Con la boca seca acertó a decir el profesor:

—Yo creía que me esperaba, usted.

—Tal vez, pero no ha llegado usted a tiempo.

Se creyó en el caso de añadir algo que sonara de un modo amistoso. Y dijo:

—Ha seguido usted andando con aquellas raquetas de nieve y llegando tarde a todas partes. ¿Se acuerda de las raquetas?

Luego sin dar lugar a responder, se puso a hablar de lo divertido de que era Nueva York durante el verano, a pesar de todo. John se decía: "Habla sólo para impedir que hable yo". Ira contaba lo que hacía en la ciudad y lo decía con cierto acento "smartaleck" como si se sintiera superior a la ciudad misma. Entretanto reía nerviosa e insubstancial. El profesor llegó también a sonreír por mimetismo y entonces ella le alargó la mano y le dijo:

—¿Amigos?

Tocaba un timbre para pedir el sombrero y fue Ciro quien lo trajo. El profesor tenía las sienes frías y los ojos vacilantes. "Si el ridículo matara, yo caería ahora, fulminado", pensó. Y no se iba aún. No se iría sin haber dicho lo que estaba pensando.

Dos años después en la caverna junto al río subterráneo y enmedio de los otros turistas, se decía: "Si en aquel momento me hubieran abierto las venas, no habría salido una sola gota de sangre. Me sentía el hombre más desdichado del mundo a pesar de mi Ulises, mis columnas griegas y Penélope y Circe y los hombres que se volvían animales impuros.

El guía de las cavernas explicaba:

—El río subterráneo es peligroso. ¿Ven ustedes? No se acerquen tanto al agua. Y sobre todo no la toquen.

Acercó el extremo de una varita a la superficie. Dos o tres cangrejos saltaron y se colgaron de ella. No eran exactamente cangrejos, pero lo parecían. Las mujeres gritaron asustadas. Seguía el profesor recordando aquel día horrendo en casa de Ira. No se marchaba. No quería marcharse. Creyó que debía preguntar a la muchacha si se casaba con Ciro, pero en lugar de hablar, miró alrededor como si buscara algo. Ciro presidía aquel silencio, lleno de nervios.

—Querría —dijo John— un papel donde escribir una nota para su parienta Mme de la Flanelle, si usted quiere hacerme el favor de dársela. Yo no tengo su dirección en Nueva York. Ira se acercó a un mueble donde había un calendario —varias hojas formando block en un estuche de plata—. La primera estaba ya llena de notas. Sacó una de las hojas atrasadas como se saca un naipe de una baraja y el profesor escribió en ella: "Esto es innoble, Ira y usted se arrepentirá algún día. Ojalá que su arrepentimiento no la haga demasiado infeliz". Ella leía a medida que escribía él. Cuando terminó, el profesor volvió la hoja y vió en el anverso la fecha impresa en caracteres rojos: 1 de abril. El día de las bromas y de las burlas. Ira reprimió la risa acordándose de Monte Perdido y John se guardó el papel en el bolsillo arrugándolo sin saber lo que hacía. Luego se inclinó en silencio y se fue, herido por aquella risa de Ira. De la inefable Ira. De la adorable Ira.

En la calle miró la hora: las 3.10. Pero ¿qué le importaba a él que fuera una hora u otra? Comenzó a andar sin saber a dónde iba y sin pensar en nada. Repetía entre dientes: "Te vas a arrepentir un día". Dos veces frenaron los coches delante de él al cruzar la calle y pensó de pronto como el que hace un descubrimiento: si me hubiera matado ese coche Ira se habría llenado de melancolía y de sentimientos de culpabilidad para el resto de su vida. Detrás de ese hecho habría encontrado John una pequeña pero genuina victoria. Aquello de obtener una victoria a cambio de la muerte no tenía, sin embargo, nada de humorístico. Llegó al extremo de la calle que daba al East River. Pasaban por el río remolcadores y algún pesado transporte. John miraba sin pensar en nada. Pero sentía la sangre latirle en las sienes.

Había un pequeño parque que se cerraba contra un bloque de edificios de ladrillo rojo. Se sentó en un banco. Era mezquino el parque y las casas rojizas y la ciudad carecían de gracia y de armonía. Calles enrevesadas como el laberinto de Creta. Sin minotauro. Un laberinto sin minotauro y sin Ariadna. ¿Para qué el laberinto? Ira se había conducido de un modo barroco. Y John se repetía mecánicamente: ella se arrepentirá. Me gustaría obligarla a arrepentirse de veras y para siempre.

No estaba muy seguro, sin embargo, de poder poner los medios para que ella se arrepintiera. ¿Qué podía hacer?

Sería ya media tarde cuando se acordó de Kotapos. Aquel hombre a quien despreciaba, se presentaba de pronto como un recurso oportuno. Tomó un taxi y dió la dirección del restaurante griego. Al verlo entrar el doctor Kotapos le reprendió por no llevar gabán. Las noches refrescaban ya. Y Kotapos añadió entre jovial y alarmado:

—¿Qué cara es esa? ¿Viene usted del limbo?

—No, Kotapos. Vengo del infierno.

Y era verdad. Era la suya una miseria sin voces, casi sin palabras, con la cara fría e inexpresiva de las máscaras que en el teatro griego representaban la fatalidad. (Una especie de fatalidad ambulatoria).

Recordando aquello, el profesor se decía en la orilla del río subterráneo: "A Kotapos le debo mi felicidad de ahora. A Kotapos el cínico. La providencia gusta de darnos lecciones de buen sentido usando tarde o temprano, precisamente como auxiliares a aquellas personas a quienes hemos hecho sentir nuestro desdén". John había mostrado ese desdén muchas veces al pobre Kotapos.

Los ojos de Kotapos tenían aquella noche una vaguedad lamentable y el viejo comenzaba a decir bajo los efectos del alcohol las cosas que durante un año se había callado. No era que quisiera mal a John, pero necesitaba desahogarse y lejos del campus de la universidad, parecía más fácil. Le fue revelando una por una las burlas de las que John había sido objeto. Al hablar del falso accidente de Monte Perdido vió palidecer a John. Aquello era duro, pero Kotapos lo hacía como si estuviera acumulando argumentos en favor de su doctrina, que una vez más se sentía obligado a defender. Sólo en la escuela cínica estaba la verdad. Era como decirle: vayas por donde vayas y hagas lo que hagas, siempre irás a dar en lo mismo: en la miseria de la vida y en la porquería de la conducta moral de los hombres. Oyendo a Kotapos, la vida en el campus le parecía a John una farsa innoble. Una farsa en la cual había una sola víctima: el idealista profesor St. John. El cínico se burlaba una vez más del estoico. Pero con amistad y pareciendo decir: así es la vida, esta vida que usted no ha hecho y yo tampoco.

Aquella noche habló de todo, Kotapos, incluso de la boya de Mortland y del beso frustrado por la iluminación súbita en las puertas del club.

Kotapos lo sabía todo. Sin duda la gente hablaba y el profesor cínico recogía las versiones divertidas o escandalizadas de la gente.

Opuso John alguna resistencia cuando Kotapos pidió dos brandys dobles, pero después de haberlos tomado, se sintió envuelto en una niebla brillante que no le desagradaba. A veces volvía a decir entre dientes: "se va a arrepentir". Y no sabía si se refería a Ira, a Ciro o al mismo Kotapos. Pero viendo reír al cínico comezó a sentir que todo aquello era divertido y en lugar de ofenderse, se dejó contagiar de la risa. La de John, sin embargo, era todavía una risa amarga.

—Somos ridículos los profesores —dijo por fin.

Kotapos puntualizó: no sólo los profesores enamorados. Son ridículos todos los seres humanos. Sin excepción. Advirtió que los estoicos con su aspiración a la inmortalidad del alma lo eran más que nadie. ¿Qué parte del alma reclamaba la inmortalidad? ¿La que se alegraba del mal del prójimo? ¿La que gozaba con el ridículo y la maledicencia y la miseria de los otros? ¿La que codiciaba el oro? ¿La que languidecía de envidia? ¡Oh, los estoicos que se obstinaban en inventar alguna clase de grandeza moral para el uso de sus almas! Y sin dejar tiempo para que John protestara alzó la copa:

—A la salud del estoico profesor St. John.

Alzaba John la suya porque quería burlarse también de sí mismo como amante frustrado. Entre las nieblas del alcohol sentía un gran deseo de sinceridad y comenzó a revelarle a Kotapos con todos los detalles, los tremendos acontecimientos de aquel día. Le hablaba de Ciro. Kotapos no sabía nada de él. ¿Cyros el guerrero persa? —preguntaba riendo—. Al mismo tiempo John se contagiaba de la risa de su amigo y no podía seguir hablando. El efecto de la risa del uno en el otro comenzaba a ser excesivo y en las mesas de alrededor algunos comensales reían también, contagiados. El mozo del bar comenzó a hacer coro. Nadie sabía exactamente de qué se reían, pero hasta los camareros que servían las mesas más lejanas se volvían a mirar sonrientes. Kotapos con los ojos llenos de lágrimas decía: "Maldito Cyros, padre de Harpagón, de quien nació más tarde la fábula de Edipo. ¡Mil veces maldito!" El profesor St. John miró alrededor, se puso repentinamente serio y dijo a media voz:

—¿Por qué se ríe la gente?

Lanzó Kotapos a los más próximos una mirada de desprecio. "No saben quién fue Cyros, no saben quién fue Harpagón. No saben siquiera quién fue Edipo. ¿Es que tiene derecho a la vida un individuo que no sepa quién fue Edipo? Esta gente del bajo Manhattan es la hez de la sociedad". Añadió mirando de reojo a las mesas próximas: "No saben quién fue Edipo. Son detritos, basura". Añadió que lo decía en voz alta porque no le dolían prendas. No tenía miedo. Las noches que salía solo en Manhattan solía llevar un revólver. Por la noche en ciertos barrios no había que fiarse. John se alarmó. Mantenía su lucidez y poco después dijo que lo mejor era despreciar a la plebe ignara y volver al hotel. Se levantaron. La gente alrededor reía aun. John fue a la percha donde estaban el sombrero y el gabán ligero de Kotapos. El cínico decidió que tenía que ir al lavabo y John se quedó esperándolo. Sintió en el bolsillo del gabán de Kotapos un peso excesivo y vió que estaba allí el revólver. Lo pasó discretamente al bolsillo de su propia chaqueta, recelando de los riesgos de la embriaguez de su amigo. Y pensó: Aristóteles no tenía razón cuando decía que no había que mezclar lo grotesco con lo trágico. Yo soy grotesco y trágico al mismo tiempo, ahora. Kotapos también.

Ya en la calle Kotapos volvía a recordar las burlas de las que había sido víctima John. Repetía la palabra "darling" cada vez que se refería a Ira y reía de nuevo pensando en Cyros, padre de Harpagon.

Por fin llegaron al hotel de Kotapos. John dejó a su amigo en el ascensor y salió otra vez a la calle. Al verse solo se sintió un poco envilecido. ¿Por qué le he dicho todo esto a Kotapos? se preguntaba de veras incómodo. Sentía un peso creciente en su conciencia de hombre poco acostumbrado a la frecuentación de los cínicos.

Se equivocó dos veces de autobús. Las dos veces al descender, se volvió a mirar el vehículo y vió un largo letrero que cubría la imperial: *"Welcome to New York"*. La segunda vez se irritó por lo que le parecía un sarcasmo elaborado y cruel: *welcome to New York*. Creía estar oyendo decirlo a Ira misma. Ofendido por los autobuses decidió ir andando al hotel. El ejercicio le haría bien. Pensaba en Kotapos. Aquel hombre no era su amigo y sin embargo, John acababa de hacerle las confidencias más delicadas. Sólo podía haber caído en aquella debilidad por haber perdido la gravedad, es decir, el sentido de la dignidad. Por haber dejado que su columna helénica se torciera. No se respetaba a sí mismo y era natural que lo despreciaran los demás.

Pero estas reflexiones deprimentes no duraban mucho. El alcohol suprimía las inhibiciones y le prestaba cierta generosidad descuidada. Pensaba que Kotapos era un buen compañero y que tal vez tenía razón con su cinismo. Ira era la única persona culpable, el único ser en el círculo de sus relaciones a quien había que despreciar. Trataba de sentir en su alma un desdén verdadero, pero no encontraba bastante motivos. El emblema del corazón y la flecha en la comba de su trasero —en

el traje sueco de esquiar— le parecía idiota, pero en realidad el detalle tenía gracia.
  Era difícil despreciar a Ira. Era difícil también olvidarla. Por encima de cualquier reflexión quedaba la sugestión de aquella belleza juvenil llena de encanto.
  Llegó al hotel hacia la media noche. Tomó una ducha fría. El agua salía con fuerza y era agradable en la piel. Después se sintió mejor, pero estaba demasiado despierto y se daba cuenta de que no podía dormir. No sabía si era por la ducha o por el alcohol o por su estado moral, aunque podrían ser muy bien las tres cosas juntas. Estuvo con la imagen de Ira en el recuerdo toda la noche. No comprendía. Su reacción principal era cierto estupor contra sí mismo. El alcohol que embrutece a los hombres lo hacía a él más clarividente. "Me he conducido como un imbécil". Hacia el amanecer quedó aletargado, pero despertó con el ruido de los autobuses, aquellos autobuses que tenían un letrero irónico a cada lado. Pensaba volver en seguida a Middletown aunque le tentaba la idea de quedarse en Nueva York donde, por lo menos, la gente era indiferente a su alegría o a su dolor. "En esos casos —se decía— los estoicos sabían dejar el mundo sencillamente, con una sonrisa. Séneca dijo: "¿De qué te quejas? Hay una sola puerta para venir a la vida, pero hay mil puertas para salir. ¿Qué más puedes pedir a los dioses? Mil, diez mil, un millón de puertas para salir". Y, sin embargo, John no elegía su puerta, no salía. Y se quejaba.
  Se quejaba en aquella madrugada inhóspita de Nueva York.
  Al ponerse la chaqueta sintió el revólver de Kotapos en el bolsillo y se llevó una gran sorpresa. Vió que estaba cargado. El azar parecía empujarle hacia alguna de las mil puertas de Séneca.
  Se puso a escribir en broma unas líneas —la carta del suicida— dirigida a Ira. Al firmar pensó una vez más: "se va a arrepentir". Si Ira leyera una carta como aquella se sentiría culpable de veras. Le gustaba a John jugar con la idea y llegó incluso a pensar que la muerte violenta no sería dolorosa. "Ninguna muerte es dolorosa", se dijo con valentía y con indiferencia.
  Escribió un sobre. Le divertía la peligrosidad de todo aquello. "Se va a llevar por lo menos un susto, un gran susto. Y se va a arrepentir". Salió al corredor y echó la carta al buzón. La vió bajar por la columnita transparente con cierta alarma y volvió a su cuarto pensando, asustado: "Está hecho y no tiene remedio y es tremendo y es irreparable". Pero ¿era de veras irreparable?

Trató de recuperar la carta llamando por teléfono. El encargado de la centralita estaba adormecido y soñoliento y tenía pocas ganas de ayudarle. Eran las cuatro y media. Un bell boy a quien llamó dijo que el correo era sagrado y que tendría que escribir otro sobre exactamente igual, darlo a la dirección del hotel y esperar a que el director autorizara aquella diligencia. Entretanto llegarían los empleados del correo y se llevarían la carta. ¿Cómo recuperarla entonces? En fin, no se podía hacer nada. El bell boy recomendó a John que llamara por teléfono al destinatario de la carta y cancelara su contenido. Eso le parecía más razonable.

Pero John no le escuchaba, ya. Colgó el teléfono pensando: este anuncio de mi suicidio será lo más irreparablemente ridículo de todo lo que he hecho. Había que evitar si era posible, que aquello tomara como la aventura del Monte Perdido y tantas otras cosas, un sentido vergonzosamente grotesco.

Estaba sentado en la cama. Tomó el revólver y lo examinó con atención. Al levantar el gatillo (sólo curioseando) éste resbaló debajo del pulgar, el percutor hirió la cápsula, pero el tiro no salió. Sospechando que todos los cartuchos eran como aquel disparó otra vez al aire. El proyectil salió con una detonación tremenda y la bala fue a dar en un espejo. Poco después comenzaron a oirse pasos apresurados por los corredores, alguien llamó a la puerta y el profesor, con el revólver en la mano y sin ningún deseo de matarse, pensaba: "Van a abrir y verán que estoy tratando de suicidarme. La noticia se divulgará, los periódicos encontrarán cómico y divertido el caso de un profesor que tratando de matarse no lo consigue, pero despierta y alarma al vecindario. Habré caído en una tontería más y ese será el climax de mi estupidez y de mi indignidad. De eso no lograré salvarme ya en toda mi vida". Tenía que suicidarse o estaba perdido. En la confusión no se dió cuenta del absurdo contrasentido de aquellas palabras: suicidarse para salvarse.

Pero así era, ni más ni menos.

John se apuntó al pecho y apretó el gatillo. El codo tropezó con la esquina de la cama y la dirección de la bala se desvió un poco. Así y todo se produjo una herida en el flanco izquierdo entre las costillas. Más tarde estuvo tratando de averiguar si el tiro se había desviado porque su codo chocó en alguna parte o si había desviado el arma conscientemente. En todo caso, sentía la sangre resbalando por la piel, pero sin dolor alguno.

Alguien estaba poniendo la llave en la cerradura. John fue a abrir. Estaban allí el gerente y un camarero, quienes parecieron aliviados al ver a John de pie. El gerente miraba alrededor:

—¿Está usted... —iba a decir *borracho*, pero se corrigió a tiempo— intoxicado con alcohol?

—No, no lo creo —contestó el profesor con una calma helada. Entraron tres o cuatro emplados más. El gerente hacía gestos de incomprensión y señalaba a los otros el espejo roto. En aquel momento alguien vió que la sangre manchaba el zapato gris del profesor y la alfombra. Preguntó el gerente muy asustado:

—¿Pero qué ha hecho usted, *malheureux*?

Así, en francés. John respondió gravemente:

—No creo que tenga usted derecho a hacerme pregunta alguna. Ni a continuar en este cuarto.

Iba a empujar al gerente hacia la puerta, cuando se sintió desfallecer, se apoyó en el muro y perdió el conocimiento. Mientras lo levantaban para acostarlo en la cama, el gerente pidió una ambulancia por teléfono. John volvió en sí y mirando vagamente a su alrededor, tuvo una reflexión frívola: "El que me llamó *malheureux* debe ser el gerente del hotel porque va vestido de chaqué. Y seguramente nació en Francia".

A pesar de todo estaba satisfecho de sí mismo. Casi orgulloso.

Ya en la ambulancia se incorporó y arrollando con la mano en el bolsillo la hoja del calendario de Ira pensaba: ¿será realmente importante mi herida? Le gustaba oir la sirena de la ambulancia y saber que todos los coches se detenían para dejarle paso libre. Imaginaba aquel trayecto por donde iba, espacioso, abierto al sol del amanecer y flanqueado de altas columnas griegas del color del marfil viejo.

Y recordaba aquello en la caverna caminando con otros turistas por la orilla del río subterráneo y se decía que aquel suicidio frustrado aunque parecía increíble —así son las cosas en la vida— representó su consagración de hombre adulto. La entrada en la madurez. A partir de su "suicidio" comenzó a descubrir, según creía, el verdadero sentido de la realidad. Las revelaciones de Kotapos le ayudaron un poco. Aunque no abjuraría nunca de su estoicismo.

¡Oh, Kotapos, qué oportuno solía ser y cómo lo fue entonces!

La herida sólo le dolía cuando le curaban por las mañanas. Tenía una costilla rota en la espalda, pero la bala no había tocado ningún órgano importante.

Por fortuna los periódicos no publicaron la noticia, pero la carta de John llegó a manos de Ira y ésta corrió al teléfono y llamó al hotel. Le dijeron lo que había sucedido y más tranquila al saber que John vivía se decía en éxtasis: "Quiso matarse por mí". Se encerraba en su cuarto y rehusaba ver a nadie. Ciro andaba por la casa como un fantasma y Mr. Rudyarson ojeaba la prensa en su estudio sin poder concentrar la atención. Se había enterado de los hechos terribles por la carta del suicida y de pronto llamó a Ciro:

—¿Estuvo ayer ese profesor en esta casa? —preguntó con una expresión severa.

No respondía Ciro directamente:

—En realidad —decía— no es una relación personal mía sino de su hija.

Pero tuvo que confesar que aquel joven había entrado en la casa precisamente con él. El rostro de Mr. Rudyarson iba poniéndose color ceniza mientras una ceja le temblaba un poco. Cuando llegaba aquel momento lo mejor era desaparecer y Ciro salió. Al mismo tiempo entraba otro secretario marcando con lápiz rojo en una revista dos noticias financieras. Mr. Rudyarson se agitaba en su butaca:

—¿Dónde está ese beduíno?

Estaba Ciro con el mayordomo comentando el suicidio frustrado de John en cuyos ojos el mayordomo había visto, según decía, algo inusual. Mr. Rudyarson llamó a su hija y le preguntó:

—¿Qué clase de persona es el profesor St. John? Contesta mi pregunta y piensa bien lo que dices. ¿Ese profesor está loco?

—No.

—Hay que estar loco para tratar de suicidarse.

—Bueno, lo está por mí, lo que es diferente. Tú sabrás de negocios, papá, pero en vuestros tiempos no sabíais nada del verdadero amor.

Como otras mujeres, Ira creía ser la primera que descubría el mundo de las pasiones.

El padre miraba a Ira entre la indignación y la risa. Ella le pidió permiso para ir al hospital y Mr. Rudyarson dijo un "no" clamoroso. Ciro comentó desde la puerta:

—Tú ves que papá considera tus deseos fuera de lugar. Lo mismo te dije yo hace un momento.

Entretanto en el hospital la herida de John se cerraba. Ira, que esperaba ir a verlo con permiso o sin permiso de su padre, le escribió esta carta: "Pienso en mí misma con vergüenza. Oh, John. Su alma es fría y serena, pero el frío de su alma puede quemar y la tranquilidad de su alma puede hacernos enloquecer. En cuanto a mí ¿qué decirle? Digo, qué decirle para que me crea y me perdone? Aquella broma en Monte Perdido es hoy la única cosa seria de mi vida. Sólo usted puede salvarme. Pero ¿con qué palabras pedírselo? ¿Hay alguna palabra mía que pueda escuchar? Odio todo lo que rodea. John. Tenemos que hablar inmediatamente. Quiero ir a verle. Realmente suya.— Ira".

El profesor arrojó al cubo esta carta y se dijo: "Ahora es ella quien hace y dice tonterías". Pero volvió a recoger la carta para evitar —se explicaba a sí mismo— que las enfermeras la leyeran.

Estaba el profesor considerablemente satisfecho de sí y reconciliado con la vida, con las gentes.

Se enteró Kotapos de lo sucedido y se presentaba todos los días en el hospital a ver a John. El profesor le dió a leer la carta de Ira. Kotapos la leyó rápidamente y dijo:

—No me extraña. ¿Y usted, qué dice? ¿Quiere que venga esa mujer a verlo? ¿Sola? ¿O con Ciro, padre de Harpagón?

Llamar a Ira "esa mujer" le parecía a John un poco irrespetuoso y sin embargo, se apresuró a negar:

—No, no. No me interesa en absoluto.

Kotapos fue al teléfono, llamó a Ira, le dijo que John había recibido su carta le daba las gracias por ella y le rogaba que renunciara a verlo porque la entrevista sería enojosa para los dos. Añadió por su cuenta que el herido no estaba restablecido aún y tenía fiebre. Esperaba pues que no lo importunara más. Colgó el receptor dejándola con la palabra en la boca.

Mejoraba el herido rápidamente. En cuanto pudo salir del hospital ocho días después se dijo: "Voy en seguida a Middletown. Quizás en el campus saben ya lo ocurrido. Kotapos ha debido escribirle a alguno, por lo menos, al profesor de psicología, de quien es muy amigo". A pesar de estas reflexiones, no sentía por Kotapos rencor ninguno. Lo creía un aliado, un cómplice. En cuanto a Ira evitaba pensar en ella. La verdad es —se decía— que la pasión, cualquiera pasión, es una enfermedad deplorable. Los griegos lo sabían hace dos mil años.

Y él quería recuperar la salud física y asegurar su salud moral.

Al llegar a la estación miró su reloj y vió que estaba parado todavía en las 3.10, la hora patética de su entrevista con Ira. Lo puso en hora con el de la estación, pensando que en las pequeñas cosas veían los griegos misterios y advertencias. ¿Qué podría significar haberse detenido el tiempo en las 3.10 de aquel día? Hay en todas las cosas una dimensión secreta que pocas veces nos detenemos a observar.

Cuando se vió en Middletown creyó haber superado todas sus

degracias. "Lo que me ha sucedido en Nueva York —pensó— parece que lo he leído en una de esas novelas —un poco tontas— para muchachas de quince años que publican los magazines. Ni siquiera una buena novela". Pero le gustaba detenerse a recordar: "Mi carta de suicida la tiene Ira aún y carece de sentido que ella la conserve. En fin, me es igual. Puede ponerle un marco de plata y colgarla en la pared". Luego se preguntó: "¿Soy más feliz ahora?" El yo real —se decía en broma— hacía esa pregunta al yo ideal. Con la herida cerrada John se burlaba de aquellos yos desaparecidos, en nombre de un tercer yo que le parecía un poco más varonil y mucho más verdadero.

Buscó la carta de Ira y la leyó otra vez. Bah, todo aquello había terminado antes de comenzar. Es decir, no comenzó nunca. No le escribiría. Lo mejor que podía hacer Ira era casarse con otro, con Ciro. Se merecían recíprocamente.

Trabajaba mucho aquellos días, John. Daba los últimos toques a su estudio sobre los viajes de Ulises. Al lado de los héroes griegos la gente de ahora le parecía inferior y trivial. "Todos hemos olvidado la verdadera grandeza moral, el verdadero heroismo, pero no se puede vivir realmente sin ellos". El tenía el heroísmo de la soledad y lo defendería gallardamente. Sería feliz solo, con su columna, en el desierto.

La vida universitaria recomenzó. En su estudio sobre Ulises subrayó la significación decadente del arco romano y sobre todo, del bizantino. Entretanto iba y venía y se decía, extrañado: "nadie me habla de lo sucedido en Nueva York. De mi aventura con una Penélope impaciente. Con una Circe en potencia y con sus impuros animales". Estos eran Ciro y Rudyarson.

El decano le dijo un día que Mme de la Flanelle se mostraba interesada en el boletín de estudios helénicos. El profesor se decía extrañado: "Todos tratan de ser amables conmigo". Nadie le hablaba de lo sucedido en Nueva York, pero tal vez pensaban en aquello a todas horas. Y John estaba muy lejos de avergonzarse ni de arrepentirse.

Pensando en las palabras del decano, se preguntaba qué podía querer Mme de la Flanelle, aquella mujer millonaria cuyas relaciones sociales eran regidas por las preferencias del inocente perrito spaniel.

Ira seguía escribiéndole. Se limitaba a repetir igual que los niños: "Yo no hice nada. Yo no tengo la culpa". Como John no contestaba Ira llamó a su tía por teléfono y le dijo:

—¿Por qué no haces una gestión discreta con él?

—¿Yo?

—Sí. Dile que he roto mi compromiso con Ciro.

—¿Y eso te parece discreto?

Añadió que lo último que había pensado tener en la vida era una sobrina sin vergüenza de mujer. Ira le preguntaba:

—¿Para qué sirve la vergüenza cuando una está enamorada?

Condescendió por fin John a responder a Ira. Rompió varios borradores y la carta que la envió fue la siguiente: "Es verdad que soy otro, pero no su enemigo como usted dice. Antes de mi viaje a Nueva York estaba equivocado con mis propios sentimientos. Ahora, no. Soy capaz de pasiones a mi manera, pero no he sentido pasión alguna por usted. Mi reacción en Nueva York, de la que me arrepiento, fue la de mi vanidad viril lastimada. Sé lo que es el amor y comprendo que aquel arranque mío después de una noche de excesos de todas clases, especialmente de alcohol, ha alterado y confundido su vida y sus ideas sobre mi modesta persona. Lo siento. Pero le repito que *aquello* no lo hice por usted. Nadie se suicida por una persona determinada, ni por una decepción. Es más importante la vida o la muerte en sí mismas que todo eso. Mi frío puede quemar, es verdad, pero mi frío no ha ardido para usted. Aunque no soy quien para dar consejos, creo que lo mejor será que se case usted con otro. Conserve, sin embargo, mi recuerdo, ya que según dice, lo necesita, pero no cuente conmigo porque sabré evitarla lo mismo que un día supe buscarla".

Todo esto a John le pareció perfecto. Y envió la carta. Después de echarla al correo se sintió más tranquilo.

Kotapos fue a verlo. El pliegue de su boca era menos irónico y John le dijo que lo encontraba más humano.

—¿Qué quiere decir con eso?

—Más dulce y benévolo.

—Eso no es humano. Lo humano es la envidia, la traición, la mentira, la codicia . . .

John sonreía superior y Kotapos le decía que había oído hablar del boletín como cosa hecha. Le pidió que le incluyera en el comité editorial. El profesor miraba a Kotapos extrañado, como siempre, de que supiera más que él.

Encontró John a Mrs. Brash en la calle. Se detuvo a saludarla y ella le preguntó cuándo iría otra vez al club de esquiadores. Dijo John que no creía en los deportes de nieve ni en forma alguna de atletismo. "Por mucha fuerza que desarrollemos —dijo escéptico— nunca tendremos tanta como un buey". Añadió unas palabras que después le parecieron innecesarias. Dijo que había una especie de cretinismo atlético del cual un hombre prudente o una mujer debían desconfiar. Se hablaba del boletín aunque el dinero de Mme de la Flanelle no aparecía por ninguna parte. Y recibió John una carta acerada y vivaz de Ira: "Antes de aceptar lo que usted dice y de considerar nuestra separación como definitiva, necesito verle una vez. Una sola vez. Es posible que sea cierto lo que usted dice en su carta y es posible también que sea usted un embustero ridículo. En ese caso será el más desgraciado de los hombres y lo tendrá bien merecido. Si ha querido hacerme daño está en un error. ¿Qué cree que va usted a hacer en el mundo solo con Ulises? He visto en su carta precisamente lo que usted quiere ocultar. He visto que todavía me quiere y doy gracias a Dios. Pero mi paciencia no es como la de Penélope sino que tiene un límite. ¿Por qué obstinarse de ese modo, John?"

Halagado por un lado y profundamente herido por otro, John decidió no contestarle.

Sin dejar de recordar estos episodios en la caverna de Grandwall y al lado del río subterráneo, John pensaba en Ira que lo esperaba afuera y se inclinaba con otros turistas a reconocer uno de los moluscos luminosos de los que había hablado el guía. "Huelen mal porque tienen mucho fósforo", decía alguien a su lado.

Y seguía John con sus recuerdos. Llegó otra vez el invierno a Middletown. Un día preguntó John al decano de Humanidades por el estado del proyecto de boletín y el decano dijo: "La última palabra la tiene Mme de la Flanelle". Esta última palabra era el cheque.

John no hacía nada por obtenerlo. "Si quiere que lo reciba —pensaba— tendrá que dármelo en una bandeja de plata".

Pocos días después lo llamó Mrs. Brash por teléfono para decirle con un acento untuoso y amable que Mme de la Flanelle tenía "algo" para él en su casa de la montaña. Le ofrecía Mrs. Brash llevarlo en su coche como la vez anterior y hacer después una visita al club si no seguía guardando rencor contra el atletismo. El profesor vacilaba, pero por fin aceptó pensando en el boletín y en Ulises. Al día siguiente salieron. El campo estaba nevado otra vez y era silencioso y vasto.

Lo recibió Mme de la Flanelle seguido del inevitable animalito. Tenía la vieja dama una expresión fría que asustó un poco a John y más, cuando declaró que en media hora tenía que salir para Boston. Pero sin dejar de lamentarse de la falta de tiempo y de que el chauffeur la esperaba con el coche en marcha, fue a un escritorio, tomó un cheque que tenía ya dispuesto y se lo dió a John, acompañándolo de la sonrisa más dulce. Hizo tomar una taza de té a sus amigos y salió después de decir a Mrs. Brash que estaba en su casa y que cuando se fueran se aseguraran bien de que la puerta quedaba cerrada.

Como era natural, los visitantes no quisieron tomarse tantas confianzas y salieron todos juntos a la carretera. Mme de la Flanelle con el perro en brazos besó a su cuñada y se despidió muy cordialmente del profesor. John pensaba viéndola subir al auto con gestos decididos y vigorosos: "Esa señora es un gran hombre".

Por fin Mrs. Brash y el profesor entraron también en su coche y éste arrancó aunque con alguna dificultad.

—¿Se habrá enfriado el motor? —preguntaba John.

Media milla más lejos en un lugar donde el camino se levantaba en pronunciada cuesta, el coche se paró. Mrs. Brash miró el indicador de la gasolina y se escandalizó al ver que el depósito se hallaba casi vacío. Estaba en un camino secundario. Dos millas más arriba éste volvía a la carretera general. Pero ¿cómo caminar aquellas dos millas por la nieve? El profesor dijo que iría hasta encontrar a alguien que pudiera ayudarles, cuando de pronto apareció un Lincoln amatista y se detuvo al lado. Mrs. Brash dió un grito:

—¡Dios te envía, Ira, hija mía!

El profesor que tenía la mano en el bolsillo protegiendo amorosamente el cheque casi lo rompió, con la sorpresa. Lo sacó y se lo puso en el bolsillo interior de la chaqueta. Luego echó a andar sin despedirse pensando: ¡vaya una estúpida intriga de comedia! Lo tenían todo preparado. No sabía John adónde ir ni le importaba con tal de alejarse de aquellas mujeres que conspiraban contra él de un modo tan torpe. Marchaba en dirección al club que era el lugar más próximo, pero había aun siete u ocho millas de distancia. Mrs. Brash e Ira se miraban en silencio decepcionadas. Es decir, la decepción estaba solamente en Ira. Su tía parecía radiante y repetía: "Ese hombre está loco por ti".

—¿Cómo? ¡Pero tú ves que me huye!

—Por eso, hija. Por eso.

Cambiando de tema y como si despertara preguntó:

—¿Sabe tu padre que has venido?

—No. ¡Bueno se va a poner cuando se entere!

Veían las dos alejarse a John. Ira dijo: "Va poco abrigado, no lleva siquiera botas de nieve". Añadió pensativa: "Podríamos haber inventado otra cosa". Luego preguntó a su tía si tenía gasolina o no, ella dijo que sí y la sobrina sin añadir una palabra pisó el acelerador y salió detrás del profesor St. John. Hacía un frío espantoso bajo el cielo azul y el sol amarillo. La tierra era dura y el aire limpio. Cuando Ira alcanzó a John, detuvo el coche:

—¿Adónde va, John?

El seguía caminando como un soldado, sin responder. Ira volvió a poner el coche en marcha, lentamente:

—John, soy yo. Ese truco de la gasolina ha sido cosa de mi tía. Yo no quería, pero ella se empeñó. Ha sido un truco infantil, ya lo sé. Pero yo no tengo la culpa. John, venga al coche. Hace mucho frío y no lleva botas de nieve ni orejeras. Venga aquí, conmigo.

Parecía el profesor sordo y mudo. Ella gritaba más:

—¿No me oye? Soy Ira. Me he escapado de casa para no volver nunca más . . . ¡Mire que va a coger una pulmonía!

Pensaba John: "Bah, nunca más volverá a su casa. Tonterías y delirios". Y seguía andando. El camino era estrecho y el profesor se hacía a un lado dejando sitio para el coche. La nieve crugía bajo los zapatos del profesor que sentía los pies mojados. También crugía la nieve bajo las ruedas. Todo parecía virgen y nuevo alrededor.

—John, venga al coche que debe tener los zapatos llenos de agua.

Era verdad, pero el rostro de John no expresaba alegría ni tristeza. En su perfil Ira veía sólo una indiferencia estoica.

—Yo no tengo la culpa, se lo juro. Todo lo inventó mi tía que es una pobre mujer sin imaginación. ¿No quiere oirme?

A veces la nieve le llegaba al profesor a media pierna. Ira gritaba:

—¿No comprende que es inútil, que lo que hace usted es completamente inútil?

Zumbaba el motor dulcemente. A veces pasaba una racha de viento que derribaba nieve de las ramas desnudas de los árboles. Ira no sabía qué más decir:

—Le prometo que no volveré nunca a molestarle, pero entre usted. Por Dios, John, mire usted que hace mucho frío.

En aquel lugar se abría el camino un poco. Los árboles eran menos frecuentes y el paisaje tan blanco hacía daño a la vista.

—Venga al coche, John y yo lo llevaré a Middletown. O a New York. Adónde usted quiera.

Parecía el sol congelado en lo alto a través de las nubes transparentes; helado e indiferente en medio del paisaje muerto.

—Puedo llevarle al club. Desde ayer estoy viviendo arriba,

en la choza de Monte Perdido. Al borde del abismo. ¿Oye? Al borde del precipicio.
Pensaba John: ¡qué ridículo, al borde del abismo! Y sus pies se alzaban y caían rítmicamente sobre la nieve. Fuera del camino, el suelo era demasiado abrupto y John descendió a la carretera y siguió andando frente a la rueda izquierda del coche. Ira suplicaba:
—John, por Dios . . .
Segura de que todo sería inútil, gritó de pronto:
—¡Montruo! Es usted un montruo. Si no entra lo voy a atropellar.
Pisó el acelerador. El profesor se apartó prudentemente.
—Oh, no tenga miedo. Yo lo quiero, John. Estoy enamorada de usted, de veras. Yo . . . siento la voluntad de convivencia con usted.
Llevarían más de un milla andando de aquel modo cuando ella volvió a los insultos:
—¡Miserable! Todo lo que usted me dijo era una mentira para sacarle el cheque a mi tía y ahora que lo tiene en el bolsillo, yo no le importo nada.
Seguía adelante John, herido íntimamente por aquel insulto, pero Ira volvía a disculparse llorando. En aquel momento John debió pisar la delgada superficie de un arroyo helado —bastante hondo— y desapareció verticalmente hasta la cintura. Sintió —lo recordaba con escalofríos— una tremenda impresión sobre todo en el vientre. Ira frenó y se lanzó fuera del coche. Vió que el profesor se debatía sin lograr salir. Y que por fin se dignaba hablar:
—Miss Rudyarson, —le dijo con la voz incierta y temblorosa—. Sin que esto signifique cambio alguno en mis sentimientos ni en mis propósitos si tiene una cuerda átela al parachoques y déme a mí el otro extremo.
Salió por fin chorreando agua y se metió en el coche tiritando. Ella abrió el calentador y le dió una manta que había en el asiento trasero. Quería decirle John que volviera a Middletown, pero evitaba hablar para ocultar su voz temblorosa de frío. Tenía miedo de que ella pensara que aquel temblor era de emoción. Ira aceleraba. Cuando vió John el edificio del club dijo que era sábado y que seguramente estaría aquel lugar lleno de estudiantes, con Mortland y Pat por añadidura. Ella le prometió que se detendría sólo un instante para comprar alguna bebida que le ayudara a reaccionar. Después irían a la choza de Monte Perdido donde había un gran fuego ardiendo día y noche. Cuando lo dijo miró por el espejito retrovisor a John.

pero éste se dió cuenta y cerró los ojos a tiempo. El coche se detuvo frente al club. Ira descendió y entró en el patio corriendo. Vió a Pat y le pidió una botella de whisky.

—No vendemos botellas —dijo el criado alargando el cuello para ver quién iba en el auto.

Ella suplicaba y Pat seguía implacable, negando. Ella recordaba lo que John le había escrito sobre el cretinismo de algunos montañeses. Cerca estaba el famoso Mortland con su novela, su pipa y su whisky. En el momento en que el clubman alargaba el brazo para tomar la botella Ira se adelantó: "Perdóneme —le dijo—. Soy sobrina de Mrs. Brash y ella lo pagará". Con la botella contra el pecho salió corriendo, entró en el coche, lo puso en marcha y enderezó hacia Monte Perdido. Mortland con la pipa en la mano y la boca abierta miraba a Pat sin acertar a decir una palabra. Pat explicó:

—Es para aquel tío sospechoso que pescaba en su boya el verano pasado.

Acudió Mortland a la ventana. Reconoció al que le había robado la llave del coche. Quería decir demasiadas cosas a un tiempo y comprendiendo que no tenía remedio, se obstuvo de hablar y dió un gran suspiro. Pat, con la nariz pegada a los cristales, seguía hablando: "Ahora se van a la choza de Monte Perdido". Pero al viejo no le importaba que fueran a un lado o a otro. "Es mi botella, —repetía, perplejo— que la compré con mi dinero". De ahí no había quien lo sacara como si a fuerza de repetirlo la botella pudiera regresar a sus manos. Luego dijo una blasfemia —un juramento protestante bastante inocuo— y se puso muy pálido.

En el coche John bebió un largo sorbo. Era un excelente whisky escocés. Volvió a beber dos veces más por indicación de Ira. Corría el coche sobre la nieve haciendo sonar humorísticamente las cadenas de las ruedas traseras. Poco después el profesor apartó la manta muy decidido y dijo que no tenía frío. Cuando se detuvieron frente a la choza John bajó, vacilando un poco. Quiso asomarse al abismo, pero Ira lo impidió. Dentro de la choza el fuego era espléndido.

—Buena idea venir aquí —dijo él, ligeramente—. ¿Se le ha ocurrido a su tía?

—No, a mí —respondió ella con expresión taciturna.

—¿Es posible?

Lo decía con una extrañeza tan exagerada que Ira se sintió un poco ofendida.

—Entre en ese cuarto —le ordenó, nerviosa—. Entre ahí, quítese la ropa mojada y démela.

Se obstinaba el profesor en hablar como si quisiera recuperar el tiempo perdido con sus silencios. "... y si viene Pat —decía acercándose a la ventana— avíseme, Ira. Tengo que darle un recado a solas a ese *half wit*". Luego quiso salir, pero ella lo empujó hacia el único dormitorio que había y le ordenó después que por la puerta entreabierta le fuera dando una por una sus prendas de vestir. Le aconsejó después que se acostara mientras se secaban al fuego. Oyó crujir la cama bajo el peso de John y cuando una hora más tarde llamó para devolverle sus vestidos le contestó un silencio total. Aguzó el oído y oyó la respiración acompasada del profesor dormido.

Fue entonces cuando vió Ira al otro lado de la ventana el rostro curioso de Pat y la camioneta del club parada en el camino. Iba a salir para devolverle los restos del whisky, pero Pat volvió corriendo a su carruaje y la camioneta arrancó otra vez en dirección al club.

Estos recuerdos en la caverna de Grandwall hacían sonreír al profesor. Podía sonreír, pero nunca reír francamente. El guía decía en las sombras entretanto: "Señores, estamos marchando río arriba". Y repetía una vez más: "No pongan la mano en el agua. No se acerquen".

A partir de aquella aventura en Monte Perdido todo pareció resuelto, pero hubo todavía algún incidente que valía la pena recordar. Al saber en Nueva York Mr. Rudyarson que su hija había salido con el coche por las carreteras nevadas, llamó a Ciro y juntos se dirigieron al club de esquiaje. Como siempre que Mr. Rudyarson estaba enfadado, necesitaba insultar a alguien y llamaba a Ciro mequetrefe y *bum*. Esto último era lo que más le dolía al joven, tan cuidadoso con su pulcritud exterior.

Llegaron al club en menos de hora y media. Al detenerse el coche ordenó el importante Mr. Rudyarson:

—Vaya usted y tráigame a mi hermana Mrs. Brash y a mi hija, vivas o muertas.

Pensaba ir con ellas a Middletown, pero Ciro no encontró a Mrs. Brash y Pat le salió al encuentro para decirle que Ira estaba dando un escándalo tremendo. Bajando la voz le contó lo que había visto poco antes en la choza de Monte Perdido. El hombre se había desnudado y sus ropas estaban colgadas en las sillas cerca de la chimenea. No bajaban al club sino a robar whisky. Ciro parecía escuchar con la punta de la nariz y dijo:

—Está bien.

Le puso un billete en la mano y volvió deprimido al lado de Mr. Rudyarson. Le dijo que estaba su hija viviendo con el profesor en una choza en Monte Perdido, dedicados los dos al libertinaje. El viejo hombre de negocios desde la ventanilla dió una bofetada a Ciro:

—Mi hija tiene la naturaleza noble de los Rudyarson —dijo.

Se fue hacia Monte Perdido solo, es decir sin Ciro. Seguía las huellas del coche de Ira en la nieve.

En la choza el profesor seguía durmiendo. Cuando Ira vió el coche de su padre salió a la puerta en un estado de verdadero pánico. El padre se dió cuenta, maldijo de la nieve y besó a Ira tratando de advertir por el aliento si había bebido. Luego vió extendidas en las sillas las prendas interiores del profesor.

—¿De quién son esas ropas? —preguntó con una entonación ruda.

En cuanto Ira comenzó a hablar comprendió su padre que las apariencias mentían.

John entretanto despertó. Ira le fue dando las ropas por la puerta entreabierta y poco después el profesor salía todavía con la cabeza turbia. Viendo al viejo Rudyarson allí y dándose cuenta de su propio estado exageraba la prudencia y apenas hablaba. Después de las presentaciones Rudyarson sacó su pitillera y ofreció un cigarrillo a John. Este lo tomó. Se lo encendió Rudyarson. El profesor fumó sin saber lo que hacía, pero de pronto devolvió el cigarrillo a Rudyarson diciendo:

—Perdone usted. Me olvidaba de que no fumo.

Ira disimulaba la risa.

Se miraban el padre y el galán como dos perros que van a morderse. Y, sin embargo, no pasó nada. El profesor lo recordaba en las tinieblas de la caverna. Ira volvió aquella tarde a Nueva York, pero una semana después estaba en Middletown en casa de su tía, esta vez con el permiso de su padre. Era ella quien hablaba de boda, pero John la miraba gravemente.

—No hay que precipitarse —le decía, juicioso—. No nos casaremos aun porque antes debemos conocernos mejor.

Ira le preguntaba bajando la voz para que no la oyera su tía: "Pero qué más quieres saber de mí?" A pesar de las opiniones de John ella hacía sus planes de muchacha próxima a casarse. John proponía en cambio un viaje al sur.

—¿Sin casarnos? —preguntó ella, extrañada.

—Sí. Quiero dejarte el derecho a la decepción y reservarme yo también el derecho a la retirada.

Lo decía sin creer que ella aceptaría. Pero Ira pidió permiso a su padre para hacer el viaje, su padre se lo dió; salieron juntos los novios —con gran sorpresa de John—, viajaron dos meses por el sur y entonces fue cuando John decidió aceptar la invitación de su primo Ernest. Seguía John extrañado de que le hubieran hecho tantas concesiones. No las esperaba. Algunos meses después seguía sin comprenderlo.

Tuvo John durante el viaje revelaciones fabulosas. La intimidad con ella le hizo comprender que su novia estaba rendida sin condiciones. Pero no perdía la cabeza. Era y debía ser y sería siempre Apolo —pensaba— dios de la razón el que prevaleciera en el mundo de sus afectos. En su mundo íntimo. La razón y no las embriagueces.

A veces se decía: no está resuelto el problema a pesar de las apariencias. Nunca está resuelto el problema del hombre y la mujer porque a la mujer hay que conquistarla de nuevo cada día.

Pensaba John desde las cavernas que aquella excursión por los lugares subterráneos se estaba haciendo demasiado larga. Tenía ganas de salir a reunirse con Ira. Desde que dejaron Nueva York nunca se había separado de ella. Y pensaba también en su primo Ernest. Siempre que pensaba en él se sentía incómodo. La mano de la momia encima de la mesa del estudio, el indio parricida y los cuadros de arte demasiado moderno eran señales un poco insolentes. Las ganas de atraer la atención de Ira (evidentes en Ernest) eran de veras desagradables e irritantes para John.

Se sentía lleno de autoridad con Ira y ella acataba aquella autoridad con la cual habían entrado los dos al mismo tiempo en una etapa nueva y decisiva de sus vidas. No para siempre, porque nunca está el hombre seguro de su felicidad.

Durante el viaje Ira creyó descubrir al verdadero John. Detrás de las timideces de Monte Perdido, encontró un carácter frío pero muy posesivo. La pasión tomaba en él matices de un egoísmo obstinado y duro. John entretanto ignoraba las ideas de Ira sobre él. "Yo supongo —pensaba— que ahora soy otro hombre para ella, pero nunca sabemos lo que la mujer amada piensa de uno en el fondo de su conciencia".

Era su primo Ernest un cínico como Kotapos. Sólo que más joven y con pretensiones seductoras.

Siendo Ernest rico —seguía diciéndose John en la caverna— no necesitaba trabajar. Eso le daba la libertad que suele dar el dinero: la libertad de meterse en lo que no le importaba. Tal vez allí había un riesgo. ¿Un riesgo para quién?

Había observado John que Ira estaba desde que salieron de Nueva York en una especie de pasiva ebriedad. En cambio él era dueño de sí mismo por vez primera en su vida. Pensaban casarse al volver a Nueva York.

De pronto decidió John que no debía seguir en las cavernas con los turistas. Se lo dijo al guía y éste le prestó una lámpara eléctrica y le explicó la manera de encontrar la salida. Caminaba John en las sombras pensando que no podía tolerar en aquel momento su separación de Ira porque había tenido la vaga sospecha que el primo Ernest polía llegar a buscarlos, en cuyo caso, se quedaría con ella a esperarlo afuera. Y estaría hablándole a solas, mientras él llegaba. Aceleró el paso con una sensación de alarma.

Parecía Ernest dejarse llevar de las emociones, pero no perdía nunca la cabeza. Su interés por las cosas indias era compatible con el desdén y la burla contra los indios. Nadya se quedaba a dormir en la casa de Ernest la mayor parte de las noches sin molestarse en buscar una excusa. Pero Ernest solía poner en claro que aquellas confianzas no le comprometían a él en lo más mínimo. Pensando en estas y en otras cosas, John llegó a la salida de las cavernas.

Encontró a Ira sola donde la había dejado. Observó que había leído exactamente ciento cuarenta páginas porque cuando la dejó estaba en la 22 y ahora en la 162. John hacía entonces pequeñas observaciones como esas sin que ella lo supiera. Creía que era una manera sutil de ir observando su carácter.

Volvieron a casa. Por el camino le dijo John que se aburría con su primo y que tal vez era hora de marcharse. ¿Qué le parecía a ella? Ira no tenía opinión. Estaba dispuesta a salir lo mismo que estaba dispuesta a quedarse. Para ella el mundo comenzaba y terminaba dentro de la voluntad de John. "No sé si será siempre así —añadió entre melancólica y resignada— pero por ahora no tengo más voluntad que la tuya."

John se llenaba de una silenciosa alegría. Pero tampoco se sentía seguro del futuro.

Al llegar a casa vieron que no estaba el primo Ernest y sin más ni más se pusieron a hacer maletas. El indio Buenaventura los miraba desde el pasillo, opaco y mudo, todo ojos. Pero de pronto apareció Nadya.

—¿Escapan los enamorados?

—Los enamorados —dijo John en broma y riendo— tienen derecho a hacer lo que quieren sin dar explicaciones a nadie y menos a los antropólogos de cualquier color y sexo.

Cuando vió Nadya que la decisión era firme protestó. Al menos debían esperar a que llegara Ernest. Decidieron los novios que Nadya tenía razón, que sería incorrecto y cuando se vieron dispuestos a quedarse comprobaron que tenían otra vez el ánimo ligero y fresco como el día que llegaron. Mirando a Nadya vieja y caballuna John pensaba: la aventura le da a mi primo una mujer como esa. A mí en cambio, me da una mujer como Ira. Y se sentía a gusto en su piel.

Cuando Ernest volvió y supo que habían estado a punto de marcharse se quedó pensativo un momento. Exageraba después su cortesía con John pero de un modo frío y distante.

—Los parientes —dijo valientemente Ira— dan dos alegrías. Una cuando vienen y otra cuando se van.

—Sí, —respondió Ernest, taciturno—. Pero usted no es pariente y su marcha no me da alegría ninguna.

En aquel momento apareció un perrito spaniel —como el de Mme de la Flanelle— aunque de color negro y se puso a oler la maleta de John. Este lo acarició pensando en las últimas palabras que había dicho Ernest.

Al caer el sol bajaron al parque. Cerca de la piscina había dos canchas de tennis rodeadas de césped. Ira y John se vistieron —se desnudaron más bien—para el juego. Al salir Ira en pantalón muy corto de lino Ernest la miró un momento y silbó dos veces, una en tono alto y otra bajo. Al oirlo Ira tomó sin querer una expresión radiante y un poco boba. John recordó los abetos nevados el día de los *chickadees* y se puso sombrío. Se preguntaba, sin embargo, si tenía o no derecho a molestarse.

Iban a jugar. El único que estaba vestido del todo era Ernest quien al ver a su primo casi desnudo dijo: "Está apetitoso, John, ¿verdad Nadya?" Y todos rieron. Ira también rió y John sintió una rabia secreta.

Llegó el indio con las raquetas y comenzaron. Ernest con Ira y John con Nadya. Se vió en seguida que el profesor y su novia eran más fuertes y más jóvenes.

El indio Buenaventura se quedó a un lado mirando con sus ojos de palúdico y pensando: "qué tontería, eso de darle a la bolita". Cada vez que John lo veía pensaba: "Mató a su padre y ahora está así como si tal cosa."

Sólo había una pelota. Envió Ernesto al indio a buscar más, pero el indio dijo que no las había en la casa.

—Tiene que haberlas —insistió Ernest.

—Como haberlas las hay, pero están todas destripadas, señor.

Entonces no hubo más remedio que resignarse. Ernest arrojaba la única pelota contrariado. Quince o veinte metros más lejos se abría la piscina con su ancha superficie azul reflejando al cielo. El indio Buenaventura iba de un lado a otro con alguna herramienta de jardinería recortando los arbustos. Detrás de él iba el perrito spaniel ladrando muy excitado porque entre la hierba había visto una lagartija. John se acordaba otra vez de Mme de la Flanelle y del *dog's appeal* y sentía un poco de vergüenza retrospectiva.

Ira miraba a John y se decía una vez más, complacida: "Es increíble como ha cambiado moralmente". Al recoger Ira una pelota de Nadya le dió demasiado impulso y la esferita blanca voló por el aire y fue a caer al agua. Quedó flotando en el centro de la piscina. Se lamentaba Ira —no había otra— y John dejaba la raqueta.

—¿De veras quiere seguir jugando? —preguntaba Ernest muy deferente a Ira.

Ella afirmó, no muy segura de lo que estaba haciendo, y Ernest fue tranquilamente a la piscina y se arrojó de cabeza al agua, vestido. Un alarde de galantería un poco impertinente, pensó John.

Tenía Nadya una risa llena de irónicos sobrentendidos y John no pudo evitar un comentario:

—Eso es del género idiota.

—¿Qué? —preguntó Ernest desde el agua.

John no contestó. Le molestaba la risa de Nadya. Ernest iba a salir de la piscina, pero no por el trampolín ni tampoco por las escaleras que caían lejos, sino por el lugar más próximo a la cancha de tennis y pedía auxilio. Se negaba Nadya a darle la mano diciendo que era un ardid para tirarla al agua y que lo había hecho otras veces. Ira se mantenía al margen comprendiendo que John estaba incomodado y Ernest alzaba una mano y gritaba a su primo:

—Eh, tú, ayúdame a salir.

Dijo John de mal humor:

—Tira la pelota y ve a salir por la escalera.

—No —dijo Ernest— porque quiero darle a tu novia la pelota en su propia mano. Ayúdame a salir.

En la tarde quieta todo era azul blanco o verde: la cancha de tennis, la piscina, el cielo, el césped. Seguía oyéndose la risa de caballo de Nadya y John se acercó a la orilla y dijo de visible mal humor:

—Dáme la pelota, Ernest, no seas payaso.

Ernest simuló dársela, pero le agarró la mano y tiró de él. Cayó al agua el profesor y entonces Ernest se dirigió nadando tranquilo a la escalera. Conservaba la pelota en la mano y había logrado desasirse de John fácilmente. Y reía. También Nadya. Del mismo modo aunque por mimetismo y sin ganas reía también Ira.

Iba John detrás persiguiendo a su primo. Los dos tenían una expresión de la que había desaparecido lo convencional.

Rostros obstinados y concentrados en el esfuerzo de nadar. John nadaba mejor porque iba casi desnudo.

Al otro lado de la piscina el indio Buenaventura con unas tijeras de podar en la mano miraba impasible y a veces caminaba unos pasos siguiendo la dirección de los nadadores. Era el único que no reía. Sólo acostumbraba a reír cuando contaba como había matado a su padre. John gritó:

—Ernest . . .

Era una voz impaciente. Quería la pelota. Lo alcanzaba, lograba quitársela y echar a nadar en dirección contraria, pero Ernest no quería aceptar su derrota. Viendo que las mujeres aplaudían a John, su primo encolerizado lo persiguió y se encontraron en el centro de la piscina. Nadaban y peleaban como focas, unas veces encima y otras debajo del agua.

El indio había caminado algunos pasos de costado hasta situarse a la altura de los nadadores y miraba gravemente. Ira gritó:

—Tira la pelota aquí, John.

Pero la mano de John estaba inmovilizada por la de Ernest y los músculos de los brazos se veían tensos bajo la piel. La respiración de Ernest en el agua sonaba a veces como la de un hipopótamo.

—John, tírela aquí —repetía Nadya también.

El perrito spaniel iba y venía por la orilla ladrando. En un momento en que Ernest pudo hablar, dijo:

—Vamos, John, basta ya.

Poca cosa eran aquellas palabras, pero iban cargadas de odio. Conservaba la pelota John y enlazados desaparecieron un momento bajo el agua. Se veían a veces sus espaldas saliendo a la superficie y combándose cabeza abajo como grandes peces. John no soltaba la pelota y Ernest no soltaba a John.

Al aparecer de nuevo la cabeza de John se le vió abrir la boca, tomar aire y decir:

—¡Eso digo yo, basta ya!

Pero Ernest salía también a flote y con la mano libre trataba de enlazarlo por el cuello. Alcanzzó John con su pie a Ernest y de una patada lo apartó dos o tres yardas. Entonces se volvió y comenzó a nadar de prisa hacia la orilla próxima. Nadya decía batiendo palmas:

—Victoria, victoria . . .

—Tira la pelota —gritó una vez más Ira creyendo de ese modo suprimir el motivo de la discordia.

Pero no la oía, John.

El profesor nadaba y cerca ya de la orilla Ernest lo alcanzó por un pie. En vano agitaba el otro John. Volvían a forcejear y viendo John que su primo no quería soltarlo, le dió una patada en el brazo con el pie libre. Debió hacerle daño porque Ernest lo soltó. Pero cuando iba John a darse la vuelta para nadar vió a Ernest —que se había hundido un momento bajo el agua— aparecer a su lado. Esta vez se agarraron por los hombros y por el cuello. Ira gritó, dando a su voz ese acento incontrolable que revela una alarma verdadera.

—¡Por Dios, John, qué locura es esa!

El profesor empujó hacia abajo a su primo y debió saltarle encima y ponerle los pies en la espalda porque Ernest desapareció por completo. Volvía a nadar John, pero sólo con un pie. Su primo le había atrapado el otro bajo el agua. El indio desde la orilla miraba impasible y pensaba: ahí están peleando como dos topos en el agua por la mera hembra.

En los ojos de Nadya se veía el espanto.

Soltó Ernest el pie de su primo y subió a la superficie para respirar. John que estaba de espaldas le golpeó con los dos pies en el hombro y en pleno rostro. Se oyó un insulto en español, un insulto canalla. Alrededor de Ernest el agua comenzó a mostrar pequeñas manchas rojas. La nariz de Ernest sangraba.

Había saltado Ernest sobre su primo y entonces fue el profesor quien desapareció bajo el agua. Las dos mujeres corrían alrededor de la piscina dando voces.

En aquel momento volvía a aparecer el rostro de John. Nunca había visto Ira tanta violencia en un rostro humano. Los ojos azules de John cargados de rabia parecían negros. Tenía en la mano la pelota. Con la misma mano golpeó varias veces en la nuca a su primo que seguía bajo el agua, pero tan cerca de la superficie que uno de los hombros asomaba afuera.

John desapareció también un momento. Poco después salió a flote con la cara arañada y sangrante y nadó despacio hacia la escalera. En el centro de la piscina había burbujas color de rosa en las cuales la luz de la tarde se irisaba. Cuando salió John se quedó un momento en la escalera con la respiración agitada. Luego dijo:

—No saldrá. Lo siento, pero tal vez no saldrá.

El indio miraba a John, las mujeres también. John arrojó la pelota que rebotó dos veces antes de tropezar con la red del tennis. Un momento pensó John en huir con Ira a México cuya frontera estaba cerca. Huir como un criminal. Luego pensó que el testimonio de las dos mujeres le ayudaría tal vez.

Nadya llamaba a Ernest en vano y corría a abrir el resorte de desagüe de la piscina. Después fue a avisar a la policía por teléfono. Al saber que la policía iba a llegar, el indio Buenaventura se escapó de casa.

Ira miraba a John sin comprender, con un inocente estupor.

En un rincón de la piscina, doblado sobre sí mismo, encontraron a Ernest ahogado. Tenía la cara color violeta y los ojos abiertos.

II

EL CETRO

Iba Tototl desnudo como otros tobeyos de tierras bajas. Viéndolo pobre, las mujeres decían: "Lástima. Pronto lo tomarán preso para el sacrificio de Chicomecoatl". Tototl, que lo recelaba también, huía llevando siempre su sombra delante, es decir, dando la espalda al sol. Y huyendo, huyendo llegó a la frontera del valle.

La primera ciudad era Tlapalli y aquel día había mercado. Los vendedores estaban alrededor de la plaza en donde tenía su palacio Nite Chicaua. (Este nombre quiere decir "el que infunde ánimo a los demás"). Tototl se sentó frente al palacio.

Eran las primeras horas, cuando las sombras de las cosas son todavía alargadas y en el parque de Nite Chicacua había muchas tórtolas y papagayos. Las tórtolas para los sacrificios a Painal y los loros para las plumas amarillas de la nobleza.

Tototl había oído a los loros que cantaban cosas muy extrañas. El loco de Tlapalli decía que los entendía:

*Ay la pluma de mi rabo
¿quién la lleva? ¿Quién la llevará?
Pregúntale a Nite Chicaua.*

Una bruja recitaba en la azotea: "Nite Chicaua está triste porque sus pies no levantan ya polvaredas en las guerras contra la tierra baja. Porque su esposa Xochitl murió al parir a la linda Teicu y es una diosa en la raya del horizonte. Ya no está Xochitl en el valle donde reina Nite Chicaua aunque sus suspiros se oyen en la noche cuando las serpientes salen de las ruinas y resbalan entre las arenas esparcidas". Al oír a la bruja, Teicu pensaba:

—A mi madre la llaman Xochitl, ahora que está muerta.

Escuchaba Tototl lo que se decía a su alrededor. Las mujeres lo miraban y viéndolo desnudo, sonreían furtivamente y decían todas la misma palabra:

—Tototl.

Al oír a las gentes decir esa palabra pensaba Tototl: "Les extraña que vaya desnudo porque en esta tierra todos van vestidos". Cuando Tototl se iba del mercado gritaba el loco de Tlapalli:

> Vino el tobeyo al mercado
> sin camisa y sin huaraches
> y a la montaña se vuelve
> con todo lo que traía.
> ¿Necesita el hombre más?
> Ay, Teicu, Ay, Nanyotl
> que responda ella, la hija.

Tototl volvía a pensar en Nite Chicaua que estaba gordo y caminaba como si fuera cojo, sin serlo. Era viudo y cuando veía a su hija Teicu que apenas tendría quince años, pensaba en su mujer muerta y lloraba. Entonces sus criados quemaban estigmas de maíz en los rincones del cuarto.

Tres días después volvió Tototl al mercado a vender frutas. Se había sentado en el mismo lugar, frente al palacio. Por el mercado andaban los indios del valle con sus colores vivos, los del norte con sus colores pálidos y largas piernas desnudas como las ranas. Todos hablaban al mismo tiempo. Tototl miraba al palacio de Nite Chicaua. Andaban sueltos por el parque tres jaguares de piel manchada. Sus cabezas, de perfil, hacían el gesto de la risa cuando gruñían.

Teicu pasaba y la bruja recitaba desde la terraza más alta: "Teicu tiene un jaguar de manchas negras y tres jaguares de dientes mellados y cuatro jaguares de uñas cortadas. Y ella tiene sus uñas y sus dientes. Y sus lomos flexibles. Y también un nanyotl sediento que en los días de labor, cuando no hay mercado, se pone triste porque oye el rumor de las hojas secas del maíz arrastradas despacio por la brisa".

Vió Teicu a Tototl. Desde aquel momento no pudo ya estar quieta ni sostener la atención si le hablaban ni caminar derecho adonde iba porque a menudo olvidaba su propia intención. Tenía los ojos brillantes y veía las cosas con un halo alrededor, como la luna cuando anuncia lluvia. Volvió a mirar a Tototl y pensó: "Viene de lejos. En todo el valle no hay probablemente un hombre tan pobre que no pueda tapar su sexo. Debe venir de la tierra del sur que es caliente, donde los pobres van desnudos. O del poniente, donde prefieren ir desnudos antes que comprar las telas de los mejicanos. Porque ellos odian a los mejicanos".

Tototl vendía frutas silvestres. Al caer la tarde se levantó, abrió los brazos en cruz para desperezarse y se perdió entre la gente.

Teicu se quedó mirando el lugar que había dejado vacío el tobeyo. Aquel lugar parecía separado del resto de la plaza por muros diáfanos. Los pumas gruñían con un hervor salvaje en la garganta. Y la bruja desde la terraza medianera decía: "La ley de la selva está hecha no para uno sino para dos; para el jaguar y para la hembra y también para el puma y la hembra y también para que todo salte sobre su opuesto semejante con sabor de sangre en los dientes".

Por la noche Teicu volvía a la ventana, pero sabía que el lugar donde antes había visto a Tototl estaba vacío. Las hojas secas de maíz eran arrastradas dulcemente por el cierzo y daban un rumor áspero. La bruja decía desde la terraza baja: "Tiene Teicu la sed de la abejas y de las hormigas rojas".

Estaba Teicu acostada en su cuarto. Su padre el rico Nite Chicaua fue a verla, pero ella odiaba a su padre y despreciaba la memoria de su madre. La cojera de su padre —que no era cojo, pero estaba demasiado gordo y andaba como si lo fuera— le parecía risible. De su madre no recordaba nada, pero la imaginaba con las orejas grandes y pintadas de ullí. Echó a su padre del cuarto, se quedó sola y trató de dormir. Cerraba los ojos pero veía una serpiente en la ventana.

El próximo día de mercado estuvo Teicu en la ventana hasta más de media tarde, pero Tototl no apareció. Aquella noche el padre llamó a la nahualli del día para que visitara a Teicu e hiciera sus adivinaciones.

Antes de que la niña se acostara, la nahualli entró con una escudilla de barro mediada de agua, una bolsita de granos de maíz y muchas cuerdas colgadas de la cintura. Le pidió a Teicu que escupiera en la escudilla, estuvo mirando los pequeños círculos que hacía el agua y luego se puso a cuatro manos y arrojó al suelo once granos de maíz. Miró y volvió a mirar la figura que formaban. Invocó a Temazcalteci y ató y desató entre sí las cuerdas que llevaba colgadas de la cintura.

La nahualli fue al lado del padre y le dijo:
—El maíz, diente de Temazcalteci, forma las figuras de dos amantes y entre ellas aparece el Cariamarillo, dios del fuego.

Mostrando las cuerdas que colgaban de su cintura añadía:
—Es un tobeyo que se suele sentar en cueros frente a tu casa. Si tu hija no se goza con éi habrá duelo, muerte, desolación. ¿Ves? —y le mostraba un nudo entre las cuerdas—. No se puede deshacer este nudo sin romperlas. El puto de Tezcatlipoca vendrá esta noche a espantar en el bosque. Otros fantasmas escupirán a tu paso. Pero ¿dónde está ahora el tobeyo?

La bruja se marchó y Nite Chicaua llamó a su hija:

—Mañana —le dijo— saldrán a buscar al hombre.

Hubo dos veces mercado en la plaza sin que apareciera Tototl. Los que fueron en su busca volvieron por fin sin noticias. La bruja —no era la misma sino otra— decía desde el brocal del aljibe: "La esperanza se marchita con los días y se seca lo mismo que las flores. Cuando va a secarse es amarilla y tiene un perfume que nadie percibe, que sólo percibe una persona para quien la esperanza es amarilla porque ha muerto ya". Teicu escuchaba y sonreía ágriamente.

Una mañana apenas amanecido, se oyó gritar a Teicu:

—Nite Chicaua el cojo, mi padre. El hombre está aquí.

Cuando los criados salieron a la plaza armados de arco y flecha todos se apartaron. Teicu bajó corriendo y se acercó a Tototl:

—No tengas miedo —le dijo—. Estos soldados no quieren hacerte daño y vienen con armas sólo para impedir que te escapes. Entra en casa, conmigo.

Tototl se dejó llevar de la mano y llegaron a lo alto del parque. Los criados les seguían. Cuando iban a entrar en la morada de Nite Chicaua se oyó una voz:

—Espera ahí, tobeyo. Nadie puede entrar desnudo en casa del rico Nite Chicaua.

Teicu pensaba: "Está aquí, ha entrado en el parque y tengo mi mano en su mano. Ahora saldrá mi padre, tan gordo que no cabe por la puerta y tiene que ladearse al pasar". Nite Chicaua salió:

—¿Eres esclavo?

—Si fuera esclavo iría vestido, —dijo el tobeyo.

—¿Y no tienes miedo de nosotros los de Tlapalli?

—No. No he tenido nunca miedo a los de Tlapalli ni a los de la tierra baja. Ni tampoco a los que viven en otros países más lejanos. Cuando no se teme a la muerte tampoco se tiene miedo de los hombres.

Mandó Nite Chicaua que lo llevaran al baño y le vistieran las ropas de la familia. Poco después era conducido ante Nite Chicaua, que estaba en el patio de las audiencias.

—¿Tienes familia?

—No.

El poderoso Nite Chicaua lo veía con una disimulada simpatía. Su hija estaba enamorada de él y seguramente aquel desconocido le daría nietos fuertes que manejarían bien el montante de dos filos. Pero ¿qué dirían los nobles?

La bruja de la segunda azotea gritaba, entretanto:

> *Tototl ha entrado en el palacio*
> *y con las ricas mantas de Chicaua*
> *ha cubierto lo que veía Teicu.*

Nite Chicacua preguntó:
—¿Qué crees que voy a hacer contigo?
—Darme a tu hija. Y después tal vez sacarme el corazón bullente para ofrecerlo a Tezcatlipoca el baboso. Di, Nite Chicaua, ¿no es verdad?

El viejo se enfadaba:
—Todavía no eres el que duerme con mi hija y no puedes hacerme preguntas.

Se sentaba porque no podía estar mucho tiempo de pie. No quería hablar y se entretuvo encendiendo una caña de humo que le llevaron los criados. Por fin dijo:
—Mi hija te ha visto desde la ventana.
—Ya lo sé. Para eso vine al valle, para que tu hija me viera. Tezcatlipoca me lo ordenó.
—Y a mí me mandó que te mirara —dijo Teicu inclinándose y poniendo las palmas de las manos en la tierra como prueba de que era verdad lo que estaba diciendo.

Después volvió a tomar a Tototl de la mano y lo llevó afuera, al parque. Su padre los miraba en silencio echando el humo por la nariz.

En las habitaciones de Teicu ella dijo al tobeyo:
—¿Cómo te llama la gente?
—No tengo nombre y cada cual me llama como quiere.

En lo alto de la azotea la bruja decía al caer la tarde: "Ya no van las serpientes al lugar de las arenas esparcidas porque todo es vergel caliente y en la hierba hay insectos de luz que muestran el camino para la fecundación. Hoy es uno de los días que sobran, del año. Que sobran y por eso no tienen nombre. En este día Nite Chicaua no puede negarle su hija al tobeyo".

Los ahuehuetes buscaban en la altura la luna y las trepadoras parásitas abrazaban el tronco y se retorcían dando a veces sus pequeñas flores como gotas de luz. El loco del mercado andaba solo por la gran plaza:

> *Ha llegado el extranjero*
> *y ahora va vestido de lana*
> *y mañana irá vestido de pluma*
> *y otro día de tela de oro*
> *con sangre viva en la urdimbre.*

Nubes de granizo se acercaban por encima de las montañas. En el cielo el rayo color rosa punteaba las crestas de la sierra madre.

En lugar de ensombrecer el valle, la tormenta le daba luminosidad. Había manchas argentadas sobre los árboles. Las primeras gotas parecían llevar también luz dentro. Era granizo. En un instante quedaron llenas de hielo las concavidades de la piedra, las escaleras, los espacios libres entre los árboles. Teicu y Tototl se acercaban desnudos a las ventanas que estaban siempre abiertas y cogían puñados de granizo. El parque se engalanaba para la noche. Los jaguares protegiéndose bajo los cobertizos, esperaban el calor del día.

Quedó Teicu dormida antes de la media noche y Tototl despertó al amanecer y se asomó otra vez a la ventana. En el valle brillaban anchos espacios como espejos.

—Los prados están cubiertos a trechos por el agua —dijo.

Ocho días después comenzaron los sacrificios en el cu de Huitzilopotchli.

Nite Chicaua pensó que en aquella fiesta encontraría una ocasión para presentar Tototl al pueblo. Fue con su hija y su yerno. Al pie del cu había una plazuela gris y a su alrededor los postes rematados por las cabezas de las víctimas de otros sacrificios. En el centro había una gran piedra redonda a la que ataban a los reos, permitiéndoles sin embargo, alguna soltura para defenderse. Los reos llevaban como única arma un palo que tenía algunas plumas de ave adheridas con resina. Los nobles, un montante de dos filos con cuchillas de obsidiana.

Se agolpaba la gente en torno al lugar de la pelea. Sonó el atambor y avanzó el hijo de Ixcuaye cubierta la cabeza con otra de jabalí y en las manos el montante. Fue en aquel momento cuando Tototl se levantó:

—Yo, —dijo a grandes voces— el que duerme con la hija de Nite Chicaua, os digo que un hombre no debe pelear así con otro hombre.

Todos volvieron a mirar a Tototl y vieron que éste bajaba con un montante en cada mano. Llevaba la cabeza descubierta y el cuerpo sin protección. Cortó de un tajo la cuerda que sujetaba a la víctima y le arrojó a los pies una de las armas.

—Yo soy —dijo en voz baja casi entre dientes— el que entró en casa de Nite Chicaua el día sobrante del año. El día que no tiene nombre. Si me vences, mi suegro te perdonará la vida.

El reo cogió el arma, codicioso.

Algunos nobles protestaban. El yerno de Nite Chicaua arriesgaba la vida con un condenado al sacrificio. Pero la lucha había comenzado y las armas gruñían en el aire a cada golpe fallido. Los dos hombres avanzaban, retrocedían, se buscaban el flanco saltando de frente o de costado. Cabezas de víctimas anteriores clavadas en los postes, miraban. La bruja bailaba delante de la primera fila:

> *Caerá la víctima, caerá*
> *como cayeron los otros*
> *la traerán de los cabellos*
> *a lo alto del poste*
> *y la clavarán por el lugar*
> *por donde antes debía el pulque blanco.*
> *Se le caerán los ojos*
> *y entonces todo lo verá*
> *con la ausencia de los mirares:*
> *las lunas muertas de la mar,*
> *las manos cortadas de los monos*
> *y la quemada pupila de los muertos.*

Tototl alcanzó al reo en un hombro, que comenzó a sangrar, pero el herido seguía peleando. La gente gritaba. Sombras amarillas pasaban por los ojos de los nobles. Algunos se burlaban de Tototl, que se atrevía a mostrar sentimientos humanitarios ni más ni menos que los hombres de la tierra baja. Querían y esperaban secretamente la muerte del tobeyo. Otra bruja decía acompañándose de un soniquete que hacía con dos piedras: "Sangre tiene el esclavo en las venas. Roja sangre que brilla con el sol. Sangre roja para aguantar a diez nobles. Pero Tototl vencerá. Siempre vence Tototl fuerte como un árbol alzado entre las colinas, siempre vence Tototl que se despierta al sol y a la luna y que todo lo fecunda con su simiente blanca". En aquel momento caía el reo poniendo las dos rodillas y una mano en la tierra y la gente del pueblo aclamaba al vencedor. Los nobles callaban. Tototl recogió el arma del vencido, se limpió el sudor y volvió, despacio, al lado de Nite Chicaua.

Poco después el cacique, su hija y Tototl se levantaron y fueron saliendo. Nunca se quedaba Nite Chicaua hasta el sacrificio final. Por la calle no hablaron. Ya en el palacio Nite Chicaua llamó a su yerno y le dijo:

—Eso que has hecho no les ha gustado a los nobles.

Tototl paseaba por la sala sin responder. Nite Chicaua iba detrás con su falsa cojera sin conseguir una respuesta del tobeyo. Por fin, irritado, se fue a sus habitaciones.

Al día siguiente se levantó muy preocupado porque era día de consejo. Fueron llegando Quachachal (el hombre de la gran cabeza) Izcuaye (el de la espaciosa frente) y Huihuixqui (el flaco y el débil). Eran los tres con quienes Nite Chicaua tenía que consultar los negocios de la ciudad. Después de acordar los precios que tendría la masa de maíz, el chile, las mantas y las telas ligeras Quachachal dijo que tenía deseos de hablar de otra cosa, pero que no se atrevía porque Nite Chicacua era su amigo y no quería faltarle al respeto. Nadie contestó, pero todos sabían de qué se trataba. En el silencio se oía cantar al loco del mercado:

*Recógete la cola
que si esta noche llueve
el mono y el puma
darán el gañido de las nupcias.*

Nite Chicaua puso la planta de la mano izquierda en el suelo sobre la estera en la que estaban sentados. Con eso quería decir que le permitía hablar.

—El pueblo habla mal de tu yerno —dijo Quachachal—. Nadie quiere al tobeyo en el valle.

Pensaba Nite Chicaua: no es el pueblo, sino los nobles. Quiso defender a Tototl, pero estaba tan preocupado como los demás. Ixmalli, el viejo que acababa de entrar y era hombre violento y nervioso, se rascaba en el brazo y en la rodilla. De pronto dijo:

—El tobeyo no debe seguir en esta casa si quieres mantener los nobles a tu alrededor.

La ventana estaba abierta como siempre y llegaba el rumor del mercado. Proponía Ixmalli una solución: enviar tropas a la frontera y provocar a los enemigos de Tlapalli. Con los ejércitos podría ir Tototl y en lo más recio del combate lo abandonarían todos. Moriría en el campo de batalla y nadie, ni la misma Teicu, tendría nada que decir. Luego harían fiestas glorificando la memoria de Tototl. El viejo Ixmalli, impaciente y nervioso dijo, después de aguardar en vano la respuesta:

—Contéstanos y dinos tu parecer. El mío está ya en las cabezas de mis hermanos y de mis hijos.

Prometió Nite Chicaua dar su respuesta más tarde y les hizo retirarse. Después de consultar en secreto con otros nobles, decidió aceptar. "Lo hago —pensaba— por el bien del país, que sufrirá si no hay unidad entre los nobles". Y se lamentaba secretamente por su hija.

Comenzaron los preparativos. Los criados de Nite Chicaua decían por todas partes que los tobeyos de la tierra baja habían entrado a saco en una aldea del valle y cortado la cabeza a todos los niños. Además habían sacado los ojos a las madres. Las gentes oyendo estas cosas se llenaban de odio.

Llegado el día, los nobles acudieron con sus capitanías a la plaza del mercado. Iban en este orden: El hijo de Ixmalli (plumas amarillas en la cabeza, traje rojo, cabeza de cocodrilo) con diez mil hombres diestros en todas las armas.

El hijo de Huihuixui (plumas verdes, traje amarillo, cabeza de jabalí) con cinco mil hombres diestros en el montante de dos filos.

El hijo de Quachachal (plumas rojas, traje azul, cabeza de puma) con diez mil hombres de flecha y vara tostada.

Toxnapan el veterano, mandaba todas las fuerzas rodeado de hechiceros, enanos de diversión y brujas. Llevaba la cabeza adornaba con plumas de quetzal y en ella un dragón, el mismo que ondeaba en la bandera.

Con él iba Tototl acompañado de veinticinco criados de Nite Chicaua.

Los timbales de los adoratorios hacían vibrar el aire. Tototl decía sintiendo que se alejaba de Teicu: "Voy a la guerra contra los míos, pero los míos son los que te han deseado alguna vez y han ocultado su deseo sabiendo que yo tenía que llegar algún día". Repitiéndose estas palabras Tototl llegó con las tropas cerca de la frontera. Toxnapan ordenó a Tototl que avanzara y descubriera el campo del enemigo, llevando consigo los menos soldados posibles para que no lo vieran. Prometió seguirlo de cerca con sus escuadrones.

Tototl se caló sobre su cabeza la de una enorme serpiente y avanzó con los veinticinco criados de su suegro.

Se veían ya en algunos lugares las plumas de las capitanías enemigas, que se extendían por la llanura. Tototl se sintió perdido y llamó a Toxnapan, pero detrás no se veían los escuadrones adictos. El criado más viejo dijo a Tototl:

—Te han traicionado. Corriendo podríamos salvarnos todavía.

—No, —dijo Tototl—. Yo aguantaré. Pelearemos todos mientras tengamos sangre en las venas.

Se lanzó Tototl sobre sus contrarios, saltando y envolviéndose en nubes de polvo para dificultar el ataque de los arqueros. Avanzó entre aquella multitud teniendo la espalda siempre guardada por los criados de Nite Chicaua. Sus pies resbalaban en la sangre que derramaban sus armas. Sentía el escozor del polvo y del sol en las heridas. El viejo criado le decía a veces:

—Todavía podríamos huir y salvarnos.

Tototl negaba. Luego gritaba con todas sus fuerzas:

—Al águila de Camaxtli le han nacido culebras en el nido.

Eran las palabras mágicas de la tierra baja, que él conocía bien. Sus enemigos no sabían qué pensar oyéndole hablar de aquella manera. Resistió todo el día. Las primeras filas de enemigos se renovaban constantemente. Un griterío cada vez mayor se alzaba entre los escuadrones acompañado de música y de cantos guerreros. Tototl seguía en pie. Las brujas de guerra decían que Tototl era hijo del lagarto y del rayo y repetían bailando entre los muertos:

Es duro y cabal,
quiere ser más que un hombre.
Invencible como la muerte,
al caer el sol brincará
con las armas de la noche
una en cada mano
sobre los reyes confederados.

Las brujas enemigas repetían que Tototl estaba desafiando al sol a la luna y a la estrella del norte que en tiempos echaba humo. La batalla continuaba. De los veinticinco solados sólo quedaban seis, cubiertos como Tototl mismo, de tierra y sangre. Uno de ellos tenía una pierna rota y muerta y combatía arrastrándola y girando en el suelo alrededor de ella.

Aunque el sol se había ocultado, el montante de Tototl era luminoso y Tototl vió millares de enemigos arrodillados y en oración. Los otros arrojaban las armas también y lo contemplaban en éxtasis. Las brujas arrojaban flores sobre Tototl y lo llamaban "luz que no se apaga". Escuadrones enteros abandonaban la lucha y se retiraban. Otros se quedaban esperando ser tomados presos, como un privilegio.

Los seis criados de Tototl con las armas en la mano, organizaron una columna muy larga, que fue marchando lentamente hacia Tlapalli repitiendo a coros las preces de Camaxtli. Al frente iba Tototl y delante de él las brujas de la tierra baja cantando, bailando y echando al suelo ramitas de hierbas de olor. En sus canciones decían que con la victoria de Tototl se había cumplido la vieja profecía.

Al amanecer del día siguiente, la hija de Nite Chicaua, que había sido advertida por su padre y por otros nobles de la muerte de Tototl, andaba por el parque con los ojos encendidos repitiendo: "Mi padre miente, Toxnapan miente, Ixmalli miente".

Estaban todos reunidos en la casa de Nite Chicaua y hacían falsas muestras de dolor. El día era soleado y el aire quieto. La bruja mayor, desde el remate de una pirámide, decía: "Llorad a Tototl, lloradlo. Gemid como las golondrinas. Vuestras lágrimas por el muerto van a juntarse en seguida con las lágrimas por el vivo. Tototl está llegando triunfante con una muchedumbre de prisioneros".

Apareció Tototl con millares de cautivos que seguían recitando sus preces a Camaxtli. Dejó Tototl a los prisioneros en el recinto cercado de los cues y se fue con los criados a la casa de su suegro. Cuando lo vieron los nobles, creyeron que se había salvado escapando del campo de batalla, pero no tardaron en ver que la multitud se agrupaba en la plaza frente al palacio de Nite Chicaua y comentaba la victoria de Tototl. Los patios estaban llenos de prisioneros. El viejo criado, cubierto de sangre, decía a Nite Chicaua: "El tobeyo supo elegir la peligrosa grandeza, señor".

Nite Chicaua se alegraba secretamente por su hija y miraba a los nobles con recelo y temor. Teicu llamaba a las brujas y se reía con ellas burlándose de su padre, de Ixmalli, de Toxnapan. Repetía:

—El loco del mercado había dicho que Tototl volvería.

Cuando llegó Toxnapan lo hicieron pasar a la presencia de Tototl quien lo encerró en un calabozo de los sótanos. "Te condenaremos a morir en la piedra redonda", le dijo. Esperaba hacer lo mismo con los otros capitanes. Nite Chicaua iba y venía y pedía a su yerno que no fuera cruel con los nobles del valle, sus amigos.

Al llegar la noche se fue Tototl a las habitaciones de Teicu, llenas del perfume del maíz seco que habían apilado en la plaza para el mercado del día siguiente. Había nubes bajas que se extendían y cubrían poco a poco el cielo. Como siempre, la brisa arrastraba las hojas secas cuyo rumor era como una conversación. El loco vagaba por la plaza:

El pedernal de las cuchillas
ha abierto la carne de Tototl
y la victoria sobre el llano
le ha quitado la gloria sobre el lecho.

En el amor, sintió el tobeyo que algo se desgarraba en su cuerpo. Teicu dijo:

—Vendrán los brujos y curarás.

Los brujos llegaron al día siguiente y dijeron:

—Tezclatlipoca no ama las partes heridas del cuerpo y manda que los órganos muertos desaparezcan.

Las brujas estaban en contra, pero no podían hacer nada porque aquel día carecían de virtud. Tototl fue mutilado. Al mismo tiempo la ciudad de Tlapalli ardía en fiestas para celebrar la victoria. El tobeyo después de hacer encarcelar a todos los capitanes y a los nobles del concejo, se encerró en una oscuridad completa y no quiso ver a nadie durante muchos días. Por fin, se marchó al campo con Teicu. Los acompañaba un puma feroz que hacía huir a las gentes. Al pie de la montaña había un oratorio. Se detuvieron. Se acostaron en la tierra y estuvieron mirando al cielo. Tototl dijo:

—El criado viejo dice que esta es la ley del valle. Entonces ¿cómo se rebela el hombre contra la ley del valle?

El mismo Tototl contestaba para sí con los ojos cerrados: "Quizá negándome a mí mismo. Os negaré dentro de mí cuando el cielo esté despejado. Y cuando la luna salga del maizal y cuando baje al lago de Tezcoco, para bañarse".

Cerca pasaban los novicios del santuario que volvían al valle lentamente en larga hilera llevando por humildad haces de leña a la espalda. El puma de Teicu quiso lanzarse sobre el último, pero Teicu lo detuvo por el collar. Tototl le mandó que lo soltara y el animal alcanzó fácilmente al novicio y lo derribó. Entre sus patas, bajo el lomo curvo, el caído se agitaba inútilmente.

—Ya no se puede salvar el novicio porque le ha clavado los colmillos en el cuello —dijo Tototl sin inmutarse.

Teicu añadía:

—Ese puma estaba ya cebado en sangre humana.

El animal no devoraba a su víctima. Se limitaba a lamer la sangre. Tototl se ponía a hablar sin decir nala, como si estuviera borracho.

Miraba después Tototl al muerto que tenía el cuero del cráneo y una oreja arrancados. Tototl acarició la cabeza del puma y se quedó pensando: "El viejo criado dice que yo elegí la grandeza peligrosa".

Se fueron a dormir al santuario. Olía a sangre y aquel olor era sagrado en Tlapalli. Por la noche el cielo fue haciéndose color cinabrio. Tototl seguía hablándose a sí mismo: "La tierra es buena y blanda para el cuerpo vacío de sangre. Dadme la tierra lejana y si no queréis, mirad las sombras en las que yo pongo un gemido como el de una vieja que no puede morir, que sufre de no morir y espera".

Tototl miraba el cadáver que había quedado fuera y lejos y se preguntaba cuáles serían los primeros descubrimientos que haría el muerto en su muerte. Por fin se durmió. Despertaron los dos al amanecer, sintiendo que algo rígido y frío caía sobre ellos. Tardaron en darse cuenta de que era el muerto. A su lado, el puma sentado paseaba la lengua sobre sus fauces y parecía reír. Tototl echó a un lado el cadáver con el pie y Teicu le dijo:

—Vamos otra vez a la ciudad. A esa ciudad de Tlapalli donde tú tienes la pirámide de tu poder, Tototl. Donde las mantas de Nite Chicaua cubrieron tus carnes por vez primera. Y las plumas, tus mantas. Y el oro, tus plumas. Y la sangre, tu oro. Y la luz, tu sangre. Y la autoridad, tu luz.

—Vamos ahora mismo.

Tototl se decía: "El viejo criado tenía razón. Será al fin la ley del valle la que se cumplirá". Llegaron a la ciudad cogidos de la mano. Siempre iban así.

Tototl ordenó que le cortaran la lengua a Toxnapan y la arrojaran al puma. El viejo soldado vió al animal comérsela delante de él. Después quemaron vivo a Ixmalli. Este sacrificio fue presenciado por toda la ciudad. A mitad del suplicio el fuego inflamó el vientre del reo, que reventó produciendo una humarada que olía mal. Al final Nite Chicaua se alzó y dijo:

—Desde hoy obedecerán todos y obedeceré yo mismo, las órdenes de mi yerno el invencible, en cuyas manos se han juntado todos los poderes del valle.

Dos días después los timbales de la ciudad comenzaron a sonar para las fiestas de Xocatl-Huetzi. Habían propuesto a Tototl sacrificar diez hombres. Tototl mandó que mataran a trescientos y les obligaran a bendecir su nombre en la piedra redonda mientras durara la agonía. Terminados los sacrificios, Tototl reclamó las cabezas para clavarlas en los postes de su parque. Por las noches las brujas les hacían hablar simulando sus voces, escondidas detrás de los arbustos.

Cada día aumentaba Tototl sus riquezas. Los bienes de los sacrificados le habían sido cedidos por el emperador. En las fiestas del fuego nuevo fueron degollados los hijos de los consejeros de Nite Chicaua. Teicu se sentía vivir en el amor de Tototl por su propia crueldad. Y las cabezas en lo alto de los postes seguían cantando las glorias de él y las melancolías de ella.

Se hicieron construir un templo en la cima de una montaña. En los días sobrantes del año —los que no tenían nombre en el calendario del emperador— Tototl obligaba al pueblo a subir a la montaña y a beber pulque y bailar durante toda una luna invocando su propio nombre y llamándole padre engendrador de héroes, fecundador universal y varón del cetro invencible e indomeñable. Como atributo de todas estas cualidades llevaba Tototl siempre un cetro erguido en la mano derecha y con él fue pintado en tiras de tela, según la costumbre, y grabado en piedras enormes.

III

EL PADRE ZOZOBRA

Estaba aquel cura, como otros muchos, en el monasterio próximo de Aula Coeli, que no era un monasterio cartujo, aunque lo pareciera por el nombre sino un reformatorio de curas impíos. Curas que habían tenido amantes, se jugaban el dinero de la parroquia, tomaban morfina, padecían vicios vergonzosos, se desviaban del dogma o escandalizaban con alguna clase de ejemplo moral. Un correccional discreto, eso sí.

No se extrañaba Malinche de que hubiera curas de malas costumbres. Hablaba del monasterio como de un hospital y de los curas como de enfermos con quienes la gente, dentro y fuera de la iglesia, debía ser especialmente tolerante.

Malinche (la llamaba así Bernardo, recordando a la princesa india amiga de Cortés) era una muchacha de color cobrizo, esbelta, muy hermosa. De origen indio, hablaba tres o cuatro idiomas y había sido educada en escuelas de Nueva Inglaterra. Estaban aquella noche en el baile que los sábados celebraban los campesinos protestantes. Aunque ella era católica, tenía amigos en todas partes. Bernardo, su novio, le dijo que desde la ventana de los lavabos un cura le había pedido que enterrara algo al pie de un árbol. No pudo entender exactamente lo que le decía.

—Es el padre Zozobra —dijo ella sin darle importancia.

Malinche y Bernardo bailaban. El padre Zozobra aparecía y desaparecía en los marcos de las ventanas y las puertas, sin atreverse a entrar porque era una fiesta organizada por los protestantes. El salón de baile donde los aldeanos celebraban aquella fiesta tenía en las luces y en los ángulos, una violencia cruda. Bernardo dijo refiriéndose al cura:

—¿Por qué está en Aula Coeli?

—Por alcohólico —dijo Malinche—. El abad del monasterio le prohibe a veces salir y el padre Zozobra le escribe al dueño del bar, pidiendo que entierre en lugares determinados algunas botellas de whisky. El barman se niega porque la posibilidad de ir enterrando botellas por el bosque le hace sentirse ridículo y miserable. No es broma. Yo he visto un día al padre Zozobra arañando la tierra como un perro con los ojos codiciosos y el aliento alterado, el pobre. Y era inútil. Es siempre inútil. No halla nada. Nunca encuentra nada, pero no pierde la esperanza. Esta noche parece que se ha escapado del monasterio. A mí me decía días pasados: "No puedo evitarlo, es la tribulación del no beber que me hace andar por ahí como un cuerpo sin sombra". Y el abad del monasterio le tiene prohibido entrar en el bar, bajo amenaza de excomunión.

Era tarde y Malinche y Bernardo decidieron salir y volver a su casa que estaba en lo alto de la pequeña colina verde. Era un edificio colonial con porche y barandales blancos.

Al salir del baile se les acercó el padre Zozobra, tímido y obstinado:

—Hola, padre —se adelantó ella, familiarmente—. Este es mi novio Bernardo, que ha venido a pasar conmigo el final de semana. Suba usted a tomar un poco de vino con nosotros. Pero con una condición. Tiene que contarle usted a Bernardo lo que le sucedió en España en aquella aldeíta de Castilla. Quiero decir, las causas por las que lo echaron de España y lo enviaron a América. Suba usted con nosotros.

El cura subía, acezando. Debía estar en los cincuenta años y se oían los fuelles de sus pulmones. Subía de prisa sin embargo, con la esperanza del vaso de vino. Malinche le dijo a su novio:

—Este cura ha estado un día en relaciones con el diablo.

Sabía Malinche muchas cosas de aquella tierra de Cíbola, que era su patria.

Llegaron a casa y se sentaron Bernardo y el cura en el porche donde había dos grandes sillones-mecedoras de cuero. Malinche fue a buscar vasos y botellas. No quisieron encender la luz porque la sombra con su triángulo de luna entrando por una esquina era confidencial y acariciadora.

Se acercaba Malinche con una bandeja tintineante. El cura no sabía como mostrar su agradecimiento.

—Su futura esposa —dijo por fin— es una mujer angelical y será una perfecta casada, como la de Fray Luis.

—Vamos, vamos —dijo ella— no olvide que sólo le he prometido un vasito de whisky. No dos sino uno. Y para eso no vale la pena adularme.

Callaba el cura resignado. Estaba impaciente por beber. No podía decir nada interesante hasta que hubiera bebido. Tomó el vaso y con mano temblorosa lo llevó a sus labios.

—¿Qué es eso que decía Malinche del diablo? —preguntó Bernardo.

—Su prometida es una criatura de veras encantadora. Si no

lo toma a mal le diré que todos los curas de Aula Cœli nos confesamos de vez en cuando con ella. Es un alma pura. Pero ¿de veras le interesa que le hable del diablo? ¿Usted cree en el demonio? Lo digo porque hay mucha gente que no cree. Yo mismo dudaba en mi juventud.

Bernardo volvió a llenarle el vaso aprovechando la momentánea ausencia de Malinche y el cura dijo alegre y locuaz:

—Gracias. Bueno, lo contaré. Usted verá. En mi juventud yo era un cura de buenas costumbres. Sin pasiones. Bueno, no es un mérito. Dios me dió una naturaleza fría. Era cura párroco en una aldeíta de Avila. Una aldea con su iglesia románica y su nido de cigüeñas en el campanario. Tenía yo en la abadía una sirvienta de sesenta años que se llamaba aunque usted no lo crea Deogracias. ¿Cómico, verdad? Hay nombres que predestinan a las personas. Bueno, señor ¿de veras le interesa? Mi sirvienta era una buena mujer, pero tenía sus manías. La peor era que odiaba a los animales, especialmente a los gatos.

Con su sensibilidad mórbida de alcohólico, el padre Zozobra se trasladó fácilmente a su parroquía de Avila: "Estaba yo un día en mi cuarto con el libro de horas —los curas llamamos a ese libro "la suegra"— cuando oí maullar a un gato abajo, en el umbral. Maullaba de una manera desesperada. Me asomé al balcón. Bien. Estaba en el umbral y era un bonito gato negro. Alzó la cabeza y al verme maulló más fuerte como si me pidiera auxilio. ¿Sabe? Yo tengo buena memoria. En aquel momento recitaba en latín: *Numquid quia vocabunt, ideo indecora ernut?* Y ahora todavía cuando oigo a un gato maullar, recuerdo esos latines. Bajé a abrir la puerta y el gato comenzó a frotarse contra mis piernas. Deogracias decía: seguramente tiene sarna. Pero no era verdad. El gato quedó en casa. ¿De veras le interesa a usted? Deogracias, sin embargo, había hecho un plan bastante hábil. Cuando yo no estaba en casa se acercaba al gato y decía a media voz: ¡Jesús, María y José! A continuación le daba un golpe con la escoba y el animal salía dando bufidos. Un més después de hacer esto a diario, el pobre gato relacionaba aquellos santos nombres con la escoba como es natural. Un día recuerdo que era la tarde del Córpus, estaba el gato dormitando en mi falda cuando Deogracias bostezó, hizo la señal de la cruz sobre su boca y dijo: ¡Jesús, María y José! El gato saltó de mi falda, tomó la dirección del pasillo raspando con sus uñas en las baldosas y huyó al ático. Deogracias decía que había huído al oir los nombres de la Sagrada Familia. Días después se repitió el mismo caso y entonces hice la experiencia yo varias veces con el mismo resultado. El animal huía al oir aquellos nombres. Dejé de acariciarlo y un poco intrigado, escribí al cura del pueblo de al lado contándole el caso.

El padre Zozobra callaba un momento, pescaba en el vaso un cristalito de hielo y se lo llevaba a la boca. Seguía luego con su historia:

—Un día apareció un vagabundo en el huerto de la abadía y dijo a Deogracias: —Señora ama, ¿por que engaña usted al cura con el gato? ¿Por qué trata de hacerle creer que el animalito tiene el diablo en el cuerpo? La mujer no sabía qué contestar. Por fin preguntó: —¿Y usted quién es, buen hombre? —¿Yo? Nadie. —Alguien tiene que ser. Y el vagabundo dijo: —Es verdad. Soy alguien. Usted me ha hecho un flaco servicio con el señor cura. La verdad es que el padre Urbino antes no creía en mí. Bueno, pensaba que era un símbolo, un mito, pero no creía que existiera. Ahora por culpa de usted el cura comienza a cambiar de parecer. Usted debe desengañarle y decirle lo que ha hecho con el gato. Porque yo deseo y esa es mi voluntad que el padre Urbino vuelva a pensar que no existo, ¿comprende? Después de esas palabras el vagabundo se tocó el ala del sombrero y se fue. Si aquel hombre era el diablo, no hay duda de que se conducía de un modo inteligente porque parece que su mayor habilidad es esa: hacer creer que no hay tal diablo ni ha existido nunca.

Escuchaba Bernardo como si le estuvieran contando una leyenda medioeval. El padre Zozobra continuaba:

—Deogracias no me dijo nada. Estaba preocupada. No dormía. Vino el cura del pueblo de al lado. Hicimos la experiencia con el gato y mi colega al decir los hombres de la Sagrada Familia y ver salir al animalito por la ventana como una centella recordó lo que dicen los evangelios sobre los animales habitados por malos espíritus. Yo comprendía que había que hacer algo. Después de largas reflexiones, mi compañero propuso matar al gato. Pero surgía un problema: ¿quién haría un cosa así? Yo no me atrevía. El tampoco. —No se preocupen de esto vuestras reverencias —dijo Deogracias. Cuando se levanten mañana estará el gato enterrado. Mientras ella hablaba, el pobre gato escuchaba su sentencia desde la puerta con la tranquilidad de los seres inocentes.

Viendo Bernardo vacío el vaso del cura quiso llenárselo otra vez, pero Malinche vigilaba.

—No, Bernardo. Es por su bien. Ha tenido ya dos y eso basta. Cuando termine su cuento se marchará a dormir. Ya digo que es por su bien, padre Urbino.

Igual que otros sacerdotes de Aula Cœli, el padre Zozobra

respetaba a Malinche. Y siguió hablando mientras Bernardo le encendía el cigarrillo:

—Aquella noche Deogracias colgó al gato por el cuello en un balcón que daba al huerto y se fue a dormir. Al día siguiente vió al animal rígido e inmóvil. "Está muerto", pensó. Y se puso a cavarle la sepultura. Después con unas tijeras cortó la cuerda. El gato cayó sobre sus cuatro patas y salió corriendo más vivo que nunca. Deogracias vino a contárnoslo. Yo recitaba en aquel momento unas palabras que por casualidad parecían adecuadas al caso: *Audisti nunquam de muliercula quadam in oppido?* El cura del pueblo de al lado, bastante perplejo, no sabía qué decir. Por fin aconsejó el exorcismo y se fue. Yo exorcice al animal. Sostenía Deogracias la vela y el cubo del hisopo. Al sentir el agua del asperges, el animal salió corriendo y Deogracias se puso a murmurar: "el condenado escapa del agua bendita". Pero yo pensaba que no hay un gato en el mundo que tolere ninguna clase de asperges benditos o profanos. Hecho ya el exorcismo repetimos la prueba. Deogracias dijo el nombre de Jesús y el gato corrió y escapó al tejado. Al parecer todo había sido inútil.

Miraba Bernardo las manos del padre Zozobra que parecían en aquel momento tranquilas y virtuosas y pensaba: este hombre cree de veras en la eficacia de los exorcismos. El sacerdote seguía:

—Al día siguiente el vagabundo volvió a aparecer cuando Deogracias estaba en el huerto arrancando una lechuga. Le preguntó: ¿por qué faltas a tu palabra? Vas a decirle la verdad al cura ahora mismo. Deogracias volvió a casa temblando y aquella tarde me confesó sus patrañas. Yo le decía: ¿y sabiéndolo me permitiste exorcizar al animal? Ella repetía: perdóneme, padre. Absuélvame, padre. Yo le prometí la absolución a cambio de que se marchara a vivir con unos parientes que tenía en la ciudad. Y así sucedió. Deogracias se fue. Yo me quedé solo con el gato. Pero ahora viene lo mejor, digo lo peor. Pocos días después llamó a la puerta de la abadía Alguien acompañado de una muchacha muy linda. Decía que era hija suya. He oído —añadió muy afable— que vuestra reverencia necesita un ama de llaves. Yo miraba a la muchacha. Era hermosa y joven, demasiado joven. Muy por debajo de la edad canónica. Se lo dije a su padre y él se llevó la mano al sombrero y la disculpó: ese defecto se remediara con el tiempo. La muchacha se quedó en casa. Yo resistí bastante, pero la criatura estaba siempre cerca, me rozaba al pasar, cosía los botones de mi camisa teniéndola yo puesta y cortaba el hilo con los dientes, echándome el aliento al cuello. En fin, me rendí, señores, y Dios me perdone, descubrí entonces que el cielo es posible en la tierra. ¡Oh, qué criatura! Ella sólo me pedía una cosa: que la qusiera. Fue entonces cuando recibí una carta de Deogracias contándome las apariciones de Alguien y poniéndome en guardia. A mí no me importaba quien fuera aquella niña y así pasó algún tiempo hasta que un mozo del pueblo la pretendió para casarse. Yo me opuse, él insistió, yo lo eché de la abadía de mala manera. Como el escándalo hizo ruido y la gente hablaba, el obispo me aconsejó salir de España y me enviaron a California. Pero después de aquel pequeño escándalo me di cuenta de mis errores y conseguí olvidar a la mujer, a todas las mujeres. Comprendí poco a poco que el pecado de la carne es para mí el más fácil de evitar y volví a mi naturaleza desapasionada y fría. Dios me ayudó. Pero fuí aficionándome al vino. He estado varios años en California. ¡Qué hermoso país! Sin embargo, está lleno de tentaciones. El nombre mismo parece una sugestión satánica. Para mí el nombre de California es una sugestión del sexto mandamiento: *no californicar.* ¿Se ríen? Pero aquello me repugnaba unas veces y otras me atraía. Les aseguro que con la ayuda de Dios no he vuelto a tener tentación alguna. No es ese mi pecado. Allí me acostumbré al alcohol. ¿Es más inocente el alcohol? Yo creo que sí, pero quién sabe.

Volvía a ponerse un poco de hielo en la boca y abría los brazos como diciendo: ¿qué puedo hacer yo?

—Ahora vuelva al monasterio antes que lo echen en falta sus superiores —ordenó Malinche.

El cura se despidió en las escaleras del porche, dió las gracias y fue bajando por la colina hasta perderse en las sombras.

Pero el padre Zozobra no fue al monasterio sino que se acercó al bar por la parte trasera de la casa, rumorosa de pinos y brisas.

Era tarde y el bar estaba cerrado. No se veían luces en ninguna ventana. Andaba el cura alrededor sin saber qué hacer. A veces se decidía a llamar, pero no se atrevía. El abad del monasterio no sólo le había prohibido entrar allí, sino que había escrito una carta al barman rogándole que no le vendiera bebidas. El padre Urbino seguía merodeando sin ánimos para llamar ni para marcharse. Una hora después y en medio del silencio de la noche el pobre cura entró como un ladrón por la puerta de la cocina. Había en el porche trasero una puerta de tela metálica cerrada simplemente con un gancho pequeño. El cura consiguió abrirlo sin hacer ruido y entró cauteloso hasta el cuarto del matrimonio. Dormían los dos. Allí estuvo pensando qué haría para despertar al barman sin molestarla a ella. Le puso la luz de una lámpara de bolsillo en el rostro.

—¿Qué pasa? ¡Ah, es usted! ¡Mala peste! —gruñó el barman despertando y cuidando de no alzar la voz—. ¿Cómo se atreve a entrar aquí? ¿No sabe que el dormitorio de un matrimonio es un lugar sagrado? ¿O está usted loco?

El padre Zozobra pedía perdón y alargaba la mano con algún dinero en ella. El barman le dió un manotazo y el dinero voló por el cuarto en sombras. El padre Zozobra se puso a buscar los billetes a gatas. Era su actitud tan humilde que el barman sintió compasión. El cura hablaba en voz baja:

—Yo sé que me conduzco de una manera impertinente, pero necesito un poco de whisky, señor.

—Usted huele a alcohol.

—Necesito dos vasos más. Sólo dos.

Al mismo tiempo buscaba el dinero. No era cosa de encender la luz y despertar a la mujer.

—Salga de aquí y venga conmigo —dijo el barman.

En el bar le sirvió un whisky al cura, quien lo bebió con el belfo tembloroso. Luego, otro y viendo que el barman se disponía a apagar la luz, el cura advirtió tímidamente: "Señor, esos dos vasitos no valen más que veinte centavos y yo he perdido cuatro dólares que se han quedado, sin duda, en su cuarto. No es que yo le reclame ese dinero. Usted es un caballero. Todos sabemos que usted es incapaz de codicia o de avaricia". El barman abrió la caja del mostrador, sacó cuatro dólares y se los dió:

—Ahora márchese. Y no olvide que si vuelvo a verlo entrar de noche en mi casa la ley me autoriza a pegarle un tiro.

Retrocedía el padre Zozobra de espaldas:

—Perdone si le molesto, señor.

En aquel momento se oyó la voz soñolienta de la esposa:

—Pregúntale si quiere trabajar en el fregadero y dále una botella o dos.

Respondió el cura con una especie de reprimido entusiasmo:

—Sí, señora. Yo fregaré los vasos y los platos. Y la pila. Y el suelo. Lo que usted quiera. Estoy agradecido a ustedes y si les puedo ayudar lo haré con el mayor gusto.

Fue el barman otra vez al bar y volvió con una botella. Se la dió al cura y le indicó en silencio una enorme pirámide de vajilla sucia que ocupaba todo un rincón de la cocina y llegaba casi hasta el techo. Luego el barman volvió a su dormitorio y cerró la puerta por dentro. Se le oyó rezongar con la mujer, de mal humor.

Antes de comenzar a trabajar el cura sacó del bolsillo un sobre lleno de polvos blancos —fécula de patata— los tragó con un pequeño sorbo de agua y arrojándose en el suelo, estuvo dando vueltas lentamente sobre su estómago para que el almidón formara en él una capa de defensa porque tenía úlceras. Bebió después un largo sorbo. Luego otro.

El rostro del cura cambiaba. Las líneas sombrías de las comisuras habían desaparecido. Comenzó disponiendo a la derecha del fregadero espacios vacíos para ir dejando los objetos limpios. Se puso algunos trapos colgados del hombro y de la cintura. Procuraba evitar el ruido para no molestar al barman y a su esposa por quienes sentía amistad y gratitud. Puso un trapo colgado de la llave del agua de modo que ésta no se oyera al caer. Y el padre Zozobra se hablaba a sí mismo: "Comprendo que no está bien lo que hago. Estoy envileciendo mi sacerdocio, yo, un ministro de la iglesia. La iglesia debe ser prudente y pulcra en cada uno de sus miembros: *tota puchra,* dicen de la madre de Jesús. Pero no puedo evitarlo. Escandalicé en Avila con la hija de Alguien y ahora escandalizo aquí. No puedo evitarlo. Haciéndome fregar la vajilla estos amigos, me dan una lección y tal vez tratan de corregirme.

Seguía trabajando. El trapo que colgaba de la llave se cayó y volvió a ponerlo apresuradamente. Por la ventana abierta entraba el céfiro de los pinares. Lejos silbaba un buho. La media noche era fresca y diáfana en sus sombras.

—Lo peor del caso es que el alcohol no me gusta. Nunca he sentido en el paladar el placer del vino ni de los licores, pero no puedo vivir sin un poco de alcohol en las venas. Llevo dentro un animal salvaje: mi conciencia. Es mi conciencia y Dios me perdone esta absurda comparación, como un perro. Un perro que ladra y muerde. Un perro rabioso, triste y miserable que aúlla entre mis costillas, es decir, entre mis recuerdos y esperanzas, aquí, detrás de la tabla del pecho. Hay días en que tengo que matar a ese perro o al menos hacerlo callar. La vida es difícil, la del cura y la del seglar. Mi corazón y mi conciencia no son más fuertes que las de otro cualquiera, pero me duelen. A todos les duelen y a mí un poco más por causas muy complejas. Yo soy débil. Para tener un poco de esa calma divina que tienen las cosas, es decir, la serenidad de la roca y el árbol y del arroyo, tengo que matar al perro. Lo malo es que aunque lo mate vuelve a nacer al día siguiente. Y nace adulto y ladrador. No puedo. Me salvé de la carne, pero me sucedió después algo que no me atrevo a confesar a nadie. Ni siquiera a mí mismo, a veces. Ni mi confesor ni mi obispo lo saben. Cuando salí de España no vine a California como dije a Bernardo sino que me enviaron a Filipinas. Pedí una misión lejana y difícil y allí fui. Pero Filipinas era demasiado cómoda y sin tropiezos y desde allí por voluntad propia pasé a Tanahgrogot en Borneo y fui a unas aldeas del interior, donde los habitantes eran pobres como ratas y tan primitivos que no habían nunca oído hablar de Jesucristo. Vivían en una miseria horrible. Me recibieron bien y con mi intérprete, comencé a hablarles de lo meritorios que eran ante Dios los hombres que sufrían malas condiciones de vida, como ellos. Dios prefería a los que padecían en este mundo y por lo tanto, el padecimiento era un privilegio. Después de tres días de hablarles de la bendición que era sufrir por Dios y del privilegio que ese sufrimiento e incluso el martirio representaban (yo lo hacía para hacerles más llevadera su miserable condición) llegaron a convencerse de tal manera que quisieron hacerme partícipe de aquellas glorias del sufrimiento y uno de ellos, sin dejar de sonreír, me lanzó un palo arrojadizo y me rompió dos dientes. Mi boca sangraba y ellos me miraban satisfechos y parecían pensar ¿no es eso un privilegio? ¿No deseas sufrir por tu Dios? Lo peor es que lo hacían de buena fe. Otro me lanzó un cuchillo que me hizo una herida en el costado. Sangraba yo por la boca y por el flanco entre las costillas y la cadera y en aquel momento me entró tal pánico que me olvidé de Dios, de mi misión y de todo lo que no fuera salvar la vida. No podía rezar. Lleno de sangre, suplicaba aterrado que no me hirieran más, que no me mataran. Se acercaban ellos sin comprender. ¿No era hermoso sufrir y morir por mi Dios? Yo gemía como un cerdo, lloraba y trataba de convencerlos con gestos de que debían apiadarse de mí y no hacerme más daño. Mi intérprete había huído y yo me creía perdido para siempre. No pensaba en Dios sino sólo en mi dolor y en la preciosa sangre mía que seguía saliendo. Era mi carne herida y sufriente mi único dios. Tales gestos de súplica hice y tal fue la elocuencia de mis lágrimas, que los pobres salvajes comprendieron a medias y me dejaron en paz, no sin darme a entender antes que yo era un embustero y que les había estado mintiendo sobre mi Dios. Con dos dientes menos, los otros doloridos, los labios terriblemente inflamados y sangrando por ellos lamentablemente, logré salir de allí dejando a los salvajes perplejos y decepcionados. Huía yo del dolor, cuya grandeza predicaba. Y mi cuerpo se alegraba de salvarse. Como un cerdo, se alegraba. Después de tres días de hablarles de la grandeza divina del sufrimiento, había enloquecido de pánico al ver mi sangre. Fue aquel el más horrendo fracaso de mi vida religiosa. Es decir de toda mi vida. A nadie lo he confesado nunca. En el hospital donde me curaron, me pusieron fama de santo y de mártir. Lo que son las cosas. Y fue al salir del hospital cuando comencé a beber.

El padre Zozobra se puso la mano mojada en el pecho y lo palpó como si llevara entre la camisa y la piel algún objeto cuya existencia quería comprobar. Luego escuchó el silbido del buho por la ventana que tenía enfrente, suspiró y dijo con una sonrisa beatífica:

—Yo, el que amó a la hija del diablo, yo el misionero blasfemo y el cerdo apegado a la vida no tengo derecho a nada. No tengo derecho a la vida. Sin embargo, ¡qué hermosa es la creación si nos olvidamos de nosotros mismos! En este momento y gracias al alcohol, me parecen bien todas las cosas —incluso la tragedia grotesca de Borneo— y soy casi feliz. Murió el perro. El monasterio es un lugar de virtuoso retiro y el abad un hombre discreto, un sabio. Yo soy un miserable, pero gracias al barman protestante, murió el perro y me parece que estoy viviendo en el mejor de los mundos. Conseguí vencer la concupiscencia y ahora sólo me queda este perro rabioso que de vez en cuando ladra en el fondo de mi alma, sobre todo cuando me acuerdo de Borneo. Los pobres salvajes creyeron al pie de la letra lo que les decía y quisieron darme un poco de aquella gloria de la que hablaba. Y ahora el perro (digo ahora no, pero ayer y tal vez mañana) aulla. Con el alcohol lo mato. Sólo el alcohol lo mata, al perro. ¿No será el mismo problema transferido de un nivel al otro, es decir, de la blasfemia de Borneo al alcohol? No lo sé. Nadie lo sabe. Mi pecado, el alcohol, es difícil de entender ahora. Pero no puedo vivir sin él. El alcohol es mi pecado, pero es mi vida.

Seguía trabajando. Tenía todos los objetos necesarios al lado: un bote con polvos cáusticos para la grasa, varias clases de jabón, escobillas para el fondo de los vasos que tenían a veces ceniza de cigarrillos. Y el cura se afanaba feliz, pensando que ayudaba a aquel matrimonio a quien había causado tantas molestias.

Los vasos limpios los iba alineando en un armario. Como el padre Zozobra tenía una estatura de seis pies, sin darse cuenta los ponía en los aparadores más altos. Pensó que la mujer del barman no los alcanzaría fácilmente, pero no quiso cambiarlos de lugar, suponiendo que tal vez aquella trivial circunstancia les haría reír. Era buena la risa inocente y no había mucha alegría en el mundo. El quería al barman y a su mujer, aunque eran protestantes.

Suspiraba feliz y pensaba: "A medida que voy envejeciendo es más difícil tolerar el ladrido de mi disconformidad. Desde Filipinas fuí a California y allí comencé a emborracharme para olvidar. Pero no era fácil olvidar lo de Borneo. A la hija del diablo la había olvidado, pero no a los inocentes salvajes de Borneo que creyendo en mi palabra (al fin yo decía las palabras de Dios) quisieron complacerme, martirizarme, matarme y darme la gloria de la que yo les hablaba. Pero si yo les hablé con palabras divinas, reaccioné con el pánico de un cobarde abyecto. En California bebía un vaso y oía el perro ladrar en mi conciencia. Bebía dos más y el perro seguía ladrando aunque más lejos. Acababa por emborracharme del todo y olvidar. Pero el obispo me envió aquí, castigado. Y estoy en Aula Cœli. Por lo demás todos merecemos algún castigo. O alguna forma de asistencia y curación porque ser culpable es como estar enfermo. ¿Quién no lo está alguna vez? Es dulce estar enfermo porque representa una apelación a la benevolencia de los otros. Y a la gracia misericordiosa de Dios".

Recordando una vez más los hechos de Borneo se sentía, a pesar del alcohol, incómodo, aunque no tan miserable. Con el alcohol se sentía sólo grotesco y no abyecto. Trataba de burlarse de sí mismo y de reír y unas veces lo conseguía y otras no.

En el pinar cerca de la ventana seguía silbando el buho. Más lejos un grillo le hacía contrapunto. El cura dejó dos vasos limpios en el lado derecho, vió que el trapo que usaba estaba demasiado mojado y buscó otro. El barman previsor, había dejado varios a su alcance. Y el cura continuaba:

—Mi vida ha sido sombría. A veces he pensado en hacerme protestante, pero los protestantes están en el mismo caso que nosotros. Tienen su iglesia, sus iglesias culpables como la nuestra. Todas las iglesias son culpables con sus inocentes campanitas, su bienoliente incienso y sus demonios del desierto. A la orilla del desierto estamos. Y el ángel negro repite las tres tentaciones, las tres proposiciones. La tercera es la más difícil de rechazar. Yo la he rechazado. También la rechazó Jesús. El ángel negro del desierto mostró a Jesús desde la cima de la montaña los reinos de la tierra, los palacios y los castillos fuertes, las caravanas de los ricos y la autoridad de la ley. "¿Los quieres? Ven conmigo y las grandezas y poderes de la tierra serán tuyos". Y Jesús los rechazó diciendo que estaba escrito que sólo serviría a un dios. Eso dijo Jesús. Y eso quería hacer yo cuando pedí que me enviaran a Filipinas. La iglesia concupiscente quedaba atrás. Yo tenía al menos la voz de Dios en mi alma e iba a escucharla en la soledad y el silencio y a llevarla a los rincones del mundo donde no había llegado todavía. Para la iglesia, los reinos del mundo ofrecidos por el ángel negro en la orilla del desierto. Para mí, la verdad secreta e inefable. Ya es sabido lo que me pasó en Borneo. De pronto con los dientes rotos y el costado sangrante, me arrodillé llorando y pedí por piedad que no me hicieran daño. Llegué a humillar la frente y tocar con ella el suelo (como solían hacer los salvajes) ante su cacique asombrado. Y no ante Dios. Ellos hablaban agitados y confusos y yo no entendía. Pero salí con vida ya que no con mi cuerpo íntegro. Con vida como un animal herido y fugitivo. Era un animal abyecto, repito. Y al día siguiente en el hospital, comencé a sentir el perro rabioso en mi conciencia. Hasta hoy."

Sonreía en éxtasis, miraba las ramas de pino que oscilaban con la brisa y lavaba y volvía a lavar un plato que tenía restos de grasa. Puso polvos cáusticos y soltó el agua caliente. Al mismo tiempo pensaba que aquellos oficios humildes eran adecuados para dejar volar la imaginación. Se encontraba a gusto en aquel lugar y en aquella tarea. "Murió el perro". ¿Cuánto duraría su bienestar?

—El abad de Aula Cœli y el obispo de mi diócesis son hombres honrados, pero malos sacerdotes, ya que creen en el ángel negro del desierto y han aceptado las grandezas y glorias y luchan por conquistar y retener los reinos del mundo. No para sí —dicen— sino para la iglesia. ¿Cómo separar al sacerdote y a la iglesia? No es pulcra, la iglesia, con sus casuísmos. No puede ser limpia. Y aquí estoy yo, pobre de mí, dudando. Yo, más sucio que nadie. Me han traído al reformatorio porque un día en la misa hice una plática diciendo a los fieles que dudaba mucho de que Dios quisiera venir a habitar mi cuerpo en la comunión siendo como era un sacerdote blasfemo de una iglesia que era también concupiscente y culpable. Comprendí que había ido demasiado lejos y me puse a explicar el sentido exacto de lo que quería decir. Eso fue peor. Cuanto más lo explicaba más evidente hacía mi miseria. Lo que pasaba era que había bebido. La gente con su simplicidad natural decía: el padre Urbino tiene cara de hereje. Y el obispo me llamó y me insultó con su frío desdén, pero yo le expuse todos mis escrúpulos, menos el origen de mi desgracia (los hechos de Borneo. Aquello no podía decirlo). ¿No cree usted que la iglesia ha aceptado la tercera tentación del genio del desierto? Se lo preguntaba porque me gustaba pensar que la iglesia era también culpable. Claro es que un obispo tiene respuestas para todo, pero en aquel momento no pudo disimular su rabia. Era hombre de mandíbula fuerte y de ojos magnéticos y fríos. El odio frío es horrible. A su lado había brocados y sedas y sobre la mesa de caoba cubiertos de plata. Alfombras en los suelos y cortinas de lujo en los balcones. Pero además, sus ojos estaban llenos de soberbia y esa soberbia le acumulaba los dicterios en la garganta. Yo lo veía y pensaba: pobre de él, pobre de mí, pobres de todos nosotros los curas de Roma, los curas tal vez de todas las iglesias. En Borneo lo querría ver yo a este obispo repitiendo la palabra de Dios. Pobres de nosotros falsos, torpes, con palabras santas y hechos blasfemos e ignominiosos. Hechos satánicos. La apariencia de nuestra bondad es ya una blasfemia. Y en el fondo e incluso en la forma somos los oficiantes de Satanás. Todos, querámoslo o no. Eso le dije al obispo, pensando en mí mismo y en Borneo. Se lo dije humildemente y por eso mis palabras le hicieron más mella, creo yo. Pobre obispo. Digo pobre, pero no lo era. Era y es uno de los más ricos del país. Porque los prelados gozan de las riquezas del mundo.

Bebiendo los restos de whisky que había en un vaso, pensaba: "Si el obispo me viera en este lugar fregando platos diría que estoy loco, pero no es verdad. Sólo estoy borracho". Luego sacó el frasco que le había dado el barman y bebió de un sorbo el líquido que quedaba. Siguió recordando su entrevista con el obispo, ahora sin resentimiento alguno y con un fondo de admiración humana por aquel hombre que era ante todo un carácter enérgico y fuerte. Y que no había claudicado ante los salvajes del archipiélago filipino.

—No podía negar el prelado que yo decía alguna clase de verdad y eso le ofendía más. La verdad es una y universal como la luz del sol y yo exponía una parte y un aspecto de ella. Me miraba el obispo y antes de que dijera nada parecía comprenderme y leer en el fondo de mi alma. Yo le dije que la iglesia había aceptado la proposición del Belcebú persa, rey de las moscas. Jesús la rechazó, pero la había aceptado la iglesia. La proposición de Belcebú rey de las moscas. El obispo encendió un cigarrillo, aspiró profundamente el humo, me miró con desdén y dijo algo que todavía no puedo comprender. No puedo creer que lo dijera. No hablaba él sino que por sus labios hablaba el mismo ángel negro del desierto. Me miraba con desprecio y decía: "la Iglesia tiene muchas responsabilidades. Jesús murió y nos dejó aquí el gran problema. Es más fácil morir por una idea que llevarla a cabo".

Yo me sentía confundido. No. No era fácil morir por una idea ni por una fe ni por las palabras mismas de Dios. No era fácil morir de ninguna manera. Todo era más fácil que morir. Si el obispo hubiera tenido mi experiencia, la de Borneo, no hablaría así.

Pensando en el obispo, oyó el padre Zozobra desde el fregadero toser al barman. Una tos de fumador, bronca y áspera. Aquella tos le inspiraba amistad y respeto. Secando una copa sintió que se le escapaba de las manos, pero la recogió en el aire. En aquel momento vió al lado de la ventana un calendario con una estampa erótica en colores, uno de los grabados de "Squire" con mujeres semisnudas y curvas voluptuosas. El padre Zozobra recordaba a la "hija del diablo" en su parroquia de Avila y estuvo mirando un momento el calendario. Fuera de la casa la noche era fría y balsámica.

—Entretanto yo... pobre de mí —balbuceó sin saber exactamente lo que en aquel momento pensaba.

Volvió a coger el hilo de sus recuerdos con el prelado. El obispo fumaba con un placer de hombre sanguíneo. Una mosca zumbaba en torno a su cabeza y el prelado hablaba: "No lo niego. La iglesia ha aceptado, como usted dice, los reinos de este mundo. ¿Qué otra cosa podía hacer? ¿Dejar que las multitudes siguieran el camino del gólgota? ¿Levantar cruces para todos los hombres del mundo? Hemos convertido la libertad cristiana que Jesús conquistó para el hombre y que las multitudes ponen a nuestros pies en jerarquía, oro, incienso, paz, canción, ley moral, poesía, orden, misterio y también pan. No mucho, pero un poco de pan, digo de las dos clases de pan: el del cuerpo y el del alma. ¿Qué otra cosa podíamos hacer?"

—La iglesia es culpable.

—Ya lo sabemos. ¿Y qué? Jesús nos lo dijo bien claro cuando la fundó. La fundó a sabiendas de todo lo que iba a suceder. Después de investir Jesús a su apostol Pedro con la jerarquía de Pontífice, al oirle la primera opinión que expone como jefe de su iglesia, se indigna y lo insulta y lo llama Satanás, diciendo que sus pensamientos son sólo humanos y terrestres. El mismo Jesús sabía lo que iba a suceder. Eso lo hallará usted en el evangelio de San Mateo. ¿Y qué? A pesar de eso Jesús no quitó a su apostol Pedro la jefatura de su iglesia. ¿Qué?, ¿quiere usted ser más que Jesús?

Repetía la pregunta con una entonación provocativa. Calzaba el obispo zapatillas bordadas en oro por las monjitas de Santa Rosa, tenía a su alcance una cigarrera de plata y un encendedor del mismo metal con la cruz episcopal grabada en esmalte. Cerca de él y a su alcance, había otras cosas superfluas y costosas. Tenía en su rostro esa especie de calma frenética de los coléricos y cuando el diálogo quedó cortado, el padre Zozobra hizo una acusación tremenda. Le dijo que la primera condición para desempeñar aquella jerarquía con eficiencia era no creer en Dios. El obispo se levantó tembloroso y señalando la puerta repitió tres veces:

—¡Anatema!

—Ilustrísimo señor —balbuceaba el cura—. La humildad...

Pero el prelado no le dejaba hablar. "Sé muy bien lo que digo —repetía—. No me mire estúpidamente, porque nunca comprenderá usted el gran problema. Salga de aquí. Y ya que rechaza el orden de la iglesia, vuelva usted al caos del que no merecía haber salido. Usted cree vivir en el orden de Jesús. Pero ¿qué sabe usted? El orden de Jesús es el gólgota, ¿entiende? Es fácil amar a Jesús, pero es difícil entenderlo y para eso está la iglesia. ¿La libertad sin otros fines que Dios? ¿Y qué hace usted con esa horrible libertad absoluta en la cárcel oscura de lo temporal? ¿Ir a Dios? Vaya usted. Por el sacrificio, el dolor, el martirio, la cruz. No hay más que ese camino. Vaya usted si puede. Nosotros, los que no sabemos ni podemos ir, los que renunciamos a la gloria del martirio tratamos de convertir esa libertad absoluta en orden, bienestar, autoridad y jerarquía. Y dentro de ese orden hay bastante libertad temporal para que el más virtuoso y el más apto prospere en la dirección del bien. ¿Quién podría pedirnos más? ¿Quién podría acusarnos? Estoy seguro de que Jesús no nos acusaría. Yo me niego a pensar que sea capaz de separarme un ápice del dogma de nuestra santa Madre sin caer en el pecado mortal, en el pecado en el que está usted y en el que morirá probablemente usted. ¿Quiénes somos nosotros para discrepar? Ya digo que si quiere darnos ejemplos, sólo hay uno: el de la cruz. Vaya usted a que lo claven de pies y manos en un madero.

El cura se acordaba de Borneo y estaba pálido y tembloroso, pero seguía acusando en su mente. Y pensaba: "El rey persa de las moscas habla y se excita por sus labios". Y con la mirada baja, el padre Zozobra iba saliendo de espaldas. Sin embargo, hablaba todavía: "Comprendo, señor obispo, pero después de veinte siglos de orden moral regido por la iglesia el mundo es peor que nunca. La sociedad es un nido de víboras, la injusticia lo invade todo. Al lado de los palacios de los cardenales la gente se muere de hambre o de frío, se prostituye para medrar o medra para prostituir a los otros. Y todo el

mundo nos maldice. Las multitudes sufren y protestan, todo el mundo protesta y sufre".
—¿Quién sabe lo que habría sido el mundo sin la iglesia? Podría ser mucho peor. Infinitamente peor. En cuanto a los que sufren que no protesten. Que se sometan y tendrán paz interior y también alimento para el cuerpo y para el alma.
—Se han sometido durante muchos siglos. Y morían de hambre, de frío, de desesperación y de confusión, señor, al pie de la mesa de los cardenales quienes les decían: sufrid con resignación y callad y obedeced, que Dios os premiará en la otra vida.
—Y es verdad —dijo el obispo—. Tal vez algunos de nosotros renunciamos a la vida eterna para que la tengan ellos. En cuanto a usted ¿qué quiere? Jesús echó a los mercaderes del templo de su padre. Los echó a latigazos. Pero él tenía derecho a hacer una cosa como esa. Porque estaba dispuesto a todo y porque iba a morir en la cruz. Yo le digo que si usted pretende dar lecciones a la iglesia, sólo hay una que la iglesia pueda escuchar: el martirio. Dé su sangre y su vida, su fe y su duda, su amor y su recelo. Délo usted todo en la cruz y nosotros le adoraremos. Desde el ejemplo de su cuerpo lacerado y muerto y vejado y torturado, podrá hablarnos con su silencio. Pero no de otro modo.

Comprendía el padre Zozobra que el obispo tal vez tenía razón, pero la cigarrera de plata y las zapatillas bordadas con hilos de oro, le ofendían. Y recordándolo, se decía mientras trabajaba en el fregadero: "Fue entonces cuando el obispo se puso a argumentar canónicamente como un abogado y yo, alzando la cabeza y la voz y cubriendo con mis palabras las suyas, le dije que si los obispos creían en Dios era en un dios al que tenían preso y sometido a su servicio y lo soltaban el domingo para que pasara la bandeja en la iglesia y recogiera dinero. El obispo indignado, tocó un timbre y gritó: salga de aquí, desgraciado". No sé para qué tocó el timbre porque no vi llegar a nadie. Pero bajando las escaleras yo pensaba: ¿a quién llamaba el obispo? ¿A algún secretario o fámulo para que me sacara por la fuerza? Yo creo que ninguna jerarquía de obispo para arriba puede creer en Dios. Y es mejor que no crean porque el que no cree no blasfema, el que no cree no profana".

"Cuando llegué a la calle se me acercó un hombre desconocido, un hombre de buena apariencia, mejor vestido que yo y me pidió una limosna. Aquel mendigo de California habría dado la impresión en otro país de un buen burgués. Le dí dos dólares. El hombre, quitándose el sombrero no sé si afable o iró-

nico, dijo: —Dios se lo pague, monseñor. Tal vez estaba borracho. Yo le dije: —No soy monseñor sino solamente un pobre cura. —¿Y usted? ¿Quién es usted?
—Oh, yo no soy nadie.
—Usted tiene que ser alguien.
—No, no —dijo el desconocido con una sonrisa servil o tal vez burlona—. Yo no soy nadie. Puede tener la seguridad de que no soy Alguien.
Creía el cura reconocer en él un viejo conocido. Esas palabras extrañaron y asustaron al padre Zozobra, quien le dijo:
—¿Tiene hambre o sed? ¿Quiere vino? Puede venir a mi casa y le daré de comer y de beber y compartirá mis comodidades. Estará allí mientras quiera y cuando se aburra volverá a marcharse. ¿Está borracho? Vamos poco a poco. Apóyese en mi brazo. ¿Dice que no está borracho?

El hombre estaba definitivamente borracho. Sin embargo, entraron en el bar de un hotel y estuvieron bebiendo aun toda la tarde. El mendigo le decía las cosas más raras. Quería saber lo que el padre había hablado con el obispo y cuando comenzaba a contárselo él se adelantaba y repetía las palabras del prelado antes de decirlas el cura. ¿Cómo se había podido enterar? El padre Zozobra estaba de veras confuso y sin saber a qué atribuir aquello.

De un modo inesperado y sin causa, el desconocido le dijo al padre Zozobra una grosería, una terrible grosería intolerable, se tocó el ala del sombrero afablemente y se marchó. El cura salió detrás de él. Al llegar a la esquina el mendigo lo saludó otra vez inclinándose y desapareció.

Recordando aquello el cura, vió que el agua del fregadero se remansaba en la pila y no salía por el desagüe. Anduvo por la cocina buscando la ventosa de goma pero no la encontraba. Aquella obstrucción podía costarle dinero al barman. Poniendo agua caliente y esperando, vió que poco a poco el tubo se desguazaba y volvió a sus reflexiones. Otro día, estando ya en su destierro actual, discutía con el abad de Aula Cœli y exponía sus argumentos más polémicos. El padre Zozobra era muy hábil en el uso de esos argumentos. Andaba siempre buscando el flanco débil de la iglesia. Su reverencia ilustrísima le dijo: "Entonces, según usted ¿no debía existir el Papa?" Y el cura contestó: "Sí, ¿por qué no? El día que el Papa trabaje como un obrero para ganarse la vida ese día la iglesia tendrá una autoridad mayor y podrá decirle a cada uno lo que debe hacer con la libertad que Jesucristo nos dió. Supongamos que el Papa trabaja en un taller . . ." Al llegar aquí el abad me interrumpió: "¿Usted está loco?" Olvidaba el prelado que eso mismo habían hecho San José en su vejez y Jesús en su infancia. Pero la iglesia no puede hacer eso porque tiene que ser fiel al pacto con el ángel negro —decíase el padre Zozobra. No ya el Papa sino el último obispo, el más pobre cura párroco. ¿Carpinteros? Eso movía a risa y a confusión y era casi una ofensa. El abad de Aula Cœli un hombre honesto e inteligente estaba en el mismo caso que el obispo de California. Es verdad que el abad de Aula Cœli tenía jerarquía de prelado, también. Como los de las cartujas.

Eso repetían a veces los otros curas con admiración, porque a los prelados se les admira. El padre Zozobra no sabía qué pensar. ¿Quería Dios que hubiera prelados? ¿O bien prefería que los hombres se dejaran matar en Borneo y en otras partes predicando su doctrina? Y suspiraba. No había solución en este mundo. No podía haberla. Dios no quería que la hubiera para nadie y en la religión verdadera no podía haberla. No había soluciones en la tierra y los obispos ofrecían soluciones. Aquello era lo que el padre Zozobra no podía tolerar, que los obispos ofrecieran soluciones a cambio de la cigarrera de plata y las zapatillas bordadas en oro. No había soluciones en la tierra como no fueran las del gólgota o las de las selvas de Borneo.

En eso el padre Zozobra estaba firme. No habría soluciones en la tierra y Dios no quería que las hubiera, pero los obispos las inventaban las soluciones y las vendían por dinero. Aquello era intolerable.

Seguía el padre Zozobra trabajando en el fregadero. Una noche soñó que había muerto y que estaba delante de Dios. El cura le decía a Dios que era cristiano. Dios le contestaba: Bien. yo no soy cristiano y tampoco lo es Jesús. Nada tenemos que ver con tu iglesia, con ninguna iglesia que ofrece soluciones a los suyos y quiere exterminar a los de enfrente. Ni la solución ni el exterminio son aceptables. Amamos igual a todos los seres vivos, a los hindúes, a los judíos, a los chinos. Vivimos en el alma de todos ellos. El padre Zozobra decía:

—Comprendo, señor. Entonces, ¿Debo ir al purgatorio?

Y Dios reía paternalmente y decía: "¿Qué purgatorio? Los curas lo inventaron para sacar dádivas y ofrendas. Ya lo tuviste en la vida, el purgatorio. Todos lo tienen, hijo mío. Absolutamente todos, porque debéis venir limpios a mí. ¿O es que tú crees también que yo necesito de vuestra iglesia para organizar mi orden moral y mi eternidad? ¿De dónde habéis sacado esa arrogancia ridícula? Yo no necesito de vuestras leyes. Yo que he organizado la creación con todos sus prodigiosos misterios, no necesito de esos agentes para decidir quién es bueno y malo y quién se salva y quién se pierde. Mucho antes de que existiera Roma existía mi creación y mi orden. Hace más de quinientos mil años existía ya la humanidad y se regía por mis inspiraciones". Al despertar el cura pensó en todo aquello, lleno de confusión. Recordándolo seguía lavando copas y platos. Miraba la estampa de "Squire" y volvía a decirse que para huir de la inteligencia y de la propia conciencia acusadora y sobre todo del recuerdo de Borneo, tenía que embrutecerse. Cuando estaba borracho llegaba incluso a aceptar que el obispo merecía obediencia y las normas de la iglesia podían estar justificadas. Aunque el obispo fuera concupiscente. O precisamente por serlo. ¿Qué importancia tendría obedecer a un obispo santo y sabio? ¿No sería demasiada felicidad y facilidad pertenecer a una iglesia perfecta *tota pulchra*? El purgatorio de esta vida exigía una constante mortificación, tal vez. Por encima de todas las seguridades, garantías, virtudes y refugios. Obedecer a un obispo pecador contra la propia conciencia era purificarse un poco más en el fuego de los absurdos que es el que más quema. Tal vez los malos prelados eran necesarios para aquello. (Para que no pudiera haber "soluciones"). Y el padre Zozobra que no podía sufrir físicamente en Borneo, debía aceptar el sufrimiento moral, el intelectual, el espiritual. Cuando tomaba alcohol veía todo esto más claro. Y el perro de su conciencia moría o por lo menos, se callaba.

El obispo dió orden de que sacaran al padre Zozobra de su parroquia y lo llevaran a Aula Cœli porque daba mal ejemplo. El cura bebía todos los días hacia media tarde y al oscurecer estaba borracho. "Cuando me trajeron aquí —pensaba el padre Zozobra— le dijeron al abad: es incorregible. Tal vez tenían razón. Pero si soy un borracho incorregible ¿por qué razón quieren corregirme? Dicen que el alcohol arruina mi salud. Bien, también los cilicios de los penitentes pueden arruinarla. La diferencia, sin embargo, es importante, dicen, porque el alcohol causa placer y los cilicios no. Sobre el dolor de los cilicios habría que hablar porque hay personas que prefieren la enfermedad a la salud. Gozan del sufrimiento. No es mi caso y bien lo vi en Borneo. En cuanto al alcohol ya digo que tampoco es ninguna voluptuosidad para mí. Es por el contrario, una tortura. Desde hace más de seis meses me veo obligado a tapizar el estómago con almidón antes de beber. Pero sólo bajo los efectos del alcohol estoy satisfecho de ser sacerdote. Es la verdad y el abad no lo puede comprender. Es un hombre sabio el abad, pero también es un hipócrita —bueno, su hipocresía trata de ser virtuosa y menos daño hace el que finge la virtud que el que se entrega cínicamente al vicio, como decía Cervantes—. Tal vez quiere comprender mi caso, pero no puede. Y si puede cierra los ojos porque tal vez Dios quiere que nadie en el mundo tenga conformidad interior ninguna. Aunque bien mirado ¿quién soy yo para decir lo que quiere Dios? ¿Quiere que sufra y me purifique antes de ir a él? Eso me dijo en mi sueño. Es posible. En ese caso ¿no están bien las cosas en su estado actual incluída mi cobardía en Borneo?

Dos días antes quiso hablar otra vez con el abad de Aula Cœli y el abad le dijo: "Yo puedo discutir con un hombre en estado de razón, pero no con usted. Cuando esté sereno tendré mucho gusto en recibirlo y hablar de lo que usted quiera". El cura le contestó que sólo estando intoxicado se encontraba en condiciones de tolerar su presencia y sus opiniones y de aceptar las normas de la comunidad y en general de la iglesia. Lo decía sin saña tratando de disculparse y de hacerse entender. El abad llamó y dejó al padre Zozobra en manos de tres hermanos disciplinarios que lo llevaron a una celda construída fuera del cuerpo central del monasterio. Lo condenó el abad a una semana de reclusión. No le importaba al padre Zozobra, pero ¿qué necesidad tenía el abad de sonreír cuando mandaba que lo encerraran? La celda construída con troncos de árbol como una cabaña rústica, era mejor que las celdas ordinarias. Y había libros no sólo piadosos sino también profanos. No le importaba al padre Zozobra la celda de clausura. ¿Qué hacía en definitiva cuando estaba en libertad? ¿Y para qué la quería, la libertad? Lo malo era que cuando estaba solo no dejaba de pensar en Borneo y el perro aullaba lastimeramente en su conciencia. Y no tenía alcohol.

En aquel momento el abad le parecía un hombre honesto. "Se puede ser bueno y tener defectos graves. Los santos —no hay que olvidarlo— eran hombres. El abad hace sólo las cosas que le dicta su conciencia eclesiástica y ésta se rige por una fe segura. No diría yo si esa fe sirve al rey de las moscas o a Jesús. Pero de confusión en confusión la verdad es que estoy aquí fregando la vajilla en el bar de un hombre adversario de mi iglesia. Aquello le deprimía. En aquel momento era esclavo de un protestante que tenía un bar y vivía de los vicios ajenos. ¿No estaría Alguien mezclado en todo aquello?

Porque a veces el padre Zozobra pensaba que Alguien lo seguía. En su encierro el padre Zozobra pasó días, y sobre todo noches, muy duras. No por la clausura sino por la falta de alcohol que al caer la tarde se hacía sentir y le producía un desasosiego agónico. ¡Qué noches! ¡Qué días largos y sin sabor! ¡Qué soledad estéril! Sólo se tranquilizaba un poco pensando que con aquellos sufrimientos estaba pagando tal vez la miseria y cobardía de Borneo. Aquella cobardía era incalificable porque no sólo se arrodilló ante el cacique para suplicar piedad sino que invitado por él bajó la cabeza y tocó el suelo con la frente en señal de acatamiento a uno de sus ídolos.

Pensando en eso, llevaba su sufrimiento un poco mejor, pero cuando salió, lo primero que hizo fue buscar alcohol. En la aldea era difícil hallarlo. El conductor del autobús que hacía el servicio de viajeros a la capital le había sacado de dificultades más de una vez, pero ese conductor era católico y resultaba incómodo para el padre Zozobra hacerlo confidente de sus vicios. Prefería dirigirse al barman que, por ser protestante, no estaba obligado a creer en él.

Seguía fregando platos. La música en el lejano salón de baile había cesado. Algunos grupos de transnochadores iban por la aldea hablando a voces y riendo. Todos los sábados pasaba lo mismo.

El cura dejaba con cuidado copas y vasos en la escurridera. En las sombras de la cocina, a solas consigo mismo, resistía bastante bien su propia embriaguez. De estar con otros y sentirse obligado a hablar le habría sido imposible disimularla. Se alegraba de poder estar solo. Borracho y solo. Y casi a oscuras.

La noche estaba en calma. Ya no se oían el buho ni el grillo. De lo alto del monte bajaba por la carretera en zig-zag algún coche y los faros iluminaban los pinabetos y las rocas. Parecía todo aquello cubierto súbitamente por una capa de estaño.

Se abrió la puerta del dormitorio y apareció el barman.

—¿Termina usted o no? Voy a ayudarle. Mientras está usted aquí yo no puedo dormir. Mi mujer tampoco.

Se puso a su lado y comenzó a trabajar. Acusó al cura de ser un mal ejemplo en la aldea y le recordó el escándalo que representaba y el desdén de la gente. El cura seguía pensando: yo estoy al margen de la vida y por eso todos están prevenidos contra mí y me desprecian. Trabajaba sin responder. Los grupos que habían salido del baile iban cantando por la carretera, que era la calle única de la aldea. Un poco más abajo del bar había tres o cuatro capillas protestantes que en verano oficiaban cada domingo para la colonia veraniega. Y el barman decía al padre Zozobra:

—Eso es lo que uno saca escuchándole a usted. Aquí estamos perdiendo la noche tres personas: usted, mi mujer y yo.

Como si quisiera darle la razón, su mujer le dijo algo desde el dormitorio, con voz soñolienta. El cura pensó que el barman tenía razón contra él. Todo el mundo tenía razón contra él.
—Usted —dijo el barman— es la mala sombra de Xerbes. ¿Qué hace en Aula Cœli? ¿Por qué no lo llevan a otra parte? Pensaba el cura: ¿Yo? ¿Adónde? No estoy aquí por mi gusto. Aunque pudiera irme a otra parte, ¿adónde? Seguían trabajando.

Estaba Xerbes escalonada en una serie de colinas. La parte más alta la ocupaba el monasterio delante del cual pasaba la carretera general. Más abajo la aldea, con algunos comerciantes y sacerdotes rubios. Medio kilómetro más abajo la aldea india cuyos moradores de color cobrizo, vivían más o menos como antes del descubrimiento de América.

Aunque Bernardo y Malinche se habían acostado muy tarde, despertaron poco antes del amanecer. Por la llave de la cocina no salía agua ni salía tampoco por las del baño. Vivían en un pequeño apartamento de la planta baja y al lado de la puerta había una bomba aspirante a la que acudían algunos vecinos con jarras y cubos. Tomó también Bernardo un par de vasijas y salió a llenarlas.

Junto a la bomba que era de hierro forjado con apliques de limpia porcelana blanca había dos niños y una niña jugando. Mientras llenaba sus vasijas Bernardo hablaba con los pequeños. Una campana comenzó a voltear en la carretera y pronto se oyeron otras en direcciones distintas. Ninguna capilla permitía a las otras recordar a los fieles —ellas solas— que era domingo y había como una rivalidad en la premura. Aquellos niños querían manejar la bomba para ayudar a Bernardo. De un patio próximo llegó una voz de hombre llamándolos y se oyó decir a una mujer:

—Déjalos, están festejando con el agua.

Pensó Bernardo que aquella expresión —*festejando*— era exquisita.

—¿Qué vais a hacer hoy? —preguntó.

Uno de los chicos dijo que iría a pescar truchas con su padre. Otro que iría a misa con su madre. El tercero estaba de mal humor:

—Lo que haga yo —dijo— no le importa a nadie.

Bernardo tardó en llenar sus vasijas porque los tres chicos querían manejar la bomba al mismo tiempo.

Cuando volvía a su casa vió al barman que subía por la colina vestido sólo con un calzón corto, descalzo y sin camisa, como si estuviera en la playa. Alzó el brazo y dijo que el motor de agua no funcionaba y que iba a repararlo. Bernardo le preguntó por el padre Zozobra.

—¡Mala peste! —dijo el otro—. Lo tuve toda la noche en mi casa.

Quería Bernardo conocer los detalles de aquella ocurrencia y el barman prometió contárselos cuando volviera. Las campanas de las capillas seguían sonando. Malinche entró en la habitación de Bernardo y se puso a preparar los desayunos. Bernardo comprobó con cierta ternura que estaba sin arreglar, sin maquillar y sin embargo, era tan bonita como la noche anterior. Tan bonita como siempre.

Habló Bernardo del barman y ella dijo que subiría con su mujer para tomar el desayuno los cuatro juntos.

—Pero ¿no sabes lo que pasó anoche? —continuó indicando a Bernardo un prensador y una bolsa de naranjas para que fuera sacándoles el zumo—. El padre Zozobra se embriagó y cayó al suelo en la cocina donde estaba fregando vajilla. El barman tuvo que cargárselo al hombro y llevarlo cuesta arriba al monasterio. El padrecito estaba como una uva. Por el camino volvió en sí y le dió vergüenza y le dijo: déjeme en la carretera, que puedo seguir por mi pie. El cura tenía el estómago levantado y se puso a devolver. Luego se sentó en una piedra y parece que está allí todavía. El barman me lo ha dicho.

Hablaba Malinche con una vivacidad de gestos muy armoniosa y tenía a veces expresiones un poco chocantes en su inocencia.

Era la mañana cristalina y había en el aire una especie de serenidad orgiástica. Bernardo salió a dar un paseo suponiendo que en alguna parte encontraría al padre Zozobra. La carretera estaba brillante con el rocío de la noche. El cielo sin una nube.

Pensaba Bernardo que el monasterio tenía allí la reputación de una casa de locos y sin embargo nadie, ni los indios ni los protestantes ni los católicos se escandalizaban. Subía la carretera en una suave pendiente. A la derecha había un barranco y en el fondo del barranco un arroyo. Se oía el agua entre las piedras. En aquel momento el sonido era muy irregular y Bernardo pensaba que debía haber alguien lavándose las manos o tal vez lavando ropa. Junto al arroyo estaba el padre Zozobra en mangas de camisa. Sobre una roca había dejado el cuello romano y la chaqueta negra. Tenía un color pálido y traslúcido. Al ver a Bernardo lo saludó con la mano. Bernardo le dijo en latín, acercándose familiarmente:

—*Vis dicam, male sit cum tibi. Bene est.*

Se quedó el cura mirando extrañado y dijo:
—Yo no soy Tucca. Yo soy el que ustedes llaman padre Zozobra. Y en mi caso no hay más que desgracia y miseria.
Estaba el cura con la cruda del día anterior, es decir taciturno y ágrio. Y añadió:
—Sí, yo también conozco al poeta Marcial. Marcial de Bílbilis.
Se adecentaba para volver al monasterio. Bernardo le preguntó si pensaba celebrar misa y el cura respondió con otra pregunta:
—¿Es usted católico? —Bernardo afirmó—. ¿Y vendría a oir la misa que yo dijera a pesar de ser un borracho y de llamarme la gente con un apodo?
—Nada de eso es vergonzoso. Zozobra quiere decir grima y amargura, pero además ¿qué tiene que ver lo que es usted con el sentido del ritual?
Cuando el cura no miraba a Bernardo parecía ausente y lejano. Si lo miraba y hablaba se le veía presente y familiar. Sobre él y sobre Bernardo pasaba y volvía a pasar regularmente una sombra. En lo alto un águila con las alas extendidas parecía flotar en el espacio. El cura poniéndose el chaleco miró a Bernardo y dijo:
La oración me ha llevado a la superstición, el ayuno a la úlcera de estómago, la abstinencia de la carne a la concupiscencia, el arrepentimiento al deseo de purificación y éste a la ignominia y a la miseria. Con el alcohol trato de olvidar. Pero la verdad es —añadió con una sonrisa amarga— que no tengo derecho a hablar así. A hablar de ningún modo. Debería callarme. Callarme y obedecer, es verdad. ¿Pero obedecer a quién?
Miró luego a Bernardo tratando de averiguar si era o no su enemigo, porque bajo la impresión febril y reseca de la cruda solía pensar eso de la gente. Se abrochaba el cuello romano, alzaba la mirada al cielo y veía de nuevo al águila:
—Ese animal está mirándonos y tratando de averiguar lo que hacemos aquí.
Después de una pausa añadió: "Usted sabe que todos los animales son puros y que tienen razón ¿no es verdad? Los únicos que se equivocan son los hombres". El cura dejó de mirar al águila: "Algunas personas son también inocentes. Su novia es pura como esa ave que vuela sobre nosotros. Oh! Dios ha hecho la vida hermosa. ¡Lástima! Ninguno de nosotros la merece. De pronto se curvaba sobre la cintura y su cara cambiaba de color. Sufría y disimulaba el dolor de su estómago.
Después de un largo silencio dijo:

—Aunque quieran ustedes venir a mis oficios religiosos y yo se les agradezca, es inútil. No digo misa. Lo tengo prohibido. Siguió hablando mientras sacudía el polvo del sombrero antes de ponérselo:

—No puedo decir misa porque no comulgo, no me dejan. El abad ha encontrado un buen pretexto en mi estómago inestable. Ya digo que no comulgo desde hace más de tres meses. Es una situación rara en un sacerdote ¿no le parece?

Bernardo no contestaba y el padre Zozobra se golpeaba el pecho con la punta de un dedo velludo y grueso para decir:

—A pesar de todo Dios va conmigo.

Se quitaba otra vez el sombrero y se alisaba con las manos el poco cabello que le quedaba. Bernardo sacó cigarrillos y se pusieron a fumar sentados en una roca. El cura siguió:

—¿Sabe para qué he bajado aquí a este arroyo? No he bajado para lavarme ni para beber agua. Desde la carretera he visto una planta extraordinaria: ese cacto. Ese que está ahí, al lado del arroyo. Es lo que llaman un *century cactus*. Una planta que vive cien años justos y en la última primavera de su vida produce una flor. Ahí lo tiene con su flor única en lo alto como si se la ofreciera al cielo. ¿La ve? Un pintor no podría dar esos colores tenues entre metálicos y fluídos. Noventa y nueve años ha necesitado esa planta para producir su flor. Cuando lo vi me dije: vas a bajar, padre Zozobra —al decir su propio alias sonrió con humor— porque esa flor merece que tú la admires de cerca. ¿Ve usted? Resbalé y metí el pie en el agua. Pero fuí al otro lado del arroyo y estuve mirándola. Las hojas del cacto tienen un color como el de algunas vasijas de la antigüedad que se ven en los museos.. Pues bien, ese arbusto existía antes de nacer usted y el padre de usted. Antes de que nacieran estaba ya en ese rincón trabajando humilde y recatadamente para producir esa flor y mostrárnosla a nosotros, a los que íbamos a nacer un día, es decir, a usted y a mí. Ahí está. ¿Ve usted esas ramitas cortadas en el suelo? Yo las he cortado de los árboles de alrededor para que el sol penetre hasta el cacto y lo acaricie en este último año de su vida. A los cactos no les importa el agua, pero sí el sol. Ahora después de haber dado su flor, se dispone a morir. ¿Por qué los hombres no hemos de dar también nuestra flor humildemente y morirnos? La vida de un hombre por vulgar y despreciable que parezca tiene un valor. Más o menos importante. Más o menos importante ese valor enlaza con la creación entera y le añade algo. Algo que la creación no tenía **antes**.

¿No le parece? Oh, lo que es eso lo veo bien claro. Si todo fuera así . . .

Alargando la pierna y poniendo su zapato mojado al sol para que se secara, siguió:

—Nosotros no somos cactos floridos. Tampoco somos Jesús. Pero podemos dar nuestra flor secreta a nuestra manera y luego desaparecer en silencio, también.

Bernardo viendo las bolsas flácidas de los párpados del cura y las comisuras de sus labios le dijo:

—Después de una noche sin dormir debe estar muy fatigado.

Al cura no le preocupaba su fatiga:

—¿Usted cree en Dios? —preguntó.

Dudaba Bernardo. Por fin dijo:

—No estoy seguro. Algunos días sí.

Subían hacia la carretera. El cura dijo con un acento que chocó un poco a Bernardo:

—Sí. Una de las pruebas del amor de Dios por nosotros es que sólo se nos hace perceptible si lo necesitamos por ser desgraciados. A los felices los deja en paz. Usted es feliz, tanto mejor. No me extraña. Está usted enamorado. Dios le permite ser feliz y lo deja en paz. A mí, no. A mí no quiere dejarme en paz, Dios. Por eso creo. Y mi fe no me sirve para nada.

Caminaban por la carretera y de pronto el cura se detuvo y mirando a Bernardo le dijo con una expresión congelada:

—Más vale que no me acompañe usted. Si se acerca al monasterio le preguntarán algo en relación conmigo y usted mentirá para ayudarme. Yo no quiero obligarle a mentir.

Sintió Bernardo una compasión incómoda y le anunció que por la tarde irían a verlo al monasterio, puesto que era día de visita. El abad gustaba de que los domingos acudieran los vecinos para crear alguna relación entre el monasterio y la población civil de Xerbes. Incluso los curiosos irreverentes eran bien recibidos. Los únicos que no iban nunca eran los indios, que son los hombres menos curiosos del mundo. Y a quienes les tienen sin cuidado la virtud o el vicio de los cristianos.

Bernardo y el padre Zozobra se separaron. Iba el cura hacia Aula Cœli pensando por el camino: "Cuando entre en el monasterio y el abad me llame ¿qué haré? ¿Qué diré? La verdad humana cada vez que la encuentro rebasa por todas partes a la iglesia. Y la verdad divina me rebasa a mí. El *century cactus* da su flor. ¿Cómo daré yo la mía? La vida que llevo es estéril, la esterilidad es el plano más próximo a la nada, a la horrible nada. La sequedad del alma y el sabor de la ceniza en los labios me acompañaban desde aquel día de Borneo.

No hay flor. Y sin embargo, tiene que haberla. Todos la dan, su flor. La del abad será tal vez la revelación súbita, antes de la muerte, de que ha estado él, un abad con jerarquía de prelado, tratando de matar a Dios toda su vida en nombre de la iglesia. Las iglesias tratan de matarlo a Dios en el alma de los hombres. Quieren ponernos en el alma una fórmula: el cadáver de Dios. Haz esto y te salvarás. Si no lo haces irás al fuego eterno. Y lo primero que hay que hacer es ponerse un traje nuevo, venir al templo y darle dinero al cura". Pensando estas cosas el padre Zozobra avanzaba despacio y miraba las puertas cerradas del monasterio, puertas de madera de pino, crudas, pero barnizadas, con gotas de resina en las junturas, todavía. Y se decía: "¿Cuándo habrá una iglesia donde el único rito sea el ejemplo moral de los sacerdotes y los fieles, el único nexo y aglutinante, la fe elemental, y el único atributo el amor?" Y añadió melancólicamente: "¿Una iglesia donde el único privilegio sea la prioridad en el sacrificio?" Pero después pensaba en sí mismo y en su inmensa, viciosa y abyecta resistencia al sacrificio. Y se avergonzaba tanto que de buena gana habría llorado.

Al acercarse a la puerta ésta se abrió antes de llamar. Y salió el padre guardían. Detrás apareció el padre Baltasar, otro cura flaco, de cabello gris y aire bondadoso. Preguntó al padre Zozobra dónde había pasado la noche.

—Ooooh, en ninguna parte —decía entre dientes el padre Zozobra—. Maté al perro. Eso es todo. Maté al perro.

Callaban los otros sin comprender. Se cambiaron miradas de lástima que el padre Zozobra percibió y entraron en el parque. Llevaban al padre Zozobra a la celda del abad.

Entretanto, Bernardo regresó a su casa y encontró al barman con su mujer y Malinche sentados alrededor de una gran mesa baja que habían instalado en el jardín. La luz ponía reflejos cambiantes en la cristalería. Se sentía la quemadura del sol en la piel, pero el aire era seco y había una pequeña brisa matinal muy agradable.

Las dos mujeres iban con pantalones de lienzo ligero, muy cortos y llevaban los muslos descubiertos. Se puso a hablar Bernardo del *century cactus*. El barman decía que no había oído hablar nunca de aquella flor. Su mujer mordía una tostada y Malinche ofrecía la crema o la miel y servía más café. Cuando Bernardo terminó de hablar sobre el *century cactus* preguntó Malinche:

—¿Quién descubrió esa flor? ¿El padre Zozobra o tú?

—El padre. ¿Por qué?

—Hay supersticiones entre los indios, sobre eso. No quiero decirlas porque cuando son favorables los augurios nadie los cree, y cuando son contrarios y amenazadores nos queda dentro la duda y el miedo. Creemos mejor en lo malo que en lo bueno.

—¿Y esta vez son contrarios los augurios?

Malinche sabía que la mujer del barman era supersticiosa y no quería inquietarla. Llegaba una abeja inspeccionando el café, las frutas, los vasos, la fuente con las tostadas, se detuvo en el borde del tarro de mermelada y la probó. Bernardo hacía para sí mismo una observación curiosa. Cuando hay dos matrimonios juntos, se produce una tensión erótica en forma de X. La tendencia al adulterio recíproco. Malinche no era aún la esposa de Bernardo, pero el caso era el mismo.

Quería Malinche ir a Aula Cœli a la misa mayor. Hubo bromas con ese motivo. El barman decía *dominus vobiscum* y le enviaba un beso con la punta de los dedos. Bernardo fingía una resignación cómica:

—Vamos, confiesa Malinche que los curas están enamorados de ti.

—No, —dijo ella—. Todos no. Sólo el padre Baltasar, ese viejito alto del pelo gris. Y el organista.

Entre Xerbes y el monasterio había una vieja fortaleza o templo de los tiempos de la colonia española, en ruinas. Sin techumbre ni puertas ni ventanas, quedaban sólo los muros que eran de un grosor monumental. Se veían en el interior de la torre desmantelada los escombros del derrumbamiento interior cubriendo las escaleras. El conjunto conservaba cierto carácter. Acordaron almorzar allí al medio día. Bernardo odiaba los picnic y solía decir que eso de comer una sardina al pie de un árbol, con hormigas explorándole a uno el tobillo podía ser pintoresco, pero no le convencía. A pesar de todo decidieron ir a comer allí.

Un poco más abajo de Xerbes estaban los indios .Terminado el desayuno, Bernardo fue con Malinche al poblado indio. Malinche se encontraba con los indios en su elemento.

Hablando con ella dijo Bernardo que el padre Zozobra era un iluminado fatalista. Malinche no se interesaba por esa clase de opiniones y decía:

—Está enfermo, el pobre. Muy enfermo.

En la población india no hallaron nada interesante. Suele haber en cada poblado indio un hombre que habla con los forasteros. Los demás miran en silencio o pasan sin mirar y aparentemente sin ver. Ese hombre que habla o sonríe tiene a veces en las danzas y fiestas públicas un papel curioso: el papel de bufón, de payaso.

Tampoco la alegría de esos payasos la comprenden los turistas. Y sin embargo, es una alegría genuina y humana.

Decía el indio señalando en el cielo una luna matutina casi disuelta sobre el azul, los nombres del satélite en inglés, en español, en dialecto apache y en dialecto navajo. Luego se quedaba mirando a Bernardo con aire triunfador y añadía:

—Cuando esta luna pase se pondrán todos a bailar y después le darán a cada uno una lavativa porque tienen que estar limpios por dentro y por fuera. Yo no bailo. Yo no entro en eso.

El indio seguía hablando:

—Nuestros perros no ladran. Saben que la voz nos la dió Hiiibi-Macha, el habladorcito, lo mismo a los hombres que a los perros. Y los perros nuestros no ladran porque sólo sacan ruidos de la boca cuando ven algo que no entienden. Nuestros perros lo entienden todo. ¿Para qué ladrar? Los indios no hacemos más que cosas naturales y ellos las entienden. Ustedes hacen cosas que no son naturales y los perros se asustan y ladran. Yo tenía un perro que sólo ladraba cuando veía un pequeñito remolino de polvo, las tardes de verano. O de la primavera. También en el otoño hay remolinos. Y mi perro no los entendía y se ponía a ladrar. Hasta que el remolino subía al caminito y se marchaba por él a la ciudad. Viéndolo en el camino mi perro pensaba que ya era más razonable porque iba a alguna parte. Pero nuestros perros no ladran".

Luego el indio les preguntó si tenían algo de beber. Le dijo Bernardo que no, pensando en el padre Zozobra. "Los indios —se decía— también quieren alcohol". El indio olvidó aquello y se puso a hablar de otra cosa:

—Yo soy el jefe de guerra de la tribu, pero como hace tiempo que no hay guerra, me dedico a hablar con los forasteros. Si en este momento gritara golpeándome la boca así con la palma de la mano, saldrían los demás y los matarían a ustedes en menos tiempo que lo digo. Sí, a ustedes, a pesar de la civilización y de la policía. Porque a nosotros no nos importa mucho ir a la cárcel, no vaya usted a creer.

Sonreía y miraba con humor a Bernardo. "Así es que ustedes me deben la vida a mí en este momento. Eso es natural. Todo lo que hacemos nosotros es natural, pero lo que hacen ustedes no. Porque vamos a ver: ¿a qué han venido aquí? Ni siquiera traen vino. Sería natural que lo trajeran, pero ustedes no hacen cosas naturales. Tal vez porque piensan que vivir no es importante".

—Hablas mucho —dijo Malinche, monitora—. Hablas cosas sin verdadera razón porque eres el payaso de la tribu.

Preguntaba Bernardo al indio:

—¿Y tú crees que es importante eso de vivir?

—Yo sólo sé que la vida del indio vale más que las otras porque la tenemos entera y sin consumir. Yo me levanto y riego el maíz. Me acuesto y duermo. Yo no sé sino que mi cuerpo hace sombra contra el suelo y contra la pared, pero nunca hace sombra contra la nube. Y que hay un lagarto que se asoma por la tarde a su agujero, cuando la luna sale del corral. Que yo lo he visto.

—Tu boca es como la boca del coyote y por eso hablas tanto —repitió Malinche, y preguntó: —¿Cómo te llamas?

—Tengo cuatro nombres, como la luna. En cuatro idiomas. El que ustedes quieren saber es el nombre indio. Pero yo soy el jefe de guerra y no debo decir ese nombre a los extranjeros.

—No digas tantas cosas —le dijo Malinche—. ¿Cuál es tu nombre en español?

—Baldomero, para servir a ustedes.

Siguieron así con el indio hasta que Malinche decidió regresar para ir a misa. Hacia el mediodía fueron al lugar del *picnic*. Bernardo llamaba a las ruinas *el bastión* —mitad castillo y templo—. Los muros eran altos y sin techumbre. Como bóveda, el azul del día. Se veían restos de decorado religioso y alguna apariencia de cornisa con arranques de arquitrabe. En un rincón el campanario mocho, sin campanas.

Entre aquellas ruinas y Aura Cœli había sólo la distancia de un tiro de honda.

Las mujeres se habían instalado a la sombra del muro que daba al mediodía junto al antiguo presbiterio. El barman había preparado un almuerzo copioso. Mientras lo iban sacando del coche se presentó el padre Baltasar, viejo de aire infantil y cabello cano. Hablaba a Malinche y ella le escuchaba con rencor. Había asistido Malinche a la misa aquella mañana poniéndose en el vestíbulo, sobre los muslos desnudos, una falda que llevaba plegada en la mano (y que doblada no abultaba más que un pañuelo de bolsillo). Al salir se la volvió a quitar. Sus muslos bonitos parecían tener luz propia. Escuchaba al padre Baltasar con una expresión fría y distante:

—Si vienen ustedes esta tarde al monasterio —decía mirando al suelo, es decir a los muslos de Malinche— les ruego que informen en favor del padre Zozobra para que no lo envíen a la clausura punitiva.

Bernardo prometió y el cura añadió, sin dejar de mirar los muslos desnudos de Malinche:

—Digan que se puso enfermo y que se quedó en su casa. Digan cualquier cosa menos que se embriagó y que lavó los platos en el bar y que cayó al suelo en la cocina de . . .

El cura seguía repitiendo aquellas palabras en distintas formas. La clausura punitiva no tenía de doloroso más que la privación de libertad, pero había que ayudarle. Bernardo lo miraba con una simpatía zumbona:

—¿Y usted? ¿Cuál es su delito? Quiero decir la causa de que lo hayan traído a Aula Cœli.

El cura alzó la vista para fijarla en el campanario desguarnecido y luego en el pie de un ángel. Un pie sin cuerpo que había quedado prendido de una piedra y conservaba todavía un color delicado. Por fin dijo:

—Mi pecado son las mujeres.

Contenía el barman la risa y en sus ojos se veía que estaba pensando: "Pues si espera usted que le ofrezcamos nuestras mujeres, está perdiendo el tiempo. Nuestra caridad no llega a tanto". En aquel momento se oyó la campana del monasterio y el padre Baltasar se disculpó y se fue, presuroso. El barman lo veía marcharse con un desdén razonable de protestante.

Malinche intervenía:

—Son hombres como los demás los curas. ¿Tú no crees?

Se volvió el barman hacia su mujer y la besó en el hombro desnudo, ligeramente.

Confesora de confesores, Malinche reñía a menudo al padre Baltasar por su debilidad de carácter. Con el abad mismo hablaba Malinche de igual a igual. Todos respetaban a Malinche cuya belleza física hacía de ella una prelada o *perla¹la* —como decían en la edad Media— honoraria. Pero no era sólo la belleza. Malinche los desarmaba con su completa falta de coquetería, su honestidad simple como la del árbol y su buen sentido. Sabía Malinche lo que había pasado entre el abad y el padre Zozobra aquella misma mañana. Se lo había contado el organista después de la misa. Los curas de Aula Cœli no tenían secretos para ella.

El abad le había dicho al padre Zozobra:

—¿De dónde viene vuestra reverencia?

Cuando el abad daba tratamiento a un cura las cosas iban mal. El padre Zozobra respondió:

—De la aldea, padre prelado.

—¿Dónde ha pasado la noche?

—Me encontraba mal y sin fuerzas para venir al monasterio y me quedé en casa de unos amigos.
—¿Cuál era la enfermedad de vuestra reverencia?
—El estómago, señor.
También era cierto.
—Sabiendo de dónde procede esa enfermedad no hace nada por evitarla?
—Temo que no.
—Si se repite el caso tendré que ayudarle yo con algunos días de aislamiento.

Ese fue el diálogo, según el organista. La cosa por el momento estaba resuelta. No había celda punitiva. Y si el padre Baltasar fue a pedirles que le ayudaran era sólo como pretexto para acercarse con la mirada baja a las desnudeces de las damas. Malinche disculpaba al padre Baltasar, sin embargo. Y el barman servía manzanilla en silencio. Estaba aquel vino fresco como el rocío del alba.

Explicaba Bernardo las virtudes de la manzanilla. Puso su toque de pedantería aludiendo a los tiempos en que los tartesos hacían ánforas especiales para exportarla a Roma y Grecia e incluso a Egipto muchos siglos antes de la era cristiana. Aquello de que los antiguos supieran distinguir y apreciar el buen vino le parecía al barman admirable. Era éste un americano típico no de Cíbola sino del East.

Malinche bebía demasiado. Bernardo y el barman la contemplaban con reservas humorísticas. Malinche seguía hablando del padre Zozobra. Se sentía un poco responsable de la salud del cura alcohólico.

—El secreto mayor del padre Zozobra —dijo de pronto, estimulada por la atención de los otros y como el que se decide a hacer algo heroico— yo lo conozco. No se lo he dicho ni siquiera a mi novio, pero lo voy a decir ahora. Un día el padre Zozobra vino a mi lado y comenzó a hablarme como si estuviera enfermo. Le temblaba la voz, le temblaban las manos y dijo de veras una cosa rara. Yo no sé si debía repetirla ahora aquí. No lo sé.

Bernardo le dió otro vaso de manzanilla y Malinche añadió bajando la voz:

—Hace tres meses que el padre Zozobra dijo su última misa y en aquella misa no se atrevió a comulgar. ¿Ustedes han visto que de vez en cuando señala con el dedo su propio pecho y dice Dios va conmigo? Pues es verdad. La forma consagrada durante la misa, en lugar de tomarla, se la guardó en la mano y la lleva consigo dentro de una pequeña carpeta de cartón entre la camiseta y la piel.

—Eso es terrible —dijo Bernardo, masticando lentamente una aceituna.

Los otros callaban. El barman, guiñando los ojos para defenderlos del sol, preguntó:

—¿Y por qué te lo ha dicho precisamente a ti?

Malinche se ponía todavía más seria:

—Eso mismo le pregunté a él y me respondió: "Te lo digo precisamente porque eres tú". De ahí no lo pude sacar. Después siempre que veo al padre Zozobra viene y me dice ¿has revelado aquel secreto? Yo le digo que no. ¿A quién lo iba a revelar? Un día le pregunté: ¿Es que quiere usted que lo diga a la gente? El se encogió de hombros. Sospecho que se siente culpable y que va buscando a alguien que lo castigue. Pero un hombre que hace esas cosas ¿a qué tribunal va a ir? Eso digo yo.

Bernardo pensaba: el padre Zozobra hace cosas de loco y, sin embargo, posee su buena razón sólida. ¿Por qué las hace? ¿Qué busca con esa forma sagrada en el pecho? ¿A quién la va a dar un día? ¿Y para qué? Pero Malinche se había callado, alarmada, y miraba alrededor. En el hueco del muro que correspondía al atrio, se oyó un rumor de yerbas removidas. Poco después vieron a un hombre de espaldas, alejándose. Iba en mangas de camisa, con un hacha en la mano.

—Es el padre Baltasar todavía —dijo Malinche, alarmada— y ha oído lo que acabo de decir del padre Zozobra y de la forma consagrada que lleva en el pecho. ¡Dios mío! El padre irá al abad con el cuento. No tardará el abad en saberlo y cuando lo sepa ¿qué pasará?

Sonreía el barman satisfecho de las dificultades que amenazaban al cura alcohólico. "Bien hecho. Que lo encierren con cadenas en los tobillos y en el cuello. Cuando veo al padre Zozobra yo no puedo menos de echar en falta la inquisición".

Los otros reían.

Después del almuerzo fueron en el coche del barman a la parte más alta del macizo montañoso. La carretera llegaba hasta la cima. Iban bordeando un precipicio por el fondo del cual y entre tamarindos y olmos chinos corría un arroyo pedregoso. Cuando llegaron a lo alto detuvieron el coche. El silencio era impresionante. Hablaron de los indios. Decía el barman que aquellas tribus estaban en decadencia y que la paz que disfrutaban y la protección del gobierno americano acabarían con ellos. Añadió que los pueblos primitivos necesitaban la lucha con la naturaleza para tonificarse y prosperar.

Recordando Bernardo al indio gordo y locuaz —al payaso— pensaba que el barman tenía razón. Cuando volvían, el barman dijo que no tenía interés en ir al monasterio y que dejarían a Bernardo y a su novia allí.

No comprendía Bernardo la facilidad con que el padre Baltasar hablaba de los secretos del monasterio. Casi todos los sacerdotes de Aula Cœli se conducían lo mismo sin saber si el interlocutor era católico, protestante, budista o judío. A Malinche —católica ferviente— le parecía esa costumbre peligrosa y admirable al mismo tiempo.

Malinche y Bernardo entraron en un patio descubierto que tenía un largo cobertizo con piso de cemento. En la puerta el nombre del monasterio en latín, en letras lapidarias.

Había muchas cosas artísticamente vulgares: ángeles de cemento, arcos barrocos con purpurina y hojarasca de yeso. Pero a la derecha del átrio sorprendía de pronto una imagen de tamaño natural del Hijo del hombre, crucificado, tallada en una madera que tenía el mismo color de la carne humana.

Ese es el secreto del catolicismo, pensó Bernardo. Mientras puedan ofrecer esa imagen a la humanidad doliente, la iglesia de Roma vivirá. Un hombre desnudo, inocente, clavado en la cruz. Con esa imagen todos le decimos al oculto destino todopoderoso que nos trae y nos lleva: ahí estamos. ¿Nos ves? Eso haces con nosotros. ¿Por qué? ¿Para qué? Y cada cual busca sus explicaciones en vano y alrededor florecen las iglesias.

No pudo evitar Bernardo estas reflexiones al pasar frente al crucifijo. El padre Baltasar, que al parecer los estaba esperando, acudió acompañado de otro sacerdote que traía un cubo con hielo y refrescos.

Todo tenía ese aspecto vulgar y falto de gracia que cultivan algunas órdenes religiosas con el mismo amoroso cuidado con que las instituciones civiles cuidan la belleza y la armonía, es decir, el estilo.

Malinche fue directamente al asunto que la preocupaba y preguntó al padre Baltasar:

—¿Dónde está el padre Zozobra? Si, no ponga esa cara hipócrita porque esta mañana se ha conducido usted como un miserable.

Iba a decírselo a usted pero si se pone así . . .

—¿Qué es lo que iba a decirme?   .

—El padre Urbino está ahora en la celda punitiva.

—Vamos, dígame exactamente lo que sucedió.

El cura dudaba, pero no podía negarle nada a Malinche. Y contó lo sucedido sin omitir detalle. Al volver al monasterio

fue a ver al abad y le refirió las palabras de Malinche en las ruinas del bastión. Era el abad un hombre pálido, de ojos soñolientos. Dejó el breviario, llamó al padre Urbino y al verlo entrar, sin invitarle a sentarse, extendió la mano:
—Déme —dijo— la sagrada forma que lleva en el bolsillo.
—No la llevo en el bolsillo sino cerca de mi corazón —y señaló su propio pecho. Aquí.
—Démela.
—Si yo no merezco tenerla, tampoco usted merece recibirla.
El abad cerró los ojos, apoyó la cabeza en el muro, estuvo un momento en silencio, como si rezara y dijo después con voz suave:
—¿Por qué la lleva consigo, por qué va con ella a lugares impropios? ¿Por qué se embrutece y se embriaga y se revuelca por los suelos y hace oficios viles llevando consigo la sagrada forma? ¿No comprende que eso es sacrilegio?
El padre Zozobra no decía nada. Con el rostro pálido, el abad lo contemplaba. Un pequeño músculo le temblaba en la mejilla cerca de la nariz:
—¿Se niega usted a obedecerme?
—Si yo soy sacrílego también lo es usted. Todos los somos. Atrapamos a Dios o creemos atraparlo con la triste máquina del dogma y lo obligamos a perdonar a unos y castigar a otros mientras nosotros cobramos dinero, respeto social, autoridad, mando, oropel y aplauso. Sí, nosotros obligando a Dios a vender entradas a la puerta de un paraíso que ni siquiera sabemos si existe. El dinero de las entradas es para nosotros, claro. Dios cobra y los prelados parecen vigilarlo de reojo a ver si se guarda alguna moneda.
—¡Padre Urbino!...
—No, mejor padre Zozobra. Me gusta mi apodo. Somos la obra de Satanás. Y no nos queda más remedio que la expiación o la purificación por el dolor. La cauterización. En mi caso yo lo acepto sin vacilar. Teóricamente, porque luego la carne es la carne y la verdad es que todos somos cerdos. No seres humanos, sino cerdos.
En aquel momento pensaba el padre Zozobra que los ojos del padre prelado se parecían a los de Alguien.
El abad alargó la mano otra vez:
—Déme usted la sagrada forma que lleva en el pecho.
—El padre Zozobra negaba. El abad ordenó al padre Baltasar que temblaba junto a la puerta:
—Avise a los hermanos para que lo lleven una vez más a la celda de clausura.

—Bien —dijo el padre Zozobra con una resignación dudosa—. Me encierran ustedes en el nombre de Alguien. ¿Usted sabe quién es Alguien? No, pero yo sí que lo sé. Está en lo alto de la pirámide eclesiástica. En el ara de todas las iglesias. Puede quedarse con él, padre abad.

El padre Baltasar volvió con los dos hermanos y los tres llevaron al padre Zozobra al pabellón de clausura, cuyas puerta cerraron con llaves y barras. Pensando en aquello el padre Baltasar se sentía anonadado delante de Malinche, pero ¿que otra cosa podía hacer? Le hablaba humildemente.

—Señora . . .

Ella contestaba con sequedad:

—Se ha conducido usted como un vulgar delator.

Añadió otras palabras no menos duras que tomaban una fuerza tremenda en sus lindos labios. Malinche decidió marcharse. No quería estar al lado del que había denunciado a su amigo. El padre Baltasar escuchaba rojo hasta las orejas. Por fin, cuando pudo hablar, dijo:

—Señora, a veces yo sospecho que el padre Urbino va buscando precisamente . . . alguna forma de expiación. Se dan casos.

Pero Malinche se levantaba sin escucharlo y Bernardo la acompañaba en silencio sin saber la actitud que debía tomar. Trataba de mantener, sin embargo, cierta gravedad natural.

Fueron saliendo y el padre Baltasar los seguía mendigando de Malinche alguna palabra de amistad. Era como un perrito que trataba de merecer alguna caricia. Al llegar a la puerta pidió perdón una vez más y ella le dijo que tenía que ayudar al padre Zozobra y hacerle el encierro menos penoso. El padre Baltasar dudaba. Por un lado el abad, por otro Malinche. Y era ella tan hermosa que no podía menos de tener razón.

—Haré lo que usted quiera, señora —dijo por fin—. Yo llevaré al padre Urbino un aparatito de radio.

Bernardo se adelantó para disimular la risa, pero Malinche lo alcanzó a grandes pasos masculinos. Quedaba detrás el padre Baltasar lleno de una vergüenza viril que parecía, sin embargo, femenina.

Estuvieron las dos parejas vecinas el resto de la tarde charlando en el porche que circundaba la casa. Malinche no intervenía en la discusión sobre los curas de Aula Cœli. Entraba y salía. La oyeron telefonear al monasterio. Bernardo la observaba de reojo y la llamaba *papisa Juana*.

El cielo se iba haciendo color violeta. Lejos sonaba la campana ritual. Bernardo cargaba la pipa. No solía fumar sino

cuando estaba en casa y sentado cómodamente. El barman dijo una vez más:
—Todo ese ganado de Aula Cœli es una peste.
Malinche volvía con un papel en la mano, dando voces: "Una carta para Bernardo". La mujer del barman decía: "Correo del infierno".
Bernardo leía en voz alta: "Desde esta celda de punición le digo otra vez que Dios no tiene nada que ver con nuestra iglesia, con ninguna iglesia. Todos los curas estamos al servicio de Alguien. Yo trato de remediarlo, pero no sé como conseguirlo. Usted sabe cuál es mi debilidad, ¿verdad? Si le es posible haga algo por mí usando los buenos oficios del padre organista. No diga nada al padre Baltasar que, aunque inocente, está atrapado por la institución de las tinieblas". Añadía que en la soledad de la celda su perro ladraba y mordía más rabioso que nunca.
La carta del padre Zozobra decía también que el *century cactus* era un ejemplo y que el hombre justo debía dar antes de morir una flor de una belleza sombría que no entendiera nadie en la tierra.
Seguía Malinche defendiendo al padre Zozobra. Mostraba esa generosidad de las personas que no tienen sino motivos de gratitud para la naturaleza.
Bernardo quería también ayudar al padre Zozobra.
Salieron de paseo después de cenar. Todo estaba en sombras. No había luna. La aldea reposaba tranquila en las laderas de las colinas. Algunas ventanas iluminadas recordaban que aquellos pinares estaban habitados. Se oía lejos la campana de Aula Cœli llamando a la oración.
En el bar se pusieron a jugar a las cartas. Dos clientes arrojaban pezuelos emplumados a un cuadrante de corcho. La partida de cartas no duró mucho. Cuando volvieron a su casa Bernardo y Malinche encontraron en la puerta una nota del padre Baltasar dirigida a ella. Bernardo se la llevaba a la nariz y decía: "huele a incienso".
Malinche la leyó primero para sí y después en voz alta: "Estoy dispuesto, señora Malinche, a atenuar mi culpa y a hacer lo que pueda por el padre Zozobra. Una señora tan virtuosa como usted sólo puede querer el bien de sus semejantes". Bernardo sonreía pensando que todas las mujeres hermosas debían parecerle virtuosas al padre Baltasar. La carta seguía: "Iré mañana al mediodía si usted y su digno prometido no lo tienen a mal". Esto del *digno prometido* fue motivo de bromas.
Al día siguiente muy temprano, con el rocío en las hojas de

los pinos, llegó el padre Baltasar. Le dieron una botella para el pobre cura castigado y se fue con ella. No volvieron a pensar aquel día en el padre Zozobra, a quien suponían feliz. Al oscurecer volvieron a reunirse los cuatro en el porche como todas las tardes. Sucedió algo terrible en Aula Cœli. No se sabe si por descuido o deliberadamente, el padre Zozobra prendió fuego a la choza donde estaba encerrado. Era de troncos de pino muy bien ensamblados y barnizados y ardió como una antorcha. Estaba aislada en el extremo del parque. Formaba la choza ardiendo una hoguera en lo alto del perfil de la colina. El humo extendía por los alrededores un olor balsámico a terpinol y trementina. Los indios del poblado de Xerbes creyeron que aquel resplandor era un fenómeno mágico y comenzaron a tocar sus tambores.

Subieron al monasterio los cuatro amigos. El barman juraba indignado entre dientes: ¡esa gente va a incendiar el bosque y a acabar con todos nosotros! Subió con un hacha, derribó la puerta de la celda y contribuyó a apagar el fuego. Siempre el barman resolvía los problemas prácticos de Xerbes.

Cuando todos creían que el padre Zozobra estaba muerto, lo vieron salir con las ropas y el pelo ardiendo. Le arrojaron mantas encima y consiguieron apagarlo. Mugía sordamente.

Lo llevaron al hospital en una ambulancia que mugía también por las carreteras. El padre Zozobra tenía quemaduras en todas partes. Un mes más tarde le quitaron los ventajes de la cabeza y se vió que estaba casi ciego, sin nariz y con los ojos corroídos por el fuego. Mostraba siempre los dientes descubiertos como si sonriera. Así vivió y sigue viviendo. Los otros curas dicen que parece un hombre feliz. No ha vuelto a beber alcohol y de tarde en tarde le permiten celebrar su misa aunque en privado porque su rostro, con los dientes descubiertos y la nariz quemada, hace demasiada impresión a los fieles.

IV

EL LAGO

Poco después de acostarse oyó Ecatl en el bosque próximo el ruido de cortar madera. Se quedó escuchando y pensó: "Es Tezcatlipoca, el fantasma". Se vistió despacio, esperando que el ruido cesara. A veces dejaba de oirse, pero luego volvía con más fuerza. Ecatl salió de casa. La noche era muy oscura.

Sólo un hombre valiente se atrevería a acudir a la llamada de Tezcatlipoca. Ecatl no sabía si era valiente o cobarde, pero fue al bosque. Hacia la media noche se encontró en un claro entre los árboles. El ruido se oía a veces muy cerca. A veces, no tanto.

Cuando ya se cansaba de buscar Ecatl creyó ver un arbolito blanco que se movía y le gritó:

—¿Eres Tezcatlipoca?

El fantasma se escondía detrás de los árboles sin responder. Ecatl cruzó el claro del bosque. Tenía miedo. Pero comenzó a insultarlo:

—Eres el dios puto. El dios cobarde que por la noche viene al bosque a espantar.

Se lanzó sobre el fantasma y lo atrapó por una punta del vestido blanco. El fantasma tenía la cabeza cortada y en el pecho una ventana de dobles batientes que se abrían y cerraban con el viento, produciendo así el ruido de cortar madera. Ecatl había soltado el vestido blanco y metiendo la mano por la abertura del pecho, agarró al fantasma por el corazón. El fantasma decía con una voz muy fatigada:

—Gentil hombre, joven de grandes ánimos, ¿qué quieres?

Ecatl no sabía lo que quería, pero aseguraba más el corazón del fantasma entre los dedos. Los batientes de las ventanas del pecho le golpeaban el brazo. Otra vez Tezcatlipoca suplicaba:

—Suéltame, cojudito y te daré lo que quieras.

—No soltaba, Ecatl, ni sabía qué pedir. El fantasma aunque no tenía cabeza, hablaba: "Cata aquí esta espina de maguey".

—No soy guerrero —protestaba Ecatl—. No quiero la espina de maguey.

Le arrancó el corazón, lo envolvió en la camisa y salió huyendo por el bosque. Al llegar a casa Ecatl dejó el envoltorio junto a la ventana porque sabía que por la noche estaba prohibido mirar el corazón de Tezcatlipoca. Se acostó.

Ya no se oía el ruido de cortar madera, pero Ecatl no podía dormir pensando qué sería lo que encontraría al día siguiente en el envoltorio. ¿Encontraré un pedazo de carbón? Se decía. ¿O un trozo de manta sucia o un poco de harina de maíz? En ese caso el fantasma se habría burlado de él.

Con las primeras luces fue a mirar el envoltorio. Encontró una gema verde, una esmeralda, lo que era señal de buena suerte. Un poste que había delante de la puerta donde ponían tiempos atrás las cabezas de los sacrificados, hablaba: "Si te ha llamado "cojudito" y te ha dado la gema verde tienes que dejar tu casa y seguir monte arriba hasta encontrar el último lago". Ecatl preguntaba:

—¿Qué me espera en el último lago?

Nadie le respondía.

Ecatl salió de casa arrojando antes puñados de ceniza en el umbral para evitar que entraran los duentes tributarios de Tezcatlipoca. Los que gritan en las casas abandonadas:

Estos muros estaban vestidos
y en los rincones se quemaba ullí.
Aquí vivieron y fueron felices
hombres, mujeres y niños
y también arañitas cazadoras
las de la saliva venenosa.

Ecatl oía estas canciones al pasar delante de otras casas abandonadas y marchaba hacia el lago dejándose conducir por el olor del agua. Encontró un viejo sentado junto a un ahuehuete. El viejo preguntó:

—¿Adónde, tan ligero?

Dijo Ecatl que iba al lago. "¿A qué lago? Hay siete". Entonces Ecatl abrió la mano y mostró al viejo el corazón de Tezcatlipoca. El viejo comenzó a reír y a blasfemar.

—¿Por qué te ries? —preguntaba Ecatl.

El viejo se rascaba en la rodilla y decía:

—Pasarás por seis lagos antes de llegar al tuyo. ¿Quieres saber quién soy? Soy el primer Tezcatlipoca que hubo en el mundo.

Pero tenía cabeza. De día los Tezcatlipocas tenían cabeza.

Ecatl subió una pendiente y entró en un lago cuyas aguas eran azules como el cielo que en ellas se reflejaba. Sintió que la corriente lo arrastraba hacia la orilla opuesta. Al salir vió que conservaba la esmeralda en un nudo hecho con sus vestiduras. Encontró trescientos canutillos de caña rellenos de granos de oro. Pero una voz le decía:

—No debes poseer el oro, ni el cobre, ni la manta de plumas. Sentía Ecatl la luz sobre la piel como una lluvia implacable. La misma voz decía muy quedamente: "Si tomas el oro no podrás llegar al segundo lago". Ecatl olvidó los canutillos y fue al segundo lago sin correr. No quería correr nunca.

> *El caracol que sube por el tronco*
> *buscando la hoja verde.*
> *La hormiga de fuertes dientes*
> *que busca un agujero en la cabeza del muerto,*
> *las bestias de la noche,*
> *todos me empujan hacia el segundo lago.*

Una fruta colgaba de una rama y Ecatl fue a arrancarla, pero la misma voz le dijo: "Déjala como está". Sin arrancarla, había comenzado a clavar en ella los dientes y sentía un sabor agridulce como el de la médula del conejo cuando lo comía frío y sin cocer. Con pena dejó allí la fruta y siguió. Más tarde oyó millares de pájaros que se pusieron a cantar en otro árbol. La primera impresión fue como si el árbol se incendiara.

En el segundo lago el agua era verde y reflejaba quietos los pájaros que pasaban volando .En el aire, volaban, pero en el fondo del agua se los veía inmóviles. Le pareció que el lago estaba lleno de mujeres desnudas. Los objetos no brillaban como en el lago primero, la luz era más tenue. La voz decía:

> *Todo es curva caliente*
> *en la mujer, todo es curva*
> *para tus manos osadas*
> *que arrancaron el corazón*
> *de Tezcatlipoca el sarnosito.*

Vió delante una mujer desnuda que reía nadando y escapaba blandamente. Aunque reía, tenía los ojos muertos, del color de la esmeralda de Tezcatlipoco. Con el pie le arrojaba agua a la cara. Su cabello aunque mojado no era lacio sino que quedaba crispado como si fuera de finos alambres.

La voz decía: "Este es el lago de las formas indecisas. Sígueme". Ecatl cerraba los ojos y seguía andando bajo el agua con un esfuerzo mayor a cada paso. Cuando llegó a la otra orilla salió con dificultad.

Ya en tierra se volvió a mirar. La mujer desnuda era gris y se deshacía flotando entre las espumas.

Anduvo Ecatl durante cuatro días sin hallar el tercer lago. El camino subía siempre y Ecatl cruzaba espacios llanos cubiertos de césped y también —podría decirse— de silencio. Mirando las llanuras que se tendían a sus pies había dicho: "Quiero ser un día dueño del valle". Y al acabar de decirlo vió que una iguana colgada de un árbol le escupía. No se limpió. Siguió andando y dos días después llegó al tercer lago.

Era amarillo. Las aguas parecían cristales de azufre que se movían helados bajo el sol. Entró y cuando estuvo en el centro vió que en el fondo del lago se traslucían las llanuras del valle y el ir y venir de la gente por los caminos. La voz le decía:

—Ecatl, devasta los bosques, encadena a los pueblos, ata a los poderosos entre sí con la mentira y el temor y busca en la tierra el lugar de los homenajes.

Vacilaba Ecatl diciéndose entre dientes: "Tengo que seguir adelante porque todos, hasta los que no me conocen, me aguardan en el séptimo lago". El camino era más áspero que antes y tenía la impresión de que a medida que renunciaba a nuevas tentaciones el sol era también más pálido. Cuando llegó al cuarto lago no sabía si aquello era agua o fuego. La voz le dijo: "No es agua ni es fuego. Es el sudor acumulado de los tezcatlipocas mugrientos que duermen en el valle".

Cerró los ojos, pero lo veía todo y su inteligencia se hacía tan penetrante que tenía miedo. Entró en el lago y no sentía en la piel ni frío ni calor. La sensación de los pies en el fondo tampoco la percibía. El lago era grande. Estaba ya en el centro cuando los árboles de las orillas desaparecieron y el aire, el fuego e incluso su cuerpo eran una misma cosa.

No se oían voces y en el aire había peces amarillos y en el agua animales de cuatro patas y cabeza baja. Un pez se lo quedó mirando muy cerca y alguien le dijo: "Es demasiado. ¿qué quieres, ahora?" Ecatl callaba y aquella voz insistía: "¿Por qué no tomaste el oro ni completaste las formas ni ejerciste el poder?" Ecatl mostró la esmeralda que llevaba en la mano y dijo que buscaba el último lago.

Oía un ruido lejano y marchó en aquella dirección porque todas las cosas comenzaban a tener otra vez sentido. Había andado medio día cuando la voz le dijo: "No sigas el camino de los ruidos temerosos porque ya lo hiciste la primera noche cuando fuiste al bosque con una valentía grande llena de pequeños temores". Pero Ecatl seguía caminando en la dirección del ruido. Se preguntaba:

—¿Será el ruido de un coyote que da cabezadas contra el tronco de un árbol? ¿O el ruido de otro tezcatlipoca sin cabeza? Pero aquí no hay bosque. Ni es de noche.

Vió un pájaro blanco que volaba delante y cada vez que se posaba en tierra alzaba y bajaba el rabo tres veces. Lo siguió durante un día y medio, diciéndose: "ese es el ave payasa de estos montes".

Fue a parar a un ancho valle que estaba en sombras. El sol era en lo alto un disco amarillo que no daba luz. "Son las bodas de Tonatio con Tonatzin", pensó. Había un lago en el fondo del valle y fue bajando sin detenerse hasta sentir el agua en las piernas y en las ingles. El agua era tan espesa que parecía mercurio. Cada partícula del cuerpo de Ecatl era como un pequeño sol que lucía sobre todo alrededor de la espina de cacto que llevaba clavada en un muslo.

Había hombres a un lado, todos en fila, con máscaras hechas de corteza de abedul. Sin que hablaran, Ecatl comprendía lo que pensaban y sentían, pero se preguntaba: "¿Por qué no hablan?" Una voz le respondía: "Hablan a su manera, pero no es necesario que tú los oigas. Ni las palabras de los enmascarados, ni la tos del coyote, ni la brama del ciervo". Aquellos hombres con máscara parecían decir a Ecatl: "Quétate aquí y expresa con tu boca la esencia de las cosas pequeñas". Ecatl se decía: ¿Para qué?

Pasado aquel lago Ecatl pensaba "El césped es verde cuando yo lo miro, pero cuando cierro los ojos ¿cómo es? El cielo es malva cuando alzo la cara, pero cuando miro mis pies ¿de qué color es el cielo?" Comprendió que aquellas cosas aparentemente simples no podría averiguarlas nunca. Y siguió su camino pensando que comenzaba a expresar sin querer la esencia de las cosas pequeñas.

Decidió no pensar en nada, pero todo él era pensamiento. No decir nada, pero todo él era expresión. Sólo sentía (en cuanto a las aficiones del sentir) una especie de amor sin objeto y sin causa. La sensación de poderlo todo y de renunciar a todo adquiriendo nuevo poder con cada renuncia, le embriagaba.

El sexto lago se extendía delante. Había pequeñas olas con espuma. Alguien decía:

Paso, pasito, sin atajito . . .

Ecatl no sabía qué hacer. La voz grotesca que decía: "paso, pasito . . ." le ordenó: "Haz el encanto del mundo, pero no retengas a nadie cautivo por la belleza de tu alma". Ecatl comprendía aquello, pero le habría gustado saber quién era el que hablaba. No podía imaginarlo. Tuvo que entrar en aquellas aguas negras y suponiendo que la voz llegaba del centro del lago, fue en aquella dirección. No había nadie en ninguna parte. Salió por la orilla contraria.

Pasó a la pata coja —se había herido un pie —por un desfiladero que atravesaba una cresta montañosa— y al llegar al otro lado encontró los caminos llenos de campesinos que iban y venían como regueros de hormigas.

Fue bajando y en el centro del valle vió otro lago. Alrededor había muchas viviendas pobres y algunos palacios. En un extremo un oratorio y en cada grada diferentes sacerdotes sentados. La voz de antes le decía: "Míralos. Todos están comiendo hígado crudo".

No podía Ecatl mirar al hombre, a la mujer, al niño, al anciano, sin sentirse en la situación física y moral de aquél a quien miraba.

—¿Qué me miras? —preguntó un viejo que pasaba.

—Eres el primer Tezcatlipoca que hubo en el mundo. Pero ¿por qué tienes cabeza? ¿De quién es esa cabeza que tienes?

El viejo se detuvo:

—Es verdad. Debajo de este vestido blanco tengo una ventana de madera que el viento abre y cierra por la noche. Mi cabeza es falsa. Cuando se acabe la luz del día la dejaré en la cueva del pescador. Y entonces las maderas de mi pecho golpearán y se oirá un ruido como el del hacha del leñador sobre el tronco.

Se marchó y se perdió entre la gente. Pero cantaba entre dientes y su canción decía:

> *El joven no puede ya con su hambre*
> *ni el viejo con su dolor,*
> *La mujer no quiere la cabeza del hombre*
> *la de ese hombre sobre su pecho*
> *mientras se oiga lejos*
> *el ruido de cortar madera.*

Veía Ecatl a otro viejo rascarse el pecho al sol. Se rascaba y gemía de placer. Ecatl amaba a la gente hermosa y también a la sucia y miserable. Amaba el bien y el mal. Lo amaba todo sin causa y vió que los otros se daban cuenta. Con sus miradas le decían las mujeres:

> *Las muchachas casaderas*
> *y las vírgenes todas y aquellas*

*que perdieron sus maridos
piensan en sus bocas pares
una vertical y otra horizontal
cuando te miran a ti.*

Ecatl las veía pasar y suspiraba lleno de presentimientos. "Va a sucederme algo —pensaba— que no sé lo que es. Que nadie sabe lo que es". Una viejecilla desdentada bailaba delante de él y decía a un hombre que pasaba:

—No pienses en el desvío de tus hijos, cornudito. No pienses en la fealdad de tu mujer.

El hombre se detenía frente a Ecatl y preguntaba qué podría hacer.

—Si esta noche oyes el ruido de cortar madera —dijo Ecatl— sal de tu casa, persigue al fantasma. Cuando lo alcances quítale el corazón con las uñas y huye por los montes. Si se te clava una espina de maguey en el muslo no la arranques.

Al oscurecer la gente fue retirándose y se quedó solo y sin saber adónde ir. Una voz interior le decía: "Renuncia todavía". ¿Renunciar? ¿A qué? Los que le hablaban desde fuera no le aclaraban aquellas dudas interiores porque sólo le decían medias palabras.

Pasó un hombre vestido con mantas riquísimas de pluma y le dijo que lo siguiera.

—¿Para qué?

—Tú vienes de lejos. Y por la expresión de tu cara veo que sientes mis propios sentimientos y que podrías hablar mis propias palabras.

—Pero, ¿y qué?

—Y los sentimientos de todos los que habitan alrededor del lago y las palabras de los habitantes de los siete valles. Ven conmigo.

Lo llevó a su palacio que estaba lleno de sacerdotes. Todos lo conocían por haber oído hablar de él. El más joven sacó de un armario dos flautas de caña y se las dió. Luego le dió también un manojo de plumas amarillas y rojas y otro de conchas de la mar. Un sacerdote se levantó y le digo que acababa de ser elegido para el sacrificio.

Al día siguiente salió de la casa con una pequeña corona de flores y vestido de ricas y ligeras mantas de pluma de colibrí. Llevaba una de las flautas en los labios. A su paso todos se inclinaban y tocaban la tierra con la palma de las manos. Algunos lo seguían sin decir nada. La voz interior le decía, todavía: "Renuncia y sálvate". Salvarse de qué? Por la noche oía ruido de cortar madera en el lugar del bosque hacia donde se había marchado el viejo Tezcatlipoca.

Decía la gente a su paso: "Es el joven del sacrificio". Entraba Ecatl en cualquier casa y lo mismo los ministros del emperador que la gente más pobre, se desvivían para ofrecerle el mejor lugar: "Aquí, aquí, mancebito caminador", le decían.

Veintitrés días después fueron a buscarle, lo llevaron al oratorio, subió lentamente las gradas. Un sacerdote le iba dando nuevas flautas de caña y en cada peldaño rompía una y la dejaba caer. Los pedazos los recogía la gente, como reliquias.

Al llegar arriba Ecatl fue tendido todo largo en un repalmar. La sangre salió a borbotones de su pecho bajo la cuchilla de obsidiana. Murió sin un gemido, sin un grito, por cuya razón los sacerdotes hicieron augurios optimistas. La voz le dijo:

—Has retenido a los hombres cautivos por la belleza de tu alma aquí, en el séptimo lago. Por eso ahora tu sangre baja, haciendo gargarinetas en los hoyos de las piedras del cu.

Desde entonces, la gente lo invoca por la noche cuando oye al otro lado de las ventanas un ruido como si alguien estuviera golpeando con un hacha sobre un madero. La oración comienza siempre de la misma manera: "Ecatl, Ecatl, que despiertas por la noche, Ecatl el cojudito, el caminadorcito . . ."

V

LA TERRAZA

Había en casa de Miss Slingsby un perro que tenía un collar de nácar, un gato siamés castrado y un loro que sabía decir a las visitas "come again" cuando se iban. Para Miss Slingsby estos tres animales representaban la naturaleza.

Pero Miss Slingsby se murió. Ella que odiaba tanto los extremos, había preferido dar la impresión de que se moría sólo un poquito, pero se murió del todo y para siempre. Cuatro días después los restos de Miss Slingsby habían sido incinerados y sobre la chimenea de jaspe al lado del reloj de Dresden había una cajita de oro donde se leía: *"Ellen Slingsby.-1887-1945.- Laus Deo"*. Al pie de esta inscripción estaba el nombre de la empresa que había hecho la cremación: "Los Ambitos Elíseos, Inc.".

Cuando la cocinera fue a buscar las cenizas un empleado le advirtió que acostumbraban guardarlas hasta que estaban frías. De otro modo mientras se enfriaban algunas partículas saltaban dentro de la caja y producían rumores. Las personas sensitivas relacionaban aquellos rumores con el alma del muerto. La cocinera dijo que no importaba y se llevó las cenizas tibias aún de Miss Slingsby.

Hacia el mediodía llegó a casa el abogado Mr. Arner, hombre de media edad, rubio y flaco, con una silueta que recordaba un poco la del canguro. Se limpió las suelas en el felpudo mientras le abrían.

La casa estaba en silencio. Mr. Arner sacó una tarjeta de visita y la ofreció a la doncella. Esta leyó: *"Froilan Arner, attorney at law"*. Pasó la tarjeta a la cocinera y ella al chofer, quien no sabiendo qué hacer, la devolvió al abogado. Este debía ser hombre de hábitos ordenados y volvió a guardarla en su tarjetero. Luego se sentó, se sonó las narices, excusándose, abrió su cartera y dijo:

—Deben hallarse presentes también el perro, el gato y el loro.

Salieron a buscarlos y volvieron con ellos. El *attorney* preguntó:

—¿Este perro se llama Merlín?

Al oir su nombre el perro quiso mover el rabo, pero como no lo tenía comenzó a mover con una discreta aceleración los cuartos traseros.

—¿Este gato es el llamado David?

El gato volvió la cabeza y contempló al *attorney* sin gran interés.

—¿Este loro es el llamado George?

El loro gritó:

—Come again!

Dijo Mr. Arner que iba a leer el testamento. La doncella estaba sentada al borde de la silla, los pies cruzados, las rodillas juntas y desviadas hacia un lado. El chofer la contemplaba pensando: parece una dama.

En el silencio, el gato oía a veces un rumor en alguna parte, levantaba las orejas y miraba alrededor intrigado. La cocinera sospechaba que oía las cenizas dentro de la caja.

Mr. Arner leía el preámbulo y después la parte ejecutiva del testamento. "Al perro Merlín que no vivirá probablemente más de siete años, le dejo diez mil dólares. Al gato David, que puede vivir también seis o siete, le dejo quince mil. En cuanto al loro George, cuya vida puede aún prolongarse más de cuarenta años, le dejo treinta mil dólares. Estas cantidades deben ser dedicadas a gastos de veterinario si es necesario y también de instalación y entretenimiento ya que los gastos generales de la casa, que seguirá atendida por la doncella mientras viva alguno de los tres animales, están previstos en el apartado B 3. Recomiendo la renovación frecuente del decorado tropical del salón de bridge donde el loro se siente tan feliz y sugiero que se le haga olvidar la frase *come again* y aprenda otra más adecuada a las nuevas circunstancias de su vida". Al oir su nombre el loro repitió aquella expresión y la acompañó de un ligero gorjeo.

El chofer esperaba que la doncella lo mirara, pero ella se daba cuenta y seguía mirando "a ninguna parte" y pensando qué frase nueva le enseñarían a George.

Siguió Mr. Arner leyendo: "Dejo a los sirvientes por su orden las siguientes cantidades: A Jane, doncella, 10 mil dólares. A Herbert, chofer, 500 dólares. (El chofer dejó escapar una exclamación de disgusto bastante impertinente y los demás contuvieron el aliento). A Berta, cocinera, ocho mil dólares".

El chofer comenzó a preguntarse: ¿por qué quinientos dólares a mí? No encontraba las razones de una diferencia tan injusta. Pero Mr. Arner seguía leyendo: "Al sanatorio de enfermedades mentales de la Avenida Coronado N.E. doscientos mil dólares que serán distribuídos como sigue: cincuenta mil para la construcción de una capilla dedicada al culto de la iglesia de mis abuelos. El resto para pagar los gastos de una fiesta que se celebrará cada mes en dicho sanatorio. Es mi deseo que se celebre una fiesta mensual para los enfermos mentales del sexo masculino con baile, al que asistirán algunas muchachas de la ciudad y al que deberán asistir las mujeres que constituyen la servidumbre de mi casa. Otra fiesta para las mujeres a la que serán invitados los hombres. Espero que asistirá Herbert el chofer. Con estas fiestas quiero dar a los pobres enfermos un poco de vida social que haga más llevadera su triste condición.

"Depositario y administrador de estos fondos será Mr. Froilan Arner".

El testamento causó sensación. La doncella miró a través de las ventanas los altos muros de cemento que se veían detrás del barrio residential y la terraza que los dominaba. Allí estaba el sanatorio. "Para qué querrá Miss Slingsby que bailen los locos?" se preguntaba.

Terminó el notario la lectura y se levantó dispuesto a marcharse. Al abrir la puerta se oyó al loro gritar: *Come again.* La doncella le ordenó silencio con el dedo en los labios. Después miró a los demás y preguntó:

—¿Qué frase nueva le enseñaremos?

La cocinera propuso, con los ojos bajos, un lema piadoso: *descanse en paz.* Herbert uno patriótico: *¡Viva Massachussets!* que era la tierra natal de Miss Slingsby aunque había vivido siempre en Cíbola.

Se acodó en la mesa la cocinera, pensando que la señora la obligaba a bailar una vez cada mes con los locos del sanatorio. No sabía qué sentido dar a aquel deseo de la señora. Se levantó, suspiró tomó la cajita de la repisa de la chimenea con las dos manos como se toma un objeto sagrado y se dispuso a salir. En la calle encontró a un sacerdote quien le preguntó con acento dolido si estaba todavía en la casa el cuerpo de la pobre señora. La cocinera mostró su bolso de mano y dijo: "No, pobrecita, la llevo aquí".

Fue a la iglesia que estaba cerca, pensando otra vez: Dios me perdone, pero ¿qué necesidad tienen los locos de bailar?

Media hora después, cuando volvía a casa sorprendió a la doncella sentada en las rodillas del chofer, quien con su brazo la rodeaba la cintura. La doncella asustada se levantó, fue a gritar y cubriéndose la boca con la mano echó a correr en dirección al jardín. Detrás iba el chofer suplicante, detrás todavía el perro Merlín, ladrando.

Herbert y la doncella se casaron tres semanas más tarde. La cocinera pensaba: esto le habría gustado a Miss Slingsby.

Dos meses después se organizó el primer baile en el sanatorio. El director Dr. Smith presentó el presupuesto antes de la fiesta y Arner dió el cheque. Lo único que había que pagar era una orquesta y la cena fría se ofrecía a los invitados. La voluntad de Miss Slingsby se cumplía. Mr. Arner pensaba que los ciento cincuenta mil dólares que le quedaban después de dar cincuenta mil para la construcción de la capilla, bien administrados podrían dar el cinco por cien anual, es decir, siete mil quinientos. Y cavilaba.

No pensaba ir al baile, pero sentía cierta curiosidad por las mujeres que padecían trastornos mentales, sobre todo, si eran jóvenes y bonitas. Esa curiosidad no llegaba a ser malsana. Fue al sanatorio. La noche se anunciaba fresca y dulce. Estaba en el cielo la luna amarillenta del desierto. Del desierto de Cíbola.

Al entrar en el zaguán y verse rodeado de mármoles sobre los cuales resbalaba delicadamente su propia sombra recordó que se había hecho encerar los zapatos y cortar el pelo, detalles importantes cuando se va a una fiesta aunque sea una fiesta de locos.

Avanzaba hundiendo los pies en la alfombra y pensando en la pobre Miss Slingsby que después de muerta, quería que los locos bailaran.

Era un lugar de veras agradable. Mármoles que no eran mármoles, alfombras de fibra de coco que no era coco, lienzos murales de aluminio que no era aluminio. Pero todo limpio y en orden. En el aire le salía a recibir un olor que no era el de los hospitales sino el olor de cera del pavimento unido al de la hierba cortada del parque.

Por un momento pensó que, gracias a Miss Slingsby y a él, los pobres enfermos del sanatorio iban a tener una velada amable. Se sentía Arner instrumento de la providencia.

En el ascensor encontró al director, Dr. Smith. Un médico de cincuenta años con ideas modernas, aunque solía hablar de ellas como si no estuviera muy seguro. Había otras personas en el ascensor, entre ellas, ese buen burgués de aire germánico y gafas de oro que suele haber en los ascensores y que mientras sube parece pensar: "vean ustedes como me estoy elevando por mis propios méritos".

—¿En qué parte del edificio es el baile? —preguntó Arner.

—En la terraza —dijo el director, saludando al mismo tiempo con un movimiento de cabeza a otro invitado.

Tenía el director un perfil que recordaba el de algunos pájaros pescadores. Al detenerse el ascensor las puertas se abrieron sin ruido. Salieron a un corredor igual que el de la planta baja. Arner dijo que conocía el nombre de una de las pacientes: Matilde Strolheim. Había sido amigo de su marido, un aviador que se había dado a conocer en la segunda guerra mundial. Todavía volaba de vez en cuando en aviones turbomotores. Era bastante rico, Strolheim. Pensando en la riqueza del aviador se decía Arner si sería bueno comprar acciones de Transportes Aéreos con el dinero de Miss Slingsby.

Miraba hacia la terraza y oía decir al director: "Sí, Matilde Strolheim. ¿Ve usted? La fiesta es al aire libre y así la gente puede fumar. Pero —añadió— yo no creo mucho en la eficacia de estas cosas".

Era grande la terraza y sobre la balaustrada había una red metálica. Preguntó Arner en voz baja si todas las mujeres que había allí estaban locas y el director respondió:

—En todo caso, sólo vienen a la fiesta las que están tranquilas, no se preocupe.

—No, yo no me preocupo —se apresuró a decir Arner.

—Y no diga la palabra "locas" aquí. No son locas. Son enfermas.

Todo parecía natural y sin violencia. Lo único inusual era el silencio. Parecía que estaban en un templo. La música rompía aquel silencio de pronto y aligeraba la atmósfera. Tenían miedo las pacientes a sus propios nervios y bajaban la voz. Por contagio los hombres hacían lo mismo. Estos eran gente de la ciudad seleccionada cuidadosamente antes de enviarles las invitaciones.

—Dicen que ustedes los psiquiatras —aventuró Arner— son un poco anormales también. ¿Es verdad?

—Sí —rió el doctor—. El hecho de elegir esta profesión parece ser un indicio.

—¿Un síntoma?

—No, no. Sólo un indicio.

La música tocaba en un pequeño estrado.

—Los instrumentos de percusión —dijo el director— son excitantes. En cambio, los instrumentos de cuerda son sedantes y tranquilizadores.

Todo era en la terraza gris y neutro. Un invitado se acercó al Dr. Smith y dijo:

—Mañana voy a San Francisco. Usted sabe que tengo el

corazón un poco . . . ¿usted cree que puedo volar? Lo digo porque hay gente que se muere a veces en los aviones.

—También los hay que se mueren en la cama —dijo el médico alzando su cabeza de pájaro.

Siguió el invitado terraza adelante. El *attorney* Arner pensó: "No creía que el doctor Smith tuviera sentido de humor". Preguntó si asistía al baile el chofer de Miss Slingsby y el director dijo que sí. Luego Mr. Arner quiso saber cuál de las pacientes era Mrs. Strolheim y el médico dijo:

—Esa que está al lado derecho de la pista de baile y ahora se lleva la mano al collar. No la mire. Ya se ha dado cuenta de que hablamos de ella.

En la mesa de al lado de Matilde había otra enferma llorando como una niña y una *nurse* la tranquilizaba, le ofrecía un cigarrillo y se lo encendía. Preguntó Arner:

—¿Se conducen razonablemente?

—Sí, no se preocupe.

—Ya le dije antes que yo no me preocupo, doctor.

El aire de la terraza era al nivel de las mesas, el mismo aire quieto de las habitaciones interiores. Un poco más arriba pasaban las brisas salvajes de la intemperie.

Había muchas mesitas diseminadas por la terraza, cada una con su pequeña lámpara. Aquellas luces bajo la palidez declinante de la tarde tenían una fluidez fría. En el centro de la terraza se veía la pista de baile limpia y encerada. Al fondo una enfermera preparaba refrescos detrás de una ancha mesa cubierta con un mantel.

El *attorney* curioseaba discretamente jugando a discriminar las locas que mostraban señales exteriores de las que parecían normales por completo. De vez en cuando los ojos de Arner buscaban la noble figura solitaria de Matilde.

Recordaba el *attorney* que los árabes consideran al loco como un ser sobrenatural y lo veneran y reverencian. Mirando a algunas de las mujeres veía que sus expresiones se hacían más dulces bajo la influencia del vals que tocaba la orquesta. Aquellas mujeres locas despertaban en él, aunque no era árabe, una vaga inclinación supersticiosa.

Creía ver Arner a Miss Slingsgy —su amable espectro— en el centro de la pista presidiendo el baile con su bastón de plata.

Por encima de la terraza había un cielo violeta inmenso y alguna estrella. La luna se ocultaba detrás del alto muro donde se alzaba la antena de la televisión.

Veía Arner en algunas mujeres una taciturnidad animal. Lo

dijo y el Dr. Smith le respondió que sí, que la vida instintiva era muy fuerte en aquellas enfermas.

—Más que en usted y en mí, —añadió.

—¿Qué sabe el Dr. Smith de mi vida instintiva? —se preguntó Arner un poco incómodo. Y pensó otra vez en lo que podría hacer con el dinero de Miss Slingsby. No le parecía bien tenerlo inmovilizado en el banco.

Las ideas financieras de Arner eran a veces muy originales y no se atrevía a exponerlas a sus amigos banqueros.

Años atrás se le ocurrió que sería un gran éxito fabricar máscaras de delicada y fina piel artificial reproduciendo los rasgos de las estrellas de cine. Todos los hombres están enamorados de alguna estrella de la pantalla. La máscara de esa heroína sobre el rostro de la esposa, en ocasiones, sería encantadora. Cada vez que lo pensaba, se avergonzaba un poco y se decía: "Eso es una perversidad. Es como racionalizar hipócritamente el adulterio". Lo rechazaba, pero la semilla quedaba en su mente.

Era ya de noche. Sobre la balaustrada se veían los largueros verticales que sostenían la red metálica. Al rematar en la altura, volvían esos largueros hacia adentro para evitar que si alguien trepaba por la red pudiera asomarse fuera y tal vez caerse o arrojarse deliberadamente a la calle.

Los reflejos de las lamparitas de las mesas coloreaban la red de rojo y amarillo.

Se sentaron el Dr. Smith y el *attorney* cerca de la pista. Mr. Arner miraba con alguna insistencia a Matilde y al darse cuenta ella, le devolvió la mirada natural y amistosamente. Tenía aquella mujer un rostro ovalado y puro, el color de la piel cálido y los ojos anchos y azules. El médico dijo:

—Creo que debe usted bailar con ella.

Sacó Arner a bailar a Matilde. Ella era un poco rígida a pesar de su juventud y no se la podía conducir bien. Decidió Arner dejarle a ella la iniciativa, pero tampoco se entendían. Entonces él se excusó y dijo riendo: "¿Quiere usted ser buena muchacha y obedecerme?" Ella sonrió: "Yo estoy siempre deseando obedecer. Al menos desde que me trajeron aquí".

—¿Antes, no?

—Eso dicen. Pero ahora soy buena muchacha.

Pasó cerca de ellos el director y aduló a Arner:

—Eh, doctor. ¿Dónde, diablos, aprendió a bailar tan bien?

Algunos llamaban doctor a Arner porque tenía un Ph.D. de Yale. Pero Matilde lo entendió mal:

—En cuanto lo vi a usted me di cuenta de que era un médico —dijo.

Arner no se atrevió a desengañarla. Una guedeja de ella agitada por la brisa cosquilleaba en la frente de Arner recordándole que estaban al aire libre. Matilde añadía:

—Me gustan más los médicos de fuera del sanatorio que los de dentro.

—Es natural, supongo.

—No tan natural. Pero en realidad, los del sanatorio no son humanos. El director Smith parece uno de esos pájaros disecados que hay en los museos. Y perdone la extravagancia, pero es verdad.

—Sí, un pájaro pescador —dijo Arner.

La orquesta tocaba en aquel momento ténuemente, en sordina y Arner callaba. No se oía una voz en la terraza y el *attorney* se decía que era verdad que el director parecía un ave. Pero ¿por qué disecada?

En aquel momento el director estaba ojeando papeles que había sacado de una pequeña cartera y se había puesto un momento en los labios un lápiz de plata, atravesado. Parecía el perfil de un ave con su pez en el pico.

Arner y Matilde seguían bailando. La punta colgante de un mantel ondeando con la brisa daba una sensación de abandono placentero. Matilde hablaba:

—Puesto que es usted doctor, voy a hacerle una confidencia.

Iba Arner a decirle que no era doctor, es decir, médico, pero ella volvía a hablar:

—Yo no estoy loca.

Arner se puso a hablar de los errores de la ciencia. Ella negaba con la cabeza:

—No, no es eso. En realidad soy una enferma como las otras, pero en este momento estoy tan sana como usted. Sólo estoy loca durante tres o cuatro días cada mes. A un doctor se le puede decir todo, ¿verdad? Sólo estoy loca los días *lunares*.

Arner pensaba que aquel era el primer malentendido de la noche. Era inevitable en una fiesta de enfermos mentales y eso de los días lunares debían decirlo las enfermeras y los médicos. La miró a los ojos y vio en ella una inmensa confianza. En aquel momento oyó un eco —el eco de la orquesta— en algún lugar lejano de la terraza, en algún repliegue de la alta noche.

Esperaba Matilde que Arner dijera algo.

—¿No le parece rara mi enfermedad? —preguntó.

—No. No creo que sea una verdadera enfermedad la suya —aventuró Arner.

Parecía ella ofendida por las palabras de Arner:

—¿Que no? Usted no me ha visto cuando me dan esas crisis. Cuando llegan los días lunares es como si cayera en un pozo oscuro. Y no hay quién me aguante. Parece que todo se acaba a mi alrededor y que no voy a volver a ver la luz ya nunca. Comprendo que usted quiera ayudarme y por eso me dice que no estoy enferma. Debe ser difícil para ustedes los médicos venir a una fiesta como esta y hablar con nosotras, porque quieren hacernos creer que somos normales y eso es piadoso, pero es también un poco ridículo y según dice el Dr. Smith, es contraindicado. Se puede engañar a una persona normal, pero a un loco es más difícil. De veras. La naturaleza da alguna compensación. Nos quita la inteligencia, pero nos da destellos de genio de vez en cuando. Y en esos destellos vemos más que ustedes, creo yo. Y adivinamos, a veces, las cosas ocultas.

La sonrisa de Matilde revelaba que la locura podía ser también ocasionalmente un estado de gracia. Arner sonreía tontamente y pensaba: esta muchacha no necesita ponerse la máscara de ninguna heroína de cine para ser seductora.

Iba y venía por la terraza un murciélago. Arner se decía: "parece que hay dos murciélagos, pero es sólo uno y su sombra". Y preguntó:

—¿Tan mal se siente en esos días lunares?

—No puede usted imaginarlo. Tienen que ponerme una camisa de fuerza y llevarme a una habitación con el suelo y las paredes acolchadas.

Callaba Arner impresionado y pensó de pronto que podía ser verdad lo que la gente decía de Matilde. Decían que había intentado matar a su segundo esposo. Matilde seguía hablando:

—Aquí donde me ve usted, tan razonable, cuando caigo en una de esas crisis me convierto en una bestia. Una vez me abrí una vena con los dientes y desde entonces me ponen la camisa de fuerza. Así y todo . . . Otra vez me mordí la lengua, me hice una herida. ¿No ve usted que algunas palabras no puedo pronunciarlas? De la erre hago ele y de la ese, zeda. Hablo muy confuso, doctor.

Declaró Arner que aquello hacía su pronunciación graciosa e infantil. Ella lo agradeció con una mirada y el *attorney* siguió:

—Yo creo de veras que usted no está enferma. Es verdad que ahora no hablo como médico sino sólo como un hermano mayor. Lo que le sucede a usted en los días lunares es más natural que la tranquilidad de las mujeres llamadas normales. Lo digo en serio. Sus reacciones responden a una lógica superior a lo común y ordinario.

Hablaba mirando de lejos al director que seguía con su pez en el pico. Pero tenía en sus brazos a Matilde y pensaba: "Esta mujer me aturde. Yo digo estas cosas al azar, pero en el fondo hay algo verdadero. La naturaleza no suele equivocarse. Se equivocan los hombres. Matilde no tiene hijos. Sin embargo, es una mujer que nació sólo para tenerlos. Desde que entró en la pubertad debió ser fecundada. La naturaleza le dió ese cuerpo, ese calor limpio y apelador en los labios, esa promesa quieta en los ojos. Ninguno de su óvulos, de sus posibilidades de ser fecundada, debió perderse". Y Arner se preguntaba qué pudo haber pasado con Bob, su segundo marido, es decir, qué habría de verdad en la historia del envenenamiento. Porque decían que lo había querido envenenar. Ella miraba a los ojos de Arner esperando que siguiera hablando:

—Su desarreglo nervioso —comenzó otra vez él— es una manifestación normal del orden de la naturaleza. Quiero decir, Mrs. Strolheim, que un óvulo que se pierde puede representar, en cierto modo, la esperanza fallida de esta humanidad a la que pertenecemos y tal vez del orbe mismo en el que estamos. La cosa parece ligera y trivial, pero puede ser grave. De veras, Mrs. Strolheim, puede ser tremenda.

Escuchaba ella con una serenidad de doble fondo. Arner comenzó a repetir sus palabras, pero ella lo interrumpió:

—Ya entiendo. Y si eso es verdad ¿qué quiere la naturaleza de mí? ¿Por qué protesta conmigo de esa manera? ¿Por qué conmigo y no con otras mujeres?

Pensó Arner un momento que su industria de las máscaras seductoras sería tal vez inmoral. Más que una perversidad: una aberración.

Matilde repetía su pregunta y se sentía Arner cohibido por aquella necesidad de exactitud:

—¿Quién sabe, Mrs. Strolheim? En el caso de haber sido fecundada, quizás habría nacido de usted un hombre extraordinario. Un ser excepcional. Tal vez el hombre que la humanidad necesita hace años. Que la humanidad entera necesita y espera hace siglos.

Arner se exaltaba y Matilde creía que era porque le impresionaba su caso clínico y no su belleza.

—¿Usted cree, doctor? Nadie me había hablado nunca como usted —dijo ella tímida y atenta— ¿Qué es lo que espera de mí el orbe? ¿No dice usted que espera algo?

—Un hijo. Un hombre nuevo. Su hijo podría traer la solución.
—¿Qué solución?
—Siempre la humanidad necesita una solución.
—¿Pero cuál?

Tampoco se había sentido nunca Arner en una circunstancia como aquella, es decir, hablando como médico a una mujer hermosa y loca. Los ojos de ella seguian siendo interrogantes y Arner no podía menos de responder:

—El hijo que naciera de usted podría ser alguien ¿comprende? Yo soy un hombre ordinario. Hay millones como yo. Pero algunos en nuestro tiempo han tenido una gran influencia como Freud, Gandhi, Lenin y sobre todo, Einstein. La naturaleza no se detiene, sin embargo, en ellos. No puede detenerse nunca en nadie. Sigue adelante con sus deseos y sus necesidades que nosotros no comprendemos aun ni llegaremos tal vez a comprender nunca. La naturaleza tiene su ideal sin embargo Y lo busca, de un modo u otro. Ustedes, las mujeres hermosas, son los agentes de ese milagro natural.

Miraba ella gravemente, pero con ganas de reír. Debía pensar que el médico estaba un poco loco, también.

—¿Qué ideal puede ser el de la naturaleza? —insistía ella.

Se fatigaba Arner pensando que Matilde lo empujaba a campos confusos y brillantes en los que temía perderse. ¡Oh, esos rostros donde la inteligencia duerme, cómo alteran la nuestra, a veces! Pero mantenía una apariencia tranquila.

—No sé cuál es el ideal de la naturaleza —dijo—. Sólo podría imaginarlo un hombre de genio. Y yo no soy más que un *homo vulgaris*.

Ella rió y eso estimuló a Arner a seguir por el mismo camino:

—Un *homo simplicissimus*.

Pero ella negaba:

—No es verdad. Nadie es sincero cuando dice una cosa así. Usted tampoco.

Pensó el *attorney:* he aquí una opinión inteligente. Y ella seguía con sus curiosidades:

—¿Usted cree que la naturaleza espera tanto de mí?

—Es lo que yo me atrevo a suponer viendo las reacciones que según parece le impone a usted. Con otras mujeres la naturaleza no protesta. Piense usted que si los hombres que pueden destruir este mundo han nacido ya (se refería a los especialistas de la física nuclear) tal vez el mundo no quiere morir y espera a los que podrían salvarlo. Cualquier día puede nacer uno de esos hombres. Y tendrá que nacer de una mujer u otra. Lo único que quiero decirle es que por todas estas razones, su caso es un estado de tensión natural más que una enfermedad. Usted comprende. Hay hombres que desintegran la materia, que especulan ya con la *antimateria*. La creación necesita tal vez otros hombres que puedan reintegrarla formando síntesis más altas. El mundo no puede estarse en su ser pasivamente. Debe seguir desarrollándose o debe morir. Y no podemos olvidar que el hombre que nos salve nacerá de una mujer. ¿Comprende? Nada de lo que vive debe dejar de vivir si nosotros podemos evitarlo. En esos días lunares cuando usted llora en su cuarto . . .

—No lloro. Gritar, sí que grito. Debía usted oírme..

—Bien, cuando se siente caer en el pozo y grita y quiere darse contra el muro y abrirse las venas con los dientes no es usted sola, sino el orbe entero que cae en las sombras porque ve su esperanza en peligro. De usted podría nacer tal vez el salvador.

Después de haber dicho las palabras, "orbe" y "salvador" se arrepintió. No debía caer en aquellos arrebatos. Pero ella se mostraba por vez primera capaz de entenderlo. Lo que dijo fue, sin embargo, un poco desentonado:

—Usted debe ser un médico bastante raro. Pero a mí me gustan las personas raras. Mi segundo marido era así también, digo, Bob. Y por mi parte yo tenía fama de extravagante, no vaya usted a creer. Antes de venir aquí yo era algo así como una gata montés salvaje y espinosa. Ahora como usted ve soy una corderita mansa. Le escucho a usted y comienzo a pensar que podría tener razón. Si eso es verdad ¿no es tremendo, mi caso?

En aquel instante alguien volcó una vasija llena de cubitos de hielo que se derramaron alegremente por el suelo. Cualquier incidente tenía una repercusión enorme. En algunos cubos la luz de las lámparas hacía delicados juegos. Varios individuos formaron una especie de cordón de seguridad para que nadie pisara el hielo y resbalara. Entretanto lo iban recogiendo. El mismo director Smith, con su cara de pez, se puso a cuatro manos para recoger algún cubito debajo de una mesa.

Una enfermera se sujetó las faldas al ver resbalar por el suelo un trocito de hielo como si fuera un ratón.

Arner y su pareja seguían en la pista. Pero la pieza terminaba y Matilde llevó al buffet a Arner. Sirvió dos platos y tomando cada cual el suyo fueron a una mesa libre. Al pasar junto a la orquesta Arner rozó con el pie la enorme masa del contrabajo, que quedo vibrando. Arner buscaba al Dr. Smith con la mirada, pero no lo veía. Y pensaba para sí: esta fiesta sólo viene a costar unos trescientos dólares. Si invirtiera el capital de Miss Slingsby podría obtener beneficios substanciales. Para los enfermos del sanatorio, claro.

Sobre la terraza la noche parecía más densa .Fuera de aquel recinto las cosas eran negras y lejanas.

—¿Usted sabe? —dijo Matilde con una coquetería un poco infantil—. Me gustaría que esta noche fuera más larga que las otras. Tan larga como algunas noches que yo conocí antes de venir al sanatorio. Una noche, diríamos, interminable.

—Oh, —se alarmó Arner.

—Hay noches largas y noches cortas. Algunas pueden durar diez horas, veinte horas, dos semanas. Y más. Yo creo que podría haber una noche sin fin.

Arner escuchaba receloso y no decía nada. Matilde contemplaba un cubito de hielo que había en el mantel. Sus aristas descomponían la luz y se veían tintes azules, rosados, verdes. La lámpara de sobremesa tenía una pantalla con dibujos en rojo y negro. Arner la hizo girar para ver la figura completa de uno de esos pájaros que los indios ponen en sus tapices y en sus objetos de cerámica. Arner pensó que las apelaciones a la esperanza del universo le habían llevado a ella a la "noche infinita". Aquellas exaltaciones eran contagiosas. Y dijo desviándose prudentemente del tema:

—Ese pájaro de la pantalla no es el *thunderbird* de las tormentas, porque si lo fuera tendría forma de cruz, estaría de frente con las alas abiertas. Este está de perfil. ¿Lo ve? El pájaro zuñí está siempre de perfil, creo yo. Digo, tal como lo pintan los indios.

Bajando la voz añadió:

—Se parece un poco al Dr. Smith, es verdad. Pero el pájaro de los zuñis como el *thunderbird* es sagrado. Todos los pájaros son sagrados entre los indios porque bajan del cielo donde se forma la lluvia. En eso, digo, en lo sagrado, se diferencia del Dr. Smith.

—No crea, para algunas enfermas el director es sagrado también y se comprende, ¿verdad, doctor Arner?

La orquesta volvía a tocar, pero se quedaron en la mesa. El director miraba desde lejos. Ya no tenía el lápiz de plata en la boca.

Decía Arner, insistiendo en el tema neutro, que los zuñís no sólo han abandonado el nomadismo y la caza de animales salvajes, sino que tienen divinidades del hogar como los griegos y los romanos. Los indios zuñís antes de entrar a vivir en una habitación esperan a que los lares indios la bendigan. El más importante de esos lares es el que llaman *shalako*.

—Yo tampoco puedo ir —dijo ella— a una casa nueva si no hay otra persona, pariente o amiga, para recibirme. Me pasa igual que a los zuñís. Pero no importa. Yo tengo confianza en las cosas, de veras. Cuando llega un problema grave y parece que no hay solución todo se puede arreglar todavía. Siempre se puede arreglar todo.

—¿Cómo? —preguntó Arner, inquieto.

—Muy fácil. Alargando la noche. Porque el tiempo es elástico y nada más fácil que estirarlo o encogerlo, el tiempo.

Lo decía ligeramente mirando la lámpara y pensando en el perfil del ave zuñí.

En aquel momento llegó el antiguo chofer de Miss Slingsby a sacar a bailar a Matilde y Arner pensó: "Lo ha enviado el Dr. Smith para evitar que Matilde esté demasiado tiempo conmigo, es decir con la misma persona". Pero no era verdad. Poco después el Dr. Smith se le acercó y se sentó en la misma mesa. Matilde y el chofer bailaban en la pista.

—Le ha hablado usted a Mrs. Strolheim de su marido? —preguntó el director.

—No, no.

En la pista el chofer le decía a su pareja:

—Yo siempre vendré a estos bailes y mi señora a los que organicen para los hombres. Por respeto a la memoria de Miss Slingsby. No faltaremos a una sola fiesta. Aquí donde usted me ve, mi señora y yo siempre hemos tenido la mejor opinión de usted. Nunca hemos creído que usted tratara de envenenar a nadie. Mis Slingsby tampoco lo creía.

Mailde hizo un movimiento extraño y se apartó.

—Tal vez —dijo el chofer— he removido, sin querer, las cenizas de sus viejos recuerdos. Le ruego que me disculpe.

Decía Matilde que no se encontraba bien y que prefería volver a la mesa con Arner. El criado la acompañó. Ella se sentó al lado del *attorney* pensando en su marido Bob que sufrió los efectos del veneno que ella le dió tiempos atrás. Sufrió aquellos efectos sin llegar a morir.

Entre tanto los dos hombres —el director y Arner— hablaban aun de los indios zuñís.

—Para los indios el agua es también un elemento divino —decía Arner y añadía, mirando la nariz de su amigo: y también lo son las aves pescadoras.

Recordaba Matilde que a pesar de que el chofer no lo creía, ella había intentado envenenar a sus dos maridos. De veras.

Pero aquello sucedió en los días lunares. Tal vez se la podía perdonar si lo que decía Mr. Arner era cierto. En aquel momento llamaban a Smith desde otra mesa y el médico se marchó. El *attorney* siguió con el tema de los indios. En otra mesa próxima una enferma bajaba la cabeza y alzaba los hombros de vez en cuando con un movimiento convulsivo. Matilde dijo que la pobre oía aviones en el aire y creía que pasaban peligrosamente cerca de su cabeza. Luego Mrs. Strolheim se quedó callada pensando en su segundo marido Bob. Hacía tiempo que no había recibido flores de él. Y decía en voz alta:

—Suele mandármelas desde los sitios más lejanos. En cajas especiales de plástico. De Holanda, de España, de Turquía.

Suspiró y dijo que su marido se había ido a alguna parte con su noche elástica y un tubito de cianuro de mercurio en el bolsillo, pero le mandaba flores y a veces, con las flores, también libros. Ella no los leía. Los regalaba a la biblioteca del sanatorio y ponía su nombre en la parte interior de la cubierta.

—¡Qué noche más calma! —dijo Arner.

La luna asomaba por detrás de las antenas de la televisión y ya no era amarilla sino azul.

—No crea que nuestro hermoso sanatorio está siempre tan tranquilo. Si hubiera sólo mujeres tal vez, pero hay hombres y de vez en cuando sucede algo inesperado y terrible. Por ejemplo, el año pasado se escapó un loco. Un amigo mío. Bueno, aunque lo considero amigo mío nunca he hablado con él. El Dr. Smith que es un poco pedante dice que nuestra amistad es un caso de telesimpatía. El loco se escapó, hizo algunos desmanes y viéndose perseguido, se metió en la fábrica que se ve allá lejos. ¿No ve la chimenea? Para huir de los enfermeros y de la policía, comenzó a trepar por la escalera de clavijas hasta llegar a la cima de la chimenea a más de doscientos pies de altura. Cuando llegó a lo alto se desnudó y allí se estuvo tan tranquilo, unas veces sentado y otras de pie. Apoyado en el pararrayos. El pobre no podía huir horizontalmente porque lo habrían atrapado en seguida con los automóviles y motocicletas y quiso escapar verticalmente trepando chimenea arriba. Pero la fuga vertical no es para los seres vivos, ¿verdad- Sólo es para los muertos. Estuvo en lo alto de la chimenea tres días. La fábrica no pudo trabajar entretanto porque no querían sofocarlo con el humo. Y toda la ciudad hablaba del caso, en la calle, en los restorantes, en las iglesias. En las iglesias también. Le hicieron fotos y las publicaron en los periódicos.

Ella tenía una foto de aquellas, es decir, sólo el negativo.

Y de pronto quiso enseñárselo a Arner. "Usted verá". Sacó del bolso una lámina de gelatina oscura y la mostró. Arner la estuvo mirando al trasluz. Se veía el remate de la chimenea y en lo alto un hombrecito en cueros apoyado en el pararrayos. Desnudo en lo alto, el loco parecía una estatua de Neptuno con su tridente.

—Es —dijo ella— como la contrafigura de Bob. ¿Ve usted? Detrás de él está la noche infinita —y lo decía con una gran complacencia—. Pero Bob no tenía la noche detrás sino delante —añadía.

Estaba Arner sorprendido y se sentía un poco culpable de la exaltación de Mrs. Strolheim, con la contrafigura de Bob y la noche infinita. Una paciente que pasaba se inclinó sobre la mano de Arner que estaba apoyada en el borde de la mesa. Parecía que iba a besarla, pero se limitó a mirarla de cerca con una gran atención. Luego dijo: "Las venas".

—No haga caso —dijo Matilde—. Es un juego. Un juego inocente. Estoy pensando en lo que dijo usted antes. Creo que tiene razón. Tal vez si hubiera tenido un hijo las cosas habrían cambiado. Y ahora no estaría enferma. Aunque creo que Bob es estéril. Volando a gran altura algunos pilotos se esterilizan ¿comprende? Pero ¿ve usted la contrafigura de Bob en este negativo? ¿Lo ve?

Volvía a mostrarlo. Arner quería distraerla y comenzó a decir cosas triviales. Por ejemplo, en aquella tierra de Cíbola había más pintores por milla cuadrada que en ningún otro lugar del mundo. Además había un desierto y una esfinge. Esa esfinge es un camello de roca a la izquierda de la carretera yendo de Santa Fe hacia el norte. Un camello hecho por la erosión natural. Las características de Cíbola no acababan ahí. Los perros de los indios se dedican día y noche a enterrar huesos para los antropólogos del futuro —Matilde rió un poco—. Los indios tienen a veces tres nombres: uno español, otro indio y otro inglés y ocultan los tres con cuidado —ella rió más abiertamente—. Los forasteros el primer año de su estancia en Cíbola aprenden seis palabras españolas y las pronuncian en francés. Finalmente el segundo año se compran una guitarra. Ella soltó una pequeña carcajada y Arner se sintió gratificado. "Soy un hombre hábil", volvió a pensar para sí, aunque modestamente.

Pero Matilde olvidaba aquellas bromas y mirando el remate de la red sobre la balaustrada pensaba: "Han puesto esa red para impedir que yo me arroje a la calle de cabeza". Y agradecía aquel cuidado a la administración.

Mr. Arner quería volver a sus bromas y a sus definiciones de Cíbola:

—Este es el estado más cosmopolita de la Unión. Se pueden encontrar aquí españoles, ingleses, argentinos, franceses, canadienses, rusos exilados, italianos, griegos. Y hasta gente de Brooklyn.

Esto último, dicho con un énfasis cómico, hizo sonreír a Matilde todavía, pero el primer efecto se había perdido. Y ella pensaba: "No me ha enviado flores Bob desde hace dieciocho días justos". Arner quería volver a sus juegos:

—¿Sabe bailar la varsoviana, Mrs. Strolheim?

—No.

—¿Ha visto usted un *flying saucer*, es decir, un platívolo?

—Tampoco, doctor.

—¿Se ha cruzado usted en la carretera con un camión que llevaba una bomba atómica?

—No sé. Usted sabe que no salimos del sanatorio casi nunca.

Pero ella pensaba en Bob y no lograba establecer una relación entre su propia presencia en el sanatorio y el veneno del que le había hablado su reciente pareja de baile. Cuando lo intentaba arrugaba el entrecejo pensando: ¿Por qué iba yo a hacer una cosa como esa contra Bob? Contra el primer marido lo comprendo, pero ¿por qué contra Bob?"

Sin dejar de pensar en eso, quitó la pantalla de la lámpara con el pretexto de ponerla mejor nivelada y la luz cruda les dió en el rostro a los dos. Estuvo ella un rato inmóvil como si posara para alguien que estuviera retratándola. Una mariposa tropezaba contra el bulbo produciendo un ruidito. Ella alzaba los ojos por encima de la cabeza del *attorney* cuya cara a la luz cruda era del color de la patata. Por hacer algo Arner tomó el negativo y lo miró al trasluz. Ella pareció despertar y volvió a hablar del loco fugitivo:

—Se subió a aquella chimenea lejana. ¿No la ve? Desde aquí se ve a lo lejos sobre aquel resplandor de neón. Y los bomberos le hicieron bajar. Entretanto la fábrica estuvo paralizada y luego los obreros reclamaron los salarios y se declararon en huelga. Ese hombre produjo una gran confusión en la ciudad. Y detrás de la foto, ¿usted ve?

Pensó Arner extrañado: "Sí, detrás, la noche infinita. En cambio Bob, la tenía delante". Ladeó la silla de modo que diera frente a la pista de baile. Veía sutiles correspondencias entre las muchachas que había en los alrededores y Matilde. Una quitó también la pantalla de la lámpara y dejó descubierto el bulbo. En la mesa de al lado otra hizo lo mismo. Todas querían tener luz en la cara.

No sabía Arner qué pensar. Quiso bailar otra vez y la muchacha se levantó indolentemente. Siempre se levantan indolentemente las chicas que van a bailar.

Arner le preguntó a Matilde por qué no encargaba una copia positiva de la foto para tenerla en lugar del cliché y ella dijo que prefería el negativo con el cuerpo negro y el pelo y los ojos blancos. Seguía hablando y se veía que el tema la obsesionaba:

—El está al otro lado del sanatorio, en un pabellón de hombres, en el piso cuarto. Sólo me ha visto una vez y de lejos. En los días lunares cuando yo caigo en el pozo negro él se entera, a distancia, de lo que me sucede y desde su pabellón comienza a aullar y a mugir. Tienen que atarlo y ponerlo como a mí en una celda acolchada. Así y todo sus gritos se oyen por todo el sanatorio durante la noche. Los médicos no comprenden. Es lo malo de la medicina. Ustedes todo lo arreglan con drogas, duchas e inyecciones, pero no comprenden. De lo que nos sucede a nosotras no saben nada. Perdone que hable así. Yo lo digo pensando en los médicos que trabajan en el sanatorio.

Todas las lámparas de las mesitas estaban sin pantalla. Suponiendo Arner que el médico director los seguía con su mirada de ave pescadora evitaba ceñirse demasiado a Matilde. Y bailaban y ella hablaba:

—Cuanto más lo pienso, estoy más convencida de que tal vez yo podría ser la madre de esa criatura que el orbe necesita. Pero sería más difícil de lo que usted cree. Digo con Bob, porque Bob está lejos. Siempre lejos. Claro es que ahora se hace la inseminación artificial, pero así y todo . . .

En aquel momento el chal blanco de ella quedó prendido en las duras ramillas de una esfera de boj. Había un arbusto de aquellos en cada esquina de la pista. Se detuvieron a desengancharlo y luego volvieron a bailar. Arner veía por encima del hombro de Matilde al médico sentado, fumando. Despedía el humo en anchas nubes que subían lentamente y al rebasar el muro de la terraza, se desgarraban y disolvían en la brisa. Arner preguntó a Matilde refiriéndose al hombre de la chimenea:

—¿Qué hacía antes de venir al sanatorio?

—Era ingeniero, creo. Ingeniero de generaciones —dijo ella tranquilamente.

Bajo los bulbos eléctricos desnudos, los rostros de las pacientes cambiaban de expresión, según la música. Con el bolero se ponían todas soñadoras.

—¿Cree usted —preguntó ella— que el hombre de la chimenea podría ser el padre adecuado? Digo para producir el ser nuevo que espera la humanidad.

—Ah, eso . . . eso nunca se sabe. Eso es un misterio.

Arner callaba y ella dijo:

—Todo es misterio. Bob sabe hacer las noches elásticas. Lo digo en serio. Noches de cincuenta y de sesenta horas. Y más. Comprendo que es difícil de entender para usted, pero puedo explicarlo, si quiere.

Terminaba la música y volvieron a la mesa.

—¿Quiere que se lo explique?

Los bulbos eléctricos habían vuelto a ser cubiertos por las pantallas. Una enfermera se acercó a Arner antes de que él respondiera a Matilde y dijo:

—Le llaman al teléfono.

Había en algunas mesas búcaros y en cada uno de ellos una flor. En el piano había otro búcaro muy grande, pero vacío. Matilde odiaba los búcaros vacíos y miraba a aquel, a veces, incómoda.

Arner fue al teléfono. Era su mujer que le pedía que no volviera tarde a casa. Y Arner regresó a la terraza y se acodó en la balaustrada de espaldas a la calle porque Mrs. Strolheim no estaba donde la había dejado. Pensaba en las aclaraciones que le había ofrecido aquella mujer sobre la elasticidad de la noche y luego volvía a hacer cálculos sobre el negocio de las máscaras de belleza. Se preguntaba una vez más si el uso de aquellas máscaras no acabaría por producir neurosis.

Acudía Matilde otra vez a su lado hablando muy animada:

—No escape usted, doctor. Estaba pensando que hay contradicciones en esta terraza. ¿No le parece? Hay alfombras como en una alcoba y yo diría que hay intemperies salvajes, también. Pero hábleme usted porque aquel hombre vestido de negro me mira como si quisiera acercarse. Debe ser un ministro protestante y no me gustan los sacerdotes de ninguna secta para bailar. Son demasiado buenos y les tengo miedo. No sé cómo hablarles a esos hombres.

Tenía ella en la mano una tostada y se oían sus dientes menudos e iguales haciendo crujir el pan. Un ruidito que habitualmente irritaba a Arner porque en él se percibía algo como la resonancia interior del cráneo. Aquella alusión a la anatomía no erótica de una mujer le ofendía. Con Matilde, sin embargo, el crujir del pan tostado no resonaba en el cráneo y no era desagradable.

Ella le ofrecía el negativo y una vez más Arner miraba al trasluz y decía que aquel era un hombre hermoso. Matilde sonreía:

—Me escribió una carta de amor.

Sacó del bolso un papel doblado diciendo que había hecho una copia y se la había mandado a Bob, porque ella no quería ocultarle secretos de ninguna clase. Al fin y al cabo Bob no la había divorciado. Arner no decía nada y Matilde, al ver pasar al chofer de Miss Slingsby, recordó lo que le había dicho mientras bailaba. Y tuvo necesidad de hablar: "Se puede envenenar a un hombre, pero eso no es engañarlo, verdad?" Le decía esperando la reacción de Arner, quien no sabía qué responder. Entonces Matilde le dió a leer el papel donde el hombre de la chimenea le hablaba de la "fontana madre", del "círculo de los orígenes", del "aliento capital" y del "aliento cordial". Matilde era el núcleo de la noche cósmica. Y ella decía a Arner:

—Es un idioma raro. ¿Cómo contestarle? Yo no sé escribir esas cosas. Usted podría contestarle con su teoría de las necesidades del universo.

Por un momento pensó Arner que tal vez Matilde se burlaba de él. Callaba la música. Todo quedaba en silencio. Un papel arrastrado por la brisa rozó las cuerdas del violoncelo y las hizo vibrar. Arner vió lejos al Dr. Smith y decidió de pronto tratar a Matilde naturalmente y sin precaución alguna. Como si fuera una mujer normal. Tal vez lo era.

—Yo conocí a su marido Bob Strolheim —le dijo—. Fuimos buenos amigos en College.

Pero ella no respondía. Aquel silencio hacía a Arner sentirse otra vez en una circunstancia falsa. Una terraza de cemento en lo alto de un hospital está siempre un poco fuera de la tierra. Preguntó a Matilde si había estado enamorada realmente de alguno de sus maridos.

—De Bob —dijo ella sin vacilar

Y añadió que iba a explicarle como Bob, que era un verdadero genio, alargaba la noche cuando quería. Le contó antes las circunstancias un poco penosas de su desacuerdo con el primer marido. De su ruptura con él. Más que penosas eran dramáticas. O trágicas. Es decir, más bien trágico-grotescas.

Dos años antes una tarde de verano Bob la esperaba en el bar de un hotel. En aquella época Bob probaba aviones turbomotores. Gracias a su fortuna y a una autorización especial de la AAF poseía un ejemplar del último modelo y lo tenía en un cobertizo privado. Con aquel avión podía hacer más de mil millas por hora fácilmente y ese era el lujo de su vida.

Antes de ser recluída en el sanatorio era Matilde —ella misma lo había dicho— violenta y atrabiliaria. De pronto cortaba sus relaciones con una amiga porque según decía había descubierto que tenía pies de muerto. O que la expresión de sus labios cuando sonreía no correspondía a la de sus ojos. Estaba casada con su primer marido y lo odiaba, pero le era fiel. Aunque se veía con Bob en circunstancias equívocas no había adulterio. La única libertad que se permitía era la de hablar mal del marido, pero eso no era tan ominoso, porque como ella decía, las esposas adúlteras hacen lo contrario. Suelen hablar bien del marido a todo el mundo, sobre todo a sus amantes.

Entre otras cosas extravagantes decía Matilde a Bob que su marido cuando se ponía tierno olía a asfalto y que tenía un sentido de la prudencia que a ella le parecía intolerable.

Aquella memorable noche en el bar del hotel Matilde llegó y dijo a Bob:

—No me hables, Bob. Cállate y espera a que esté más tranquila. Entonces te hablaré. No me preguntes nada.

Bob el hombre atlético y serio, casi taciturno miraba pensando una vez más: no le sucede nada. Nervios. Odia al marido, pero no se divorcia de él. ¿Por qué no se divorcia?

Mirando Matilde a sus compañeras de sanatorio pensaba: "Todas saben que soy sólo periódicamente loca y que el resto del tiempo me conduzco bien. Y me envidian y tienen razón porque es como si viviera en dos países distintos".

Volvía a recordar aquella noche en el bar con Bob siendo esposa todavía de su primer marido. Después de tomar un sorbo de coñac preguntó:

—¿No ves algo raro en mí, Bob?

Sacó su cigarrera, la abrió, vaciló un momento, la volvió a cerrar sin decidirse a fumar y añadió:

—No me mires, que voy a decir una enormidad. Creo que lo he matado, a mi marido. No me digas nada todavía. No me hables, por favor.

En la terraza del sanatorio pensaba: "Todos estos hombres que han venido a la fiesta tienen también su pasado, Arner, entre ellos. El mío es más lejano aunque soy tan joven. Es más lejano porque dicen que estoy loca". Pero volvía a la escena del bar.

Bob se levantó, dejó dos billetes en la mesa y dijo:

—Vamos a otra parte. Vámonos y ten calma.

Era un consejo inútil porque estaba tranquila. También ahora en la terraza del sanatorio estaba tranquila. Miraba al cielo y pensaba en la noche infinita. Salieron del bar. Pasaba algo curioso. Bob se decía que Matilde era muy capaz de haber matado a su marido. "Si es verdad —pensaba— voy a perderla antes de que haya sido mía". Esto le daba un cierto desaliento.

Aquella noche hacía calor, pero en las noches de Cíbola el aire es seco y ligero. Subieron al auto y fueron por una avenida paralela al río hasta un pequeño desierto. Recordaba Matilde desde la terraza del sanatorio que aquella noche que más tarde se hizo elástica era por el momento muy rígida. Eso le parecía a ella.

Dijo a Bob:

—Lo he matado, pero cuando la policía se entere no viviré ya. Estoy decidida a matarme antes del amanecer.

Abrió el bolso y mostró el revólver que era de cañón muy corto y de barrilete muy ancho. Tenía las cápsulas completas y sin disparar. Incrédulo dijo Bob:

—Tu marido... ¿está muerto? —Ella afirmó—. ¿Y dices que lo has matado tú? Pero ¿cómo lo has matado?

Matilde le dijo que antes de acostarse tomaba su marido todos los días dos píldoras. Aquella noche en lugar de las que tomaba ella le puso en la mesa otras dos sacadas de un frasquito que tenía una doble indicación de veneno. Las píldoras eran iguales en apariencia y él las tomó. Es decir, no eran píldoras sino cápsulas. Matilde se justificaba de una manera chocante: —Te juro que no podía más, Bob. Miraba a mi marido y sentía las raíces del pelo frías. Al volver yo a casa por la noche me decía sonriendo de un modo horrible: ¿te has divertido, Matty? Nunca me decía Matilde sino Matty, que no me corresponde porque es el *nick name* de Marta. Cuando quería sentirse protector, me acariciaba con la mano abierta dándome golpecitos en la espalda como a un perro. Y a veces movía la oreja izquierda como un gato. Pero él no era gato ni perro. El era de otra especie, de una de esas especies que se dicen extinguidas. O extintas. ¿No se dicen extintas?

Bob afirmaba sin comprender y ella seguía:

—Además tenía vicios secretos. Nunca bebía más que agua hervida. ¿Tú crees que un hombre que no bebe más que agua hervida puede ser honrado? Un tipo así oculta alguna deformidad moral, digo yo. En fin, sea lo que fuere, ya está hecho y no tiene remedio. Yo sé que si me atrapan estoy perdida,

pero no me atraparán. Y en todo caso no me importa. ¿No crees que he vivido bastante?
—¿Cuánto?
—Veintiún años.
Aquella noche había sido la más dramática de la vida de Matilde. Y ella veía pasar por la terraza al Dr. Smith que era también como aquellos ejemplares de especies extintas. La orquesta tocaba con sordina y Matilde regresaba a la noche inolvidable sin sensación alguna de culpabilidad. Se guardó el revólver en el bolso y dijo a Bob: "Si tuvieras memoria te acordarías de lo que te dije un día. Hablábamos de mi marido y me preguntaste: ¿Por qué no te divorcias de él? ¿Qué te contesté yo? ¿Recuerdas lo que te contesté?"

Bob buscaba un lugar donde hubiera teléfono público. Cuando lo halló detuvo el coche, bajó y llamó a casa de Matilde. Al segundo treno del timbre acudió el marido. Su voz revelaba no más que la indolencia de un hombre que se ha molestado en dejar el periódico para acudir al teléfono. Repitió dos veces: "¿Quién?" Bob con el aliento contenido volvió a colgar despacio sin decir nada y fue al coche, lleno de dudas. Dijo lo que le había sucedido. Ella preguntaba:

—¿Voz de hombre? —Bob afirmó—. Sería un policía. O algún vecino. Eso quiere decir que se han enterado ya. Al sentirse mal, debió salir a la escalera pidiendo auxilio.

El coche corría por una amplia avenida en la que habían puesto hacía poco focos de luz fluorescente, azules y malva.
—¿Adónde vamos? —preguntó ella.
—A mi casa.
—No, a tu casa no, Bob. Ya sabes que no.
La moral de Matilde era de veras original. Podía envenenar a su marido, pero no ir al piso de soltero de Bob.

Recordando aquello Matilde atendía al silencio de la terraza, un silencio lleno de nervios. "Si yo gritara —pensó— todas las mujeres gritarían".

Volvía con sus recuerdos a aquel lugar de las afueras de la ciudad donde estaba con Bob. Cerca pasaba el río y por aquel lado la orilla estaba a más de cincuenta pies de altura. Había una luna redonda en lo alto. "Esta es la diferencia, —dijo Matilde—. Ahora yo miro a la luna. Cuando me haya suicidado y esté muerta la luna me mirará a mí".

—La culpa de todo lo sucedido no la tengo yo —dijo de pronto.
—¿Pues quién?
—Mi marido.

—¿Por qué?
—Por decirme hace una semana o dos que esas tabletas producían una muerte casi instantánea.
—¿En qué quedamos? Eran píldoras, cápsulas o tabletas?
—Tienes razón. Tabletas. En todo caso ya no tiene remedio y ésta será la última noche de mi vida. Tú me conoces y sabes que no hablo por hablar. Sólo querría una cosa: que esta noche fuera un poco más larga que las otras, ya que es la última de mi vida. No puedo tolerar la idea de que el sol va a salir dentro de algunas horas. No quiero verlo. No quiero vivir cuando aparezca la luz. ¿Tú has visto lo fea que es la gente a la luz del sol? Las caras anchas y bobas, con pelos en las narices. A la luz del sol también las calles, las casas, las ciudades son feas. Hay por todas partes mil pequeñas cosas horribles: hombres muertos en los ascensores. Muertos y de pie. Cosas raras que andan a cuatro patas y ladran. Y mucha pobreza con camisa limpia. Y mucho odio.
—Un poco de amor también, Matilde. Mucho amor también, diría yo.
Ella no escuchaba:
—Todo es polvoriento y seco y sucio. O demasiado brillante. ¿No te has fijado? Pequeñeces que dan risa y pena al mismo tiempo. ¿No has visto esas calles con pegotes de goma en las aceras? Y la gente recién afeitada con la cara hinchada de sueño? ¿No has visto que la gente es más fea en verano que en invierno? Todos tienen los tobillos demasiado gordos y la nariz granujienta. Antes que sea de día me habré marchado. No quiero ver esas cosas otra vez. Pero me gustaría que la noche fuera más larga, querría que esta noche durara dos o tres días porque soy un poco cobarde y tengo miedo al suicidio. No más miedo que todo el mundo, claro. Así y todo me suicidaré.
Con el acento soñoliento que solía usar para las revelaciones importantes dijo Bob:
—Oye, Matilde, yo puedo hacer durar esta noche todo el tiempo que quieras. ¿Seis horas? ¿Cien? ¿Cuánto tiempo quieres que extienda la noche para ti y aleje la hora del amanecer, querida?
—No son momentos para bromas, Bob.
Estaba lejos de pensar —se decía en la terraza— que Bob hablaba en serio. Recordaba que pasaron por un puente bastante alto y que a un lado había un letrero que decía: "Prohibido arrojar objetos al río".
Aquella noche lejana Bob tuvo la súbita idea de que Matilde podía tener razón y de que a pesar de todo su marido

estaba muerto. El hombre que se puso al teléfono debía ser un policía o un vecino.

—A los que van a morir —dio gravemente— se les da lo que quieren. Yo puedo dártelo, querida. En serio. ¿Cuántas horas quieres que extienda la noche?

Aceleraba Bob como si tuviera prisa por llegar a alguna parte y frente a un drug store frenó y se detuvo diciendo que iba a comprar algo. Pero fue de nuevo al teléfono y volvió a llamar a casa de Matilde. Esta vez no respondió nadie y Bob se asustó de veras.

Sin embargo, al tomar el volante dijo entre dientes:

—Escucha, *darling*. ¿Y si no existiera el crimen?

—¿Cuántas veces voy a decírtelo? Si no ha muerto morirá. Eso no quita —añadió precipitadamente— para que yo sea una mujer honrada. Yo no he ofendido nunca a mi marido. Matar a un hombre no es ofenderlo, ¿verdad?

Añadió una vez más que ella se suicidaría aquella noche. Bob alzaba la cabeza para mirar al cielo:

—No te preocupes —dijo ella— que no amanece aun.

Fueron al aerodromo. Ella solía decir *air curse* en lugar de *air port*. A Bob lo conocía allí todo el mundo. Firmó varios papeles en una oficina con una celeridad extraña y sin hacer caso de Matilde. Luego extrajo de una chaqueta de cuero que tenía en un armario un pasaporte en el que pusieron sellos y nuevas firmas.

Cuando parecía que había olvidado a Matilde la tomó por la cintura y la llevó a una especie de guardarropa al lado de los hangares. La hizo ponerse una chaqueta incómoda y áspera. Poco después se instalaron en el avión y éste arrancó. Matilde decía: "Es algo con lo que yo no había contado". Bob le recordó que no era la primera vez que volaba con él. "No lo digo por eso", advirtió ella.

El avión subía. Pronto estuvieron por encima de las nubes que se veían debajo iluminadas por la luna. Ella decía: "Tal vez mi marido ha muerto y anda por ahí su fantasma". Bob estaba de un humor menos lúgubre y repitió:

—La noche será tan larga como tú quieras.

La tierra debajo de ellos era una masa confusa, las ciudades se veían como pequeños puñaditos de luces amarillas, blancas, verdes.

Llegaron a San Francisco antes de la media noche. Allí eran todavía las once. Bajaron. Los mecánicos proveyeron el avión de combustible. Matilde estaba excitada por la aventura y Bob le preguntó:

—¿Quieres descansar?
Se refería a los lavabos. Ella dijo que no y volvieron al avión. Repetía Matilde: "He oído decir que en San Francisco hay chinos, pero no veo ninguno".
Estaban otra vez en el aire, sobre el mar. Ella dijo:
—No sé para qué todo esto.
—Sí que lo sabes —dijo él—. Ahora vamos a Honolulu.
Subían muy altos y Bob le hacía ponerse una máscara que comunicaba con un balón de oxígeno comprimido. El taciturno Bob iniciaba uno de aquellos diálogos monosilábicos que eran su especialidad:
—¿Vas bien? —Sí. —¿Mareo? —No. ¿Los oídos? —Sin novedad. —¿En qué piensas? —En nada. —¿De veras en nada? —De veras, ¿por qué?
Bob suspiraba:
—No importa. Yo pienso por ti y por mí.
Llegaron a Honolulu en menos de tres horas y al bajar del avión dijo Bob a Matilde otra vez: "¿Quieres descansar?" Se refería al *rest room*.
—No —dijo ella un poco impaciente.
En Honolulu no era todavía media noche. "Aquí —advertía Matilde— hay mujeres morenas de trasero bajo que bailan moviendo las caderas, pero no veo a ninguna". Eso del trasero bajo hizo reír a Bob.
Tuvo Matilde en Honolulu la impresión de que la noche había comenzado a estirarse como la cúpula de un inmenso paraguas. Su reloj marcaba las seis y sin embargo, no amanecía.
Tomaron en el mismo aeródromo una pequeña cena y volvieron al avión. Matilde no bebió más que un sorbo de agua mineral. No tomaba nada alcohólico porque quería estar despejada y alerta cuando llegara el último instante. Eso decía ella.
La escala próxima fue en las islas Marshall. Hacía un calor terrible y se aligeraron de ropa hasta quedar casi desnudos. Bob la veía despierta, lozana y sin sueño ni fatiga, pensando que la mitad de su belleza consistía en la salud. Una salud de animal precioso. Bob se sentía lleno de estímulos y de esperanzas. Ella repetía: "Hace un calor obsceno". Le gustaba aquella expresión que había oído en el bar a una camarera.
Llegaron a Luzón en las Filipinas. Las gentes vestían pulcramente de blanco y según Matilde, tenían ojos de tortuga. Todos parecían afables y corteses, pero creía Matilde que la miraban demasiado.
Luego Calcuta, en la India. Allí se presentaron dificultades porque la policía quería ver el pasaporte de Matilde que,

naturalmente, no lo tenía. Ella decía incómoda: "¿Qué busca esta gente?" Bob se inclinaba a su oído: "Tal vez sospechan de ti".

—¿Por qué? Lo que yo haya podido hacer en mi país es cuestión mía y a nadie le importa y menos a ellos con sus leyes absurdas. Son leyes de *coolíes* que hablan con acento de Oxford. Eso es incongruente.

Era todavía media noche. El reloj de Matilde marcaba las tres de la tarde y, sin embargo, era media noche lo mismo que en las islas Filipinas.

Volaron a Karachi y después al Cairo. En Karachi vió Matilde americanos vestidos con pantalones cortos como los ingleses. Matilde dijo: "En este país la viuda era incinerada hace algún tiempo con el cuerpo del marido". Eso de *incinerada* lo decía con un gran respeto por el país. Ya en el avión volvió Bob —que parecía tener sueño— a sus preguntas:

—¿Esperamos aquí el amanecer? —preguntó. ¿Sigues con la idea de matarte?

—Sí. Antes de salir el sol.

—Está bien. Entonces el sol no saldrá nunca.

—¿Quién eres tú para impedir que salga el sol? —dijo ella ofendida.

Bob volvió la cabeza, soltó a reír —una pequeña carcajada— y la besó. Luego se puso otra vez taciturno.

Al llegar al Cairo eran las doce y cinco minutos. La noche era ancha y extensible, todavía. Llevaban trece horas volando y siempre era medianoche. El alba no aparecía. El avión de Bob tiraba de ella, de la noche y la extendía sobre el planeta. En el Cairo también acudió la policía e interrogó a Matilde. Ella se negó a contestar sin la presencia de su abogado. Eso dijo. La dejaron en paz al darse cuenta de que el avión iba a salir para el Sahara. Seguía Matilde fresca como una rosa de Alejandría, ciudad sobre la cual volaron.

En Túnez bajó del avión sólo Bob, porque Matilde tenía sueño y recelaba de los árabes que, según ella, eran traicioneros y sanguinarios. Los llamaba "tuarejs" dándoselas de entendida. Bob besó a Matilde largamente, pero ella lo rechazó diciendo que tenía la impresión de que su marido se asomaba a los cristales del techo de la cabina y decía cosas.

—¿Qué cosas?

—Cosas prácticas. Los nombres de los hoteles y sus precios. El cambio de la moneda y la temperatura máxima y mínima.

—¡Qué raro en un muerto!

—Es lo que suelen decir los maridos, muertos o vivos.

Al llegar a Lisboa eran sólo las doce y cuarenta en el reloj del aeródromo. Lo que Matilde veía desde allí le gustó y quería ir a la ciudad, pero Bob se negaba. "Si vamos allí —dijo— te atrapará el alba, digo, la luz del amanecer y tú sabes lo que sucederá". Por si acaso, preguntó:

—¿Es que has cambiado de parecer?

—¿Sobre el suicidio? No.

Volaron a las Azores y desde allí a las Bermudas y a San Luis y finalmente a Cíbola otra vez. Siempre de noche. Estaban en la ciudad donde Matilde creía haber matado a su marido. Flexionando las piernas entumecidas dijo Bob:

—¿Qué te parece? Llevamos ya veinticuatro horas sin ver la luz del día.

Se puso a dar instrucciones para reanudar el vuelo y dijo a Matilde:

—Vamos a seguir hacia Seatle y desde allí iremos al Japón en vuelo directo. Puedo seguir dándote una noche elástica, una noche interminable. Pero ¿no quieres descansar?

Ella dijo que sí y fue al lavabo. Al volver formuló un deseo un poco inesperado. Dijo tímidamente que le gustaría acercarse un momento a su casa, es decir, al lugar del crimen.

Bob buscó un teléfono y llamó al marido por tercera vez. El "muerto" acudió en seguida. Bob le anunció la visita de los dos y el marido pareció extrañado, pero no disgustado. Hablaba con un acento afable.

Al llegar a casa de Matilde el marido estaba en pyjama con una bata gris estampada de verde y tenía el pelo revuelto. Matilde lo miraba sin poder comprender y el marido se ponía a preparar *high balls:*

—Estaba preocupado —dijo con una calma natural— porque Matty se llevó el revólver, pero veo que afortunadamente todo ha ido bien.

Abrió ella el bolso y hubo en los dos hombres un momento de estupor al verla con el revólver en la mano, pero Bob tomó el arma y se la entregó al marido, quien accionando con ella, dijo a su mujer:

—¿Puedo preguntar dónde has estado, querida?

—Hemos hecho —dijo ella con expresión de inocencia— un viaje alrededor del mundo.

—¿Usted ve? —comentó el marido dirigiéndose a Bob.

Creía Bob percibir olor a asfalto. Confirmó las palabras de Matilde y dijo que acababan de dar la vuelta al planeta. El marido los miró a los dos con una expresión turbada.

—Bien, en todo caso tú sabes, querida, que puedo darte el divorcio cuando quieras —dijo más afable que nunca.

Mientras hablaba creyó ver Bob que movía la oreja izquierda. Los tres estaban de pie y reían tontamente. El marido añadió algunas vaguedades amables a las que Bob respondió en el mismo tono y poco después Matilde dijo que quería marcharse y salió llevándose de la mano a Bob.

Iban al bar y llegaron en pocos minutos. Se sentaron a la misma mesa de siempre, casi a oscuras. "Estoy preocupada —dijo ella—. No debe ser fácil divorciarse de un muerto".

—¡Pero tu marido está vivo!

—Ah, —dijo ella—. Eso es lo que tú crees.

Estaba seguro Bob de que el envenenamiento había sido un truco del marido. Había querido éste poner a prueba a Matilde y ver hasta dónde llegaba su peligrosidad. Puso dos tabletas inofensivas en el tubo del cianuro y advirtió a su mujer que tuviera cuidado con ellas porque producían una muerte segura. Era un juego de una prudencia atrevida. Salió bien, es decir mal.

Bob tomó de la mano a Matilde y le preguntó:

—¿Vendrás a mi casa, ahora?

Antes de responder, Matilde se acordó de las tabletas. No respondía. Bob meditaba y agitaba el whisky con la varilla de vidrio.

Matilde en la terraza del sanatorio bailaba otra vez con Arner sin conseguir recordar más. Allí se acababa todo. Es decir, suponía vagamente que se casó con Bob y luego él se puso enfermo y a ella le sucedieron cosas escandalosas y desagradables. Lo único que sabía a ciencia cierta era que Bob no iba a verla al sanatorio, pero le enviaba flores y libros desde Nueva York, desde Florida, desde Bermuda y hasta desde París. Estos parecían llevar consigo alguna clase de picardía inteligente.

Terminaba la música en la terraza y volvieron una vez más a su mesa. Levantaba Matilde la mirada al cielo con frecuencia y una vecina se le acercó y le dijo:

—El avión no llegará.

—¿Qué avión? —preguntó ella un poco asustada.

Arner sonreía y miraba también al cielo. La noche comenzaba a ponerse fría y algunas enfermas se retiraban acompañadas de *nurses*. Se le cayó a Matilde la servilleta de papel y Arner se inclinó para recogerla. En los espacios entre las alfombras el suelo de loseta roja estaba como endurecido y meteorizado. Se levantaron y se acercaron otra vez a la balaustrada por el extremo más próximo a la orquesta.

Vieron a una mujer que entraba en la terraza con pasos indecisos, iba a una mesa, tomaba un vaso de naranjada y volvía a marcharse después de hacerle a Matilde una pequeña reverencia. Matilde dijo:

—La pobre está en el piso cuarto. ¿Ha visto usted como anda? Camina de medio lado. Es que nació así, según dice. Así, diagonalmente. Se podría decir que vive una vida diagonal.

—Se puso Matilde a hablar de Bob y dijo que la quería aún a pesar de la separación. Arner pensaba que debía ser fácil querer a aquella mujer. Ella volvía a hablar:

—¿Comprende ahora lo de la noche infinita?
—Sí.
—Usted creía que era una locura. Yo también pensaba que eso del hombre excepcional que puede redimir al universo era una locura y, sin embargo, veo que es posible. ¿No es verdad?
—Sí, claro.
—Y yo soy la madre potencial. ¿No se dice así?

Miraba Arner la antena de la televisión en el tejado, en forma de S. Parecía la inicial de Miss Slingsby.

La orquesta tocaba otra vez y algunas parejas bailaban. El director, Dr. Smith mostraba un cuadernito a las enfermeras cerca de la puerta.

—Está investigando el Dr. Smith —dijo Matilde, sonriente— mi calendario lunar. Es posible que estén llegando los días negros. ¿Sabe usted? Poco antes de cada crisis yo siento mi propio esqueleto vibrando como los alambres del teléfono en los postes. ¿No ha oído vibrar esos alambres en el campo los días de viento?

Diciéndolo Matilde simulaba con la boca aquel zumbido de los hilos telefónicos. Luego el zumbido iba subiendo hasta convertirse en un mugido triste. Un gran mugido triste. Un inmenso mugido desolado y sordo como el de una vaca parturienta.

Dos enfermeras llegaron corriendo con el Dr. Smith y se llevaron a Matilde aunque sin violencia, como a una niña delicada. Ella se volvía a mirar al *attorney* Arner quien sentía también —decíase más tarde— su propio esqueleto desnudo, seco y vibrador.

El baile seguía en la terraza.

VI

EL BUITRE

Volaba entre las dos rompientes y le habría gustado ganar altura y sentir el sol en las alas, pero era más cómodo dejarse resbalar sobre la brisa.

Iba saliendo poco a poco al valle, allí donde la montaña disminuía hasta convertirse en una serie de pequeñas colinas. El buitre veía abajo llanos grises y laderas verdes.

—Tengo hambre —se dijo.

La noche anterior había oído tiros. Unos aislados y otros juntos y en racimo. Cuando se oían disparos por la noche las sombras parecían decirle: "Alégrate, que mañana encontrarás carne muerta". Además por la noche se trataba de caza mayor. Animales grandes: un lobo o un oso y tal vez un hombre. Encontrar un hombre muerto era inusual y glorioso. Hacía años que no había comido carne humana, pero no olvidaba el sabor.

Si hallaba un hombre muerto era siempre cerca de un camino y el buitre odiaba los caminos. Además no era fácil acercarse a un hombre muerto porque siempre había otros cerca, vigilando.

Oyó volar a un esparver sobre su cabeza. El buitre torció el cuello para mirarlo y golpeó el aire rítmicamente con sus alas para ganar velocidad y alejarse. Sus alas proyectaban una ancha sombra contra la ladera del monte.

—Cuello pelado —dijo el esparver—. Estás espantándome la caza. La sombra de tus alas pasa y repasa sobre la colina.

No contestaba el buitre porque comenzaba a sentirse viejo y la autoridad entre las grandes aves se logra mejor con el silencio. El buitre sentía la vejez en su estómago vacío que comenzaba a oler a la carne muerta devorada muchos años antes.

Voló en círculo para orientarse y por fin se lanzó como una flecha fuera del valle donde cazaba el esparver. Voló largamente en la misma dirección. Era la hora primera de la mañana y por el lejano horizonte había ruido de tormenta, a pesar de estar el cielo despejado.

—El hombre hace la guerra al hombre —se dijo.

Recelaba del animal humano que anda en dos patas y tiene el rayo en la mano y lo dispara cuando quiere. Del hombre que lleva a veces el fuego en la punta de los dedos y lo come. Lo que no comprendía era que siendo tan poderoso el hombre anduviera siempre en grupo. Las fieras suelen despreciar a los animales que van en rebaño.

Iba el buitre en la dirección del cañoneo lejano. A veces abría el pico y el viento de la velocidad hacía vibrar su lengua y producía extraños zumbidos en su cabeza. A pesar del hambre estaba contento y trató de cantar:

> Los duendes que vivían en aquel cuerpo
> estaban fríos, pero dormían
> y no se querían marchar.
> Yo los tragué
> y las plumas del cuello se me cayeron.
> ¿Por qué los tragué si estaban fríos?
> Ah, es la ley de mis mayores.

Rebasó lentamente una montaña y avanzó sobre otro valle, pero la tierra estaba tan seca que cuando vió el pequeño arroyo en el fondo del barranco se extrañó. Aquel valle debía estar muerto y acabado. Sin embargo, el arroyo vivía.

En un rincón del valle había algunos cuadros que parecían verdes, pero cuando el sol los alcanzaba se veía que eran grises también y color ceniza. Examinaba el buitre una por una las sombras de las depresiones, de los arbustos, de los árboles. Olfateaba el aire, también, aunque sabía que a aquella altura no percibiría los olores. Es decir, sólo llegaba el olor del humo lejano. No quería batir sus alas y esperó que una corriente contraria llegara y lo levantara un poco. Siguió resbalando en el aire haciendo un ancho círculo. Vió dos pequeñas cabañas. De las chimeneas no salía humo. Cuando en el horizonte hay cañones las chimeneas de las casas campesinas no echan humo.

Las puertas estaban cerradas. En una de ellas, en la del corral, había una ave de rapiña clavada por el pecho. Clavada en la puerta con un largo clavo que le pasaba entre las costillas. El buitre comprobó que era un esparver. Los campesinos hacen eso para escarmentar a las aves de presa y alejarlas de sus gallineros. Aunque el buitre odiaba a los esparveres, no se alegró de aquel espectáculo. Los esparveres cazan aves vivas y están en su derecho.

Aquel valle estaba limpio. Nada había, ni un triste lagarto muerto. Vió correr un *chipmunk* siempre apresurado y olvidando siempre la causa de su prisa. El buitre no cazaba, no mataba. Aquel *chipmunk* ridículamente excitado sería una buena presa para el esparver cuando lo viera.

Quería volar al siguiente valle, pero sin necesidad de remontarse y buscaba en la cortina de roca, alguna abertura por donde pasar. A aquella hora del día siempre estaba cansado, pero la esperanza de hallar comida le daba energías. Era viejo. Temía que le sucediera como a otro buitre, que en su vejez se estrelló un día contra una barrera de rocas.

Halló por fin la brecha en la montaña y se lanzó por ella batiendo las alas:

—Ahora, ahora...

Se dijo: "No soy tan viejo". Para probárselo combó el ala derecha y resbaló sobre la izquierda sin miedo a las altas rocas cimeras. Le habría gustado que le viera el esparver. Y trató de cantar:

> La luna tiene un cuchillo
> para hacer a los muertos
> una cruz en la frente.
> Por el día lo esconde
> en el fondo de las lagunas azules.

La brecha daba acceso a otro valle que parecía más hondo. Aunque el buitre no se había remontado, se sentía más alto sobre la tierra. Era agradable porque podía ir a cualquier lugar de aquel valle sin más que resbalar un poco sobre su ala. En aquel valle se oía mejor el ruido de los cañones.

También se veía una casa y lo mismo que las anteriores tenía el hogar apagado y la chimenea sin humo. Las nubes del horizonte eran color de plomo, pero en lo alto se doraban con el sol. El buitre descendió un poco. Le gustaba la soledad y el silencio del valle. En el cielo no había ningún otro pájaro. Todos huían cuando se oía el cañón, todos menos los buitres. Y veía su propia sombra pasando y volviendo a pasar sobre la ladera.

Con la brisa llegó un olor que el buitre reconocía entre mil. Un olor dulce y acre:

—El hombre.

Allí estaba el hombre. Veía el buitre un hombre inmóvil, caído en la tierra, con los brazos abiertos, una pierna estirada y otra encogida. Se dejó caer verticalmente, pero mucho antes de llegar al suelo volvió a abrir las alas y se quedó flotando en el aire. El buitre tenía miedo.

—¿Qué haces ahí?

Lo observaba, miraba su vientre, su rostro, sus manos y no se decidía a bajar.

—Tú, el rey de los animales, que matas a tu hermano e incendias el bosque, tú el invencible. ¿Estás de veras muerto?

Contestaba el valle con el silencio. La brisa producía un rumor metálico en las aristas del pico entreabierto. Del horizonte llegaba el fragor de los cañones. El buitre comenzó a aletear y a subir en el aire, esta vez sin fatiga. Se puso a volar en un ancho círculo alrededor del cuerpo del hombre. El olor le advertía que aquel cuerpo estaba muerto, pero era tan difícil encontrar un hombre en aquellas condiciones de vencimiento y derrota, que no acababa de creerlo.

Subió más alto, vigilando las distancias. Nadie. No había nadie en todo el valle. Y la tierra parecía también gris y muerta como el hombre. Algunos árboles desmochados y sin hojas mostraban sus ramas quebradas. El valle parecía no haber sido nunca habitado. Había un barranco, pero en el fondo no se veía arroyo alguno.

—Nadie.

Con los ojos en el hombre caído volvió a bajar. Mucho antes de llegar a tierra se contuvo. No había que fiarse de aquella mano amarilla y quieta. El buitre seguía mirando al muerto:

—Hombre caído, conozco tu verdad que es una mentira inmensa. Levántate, dime si estás vivo o no. Muévete y yo me iré de aquí y buscaré otro valle.

El buitre pensaba: "No hay un animal que crea en el hombre. Nadie puede decir si el palo que el hombre lleva en la mano es para apoyarse en él o para disparar el rayo. Podría ser que aquel hombre estuviera muerto. Podría ser que no".

Cada vuelta alrededor se hacía un poco más cerrada. A aquella distancia el hedor —la fragancia— era irresistible. Bajó un poco más. El cuerpo del hombre seguía quieto, pero las sombras se movían. En las depresiones del cuerpo en uno de los costados, debajo del cabello, había sombras sospechosas.

—Todo lo dominas tú, si estás vivo. Pero si estás muerto has perdido tu poder y me perteneces. Eres mío.

Descendió un poco más, en espiral. Algo en la mano del hombre parecía moverse. Las sombras cambiaban de posición cerca de los brazos, de las botas. También las de la boca y la nariz, que eran sombras muy pequeñas. Volaba el animal cuidadosamente:

—Cuando muere un ave —dijo— las plumas se le erizan.

Y miraba los dedos de las manos, el cabello, sin encontrar traza alguna que le convenciera:

—Vamos, mueve tu mano. ¿De veras no puedes mover una mano?

El fragor de los cañones llegaba de la lejanía en olas

broncas y tembladoras. El buitre las sentía antes en el estómago que en los oídos. El viento movió algo en la cabeza del hombre: el pelo. Volvió a subir el buitre, alarmado. Cuando se dió cuenta de que había sido el viento decidió posarse en algún lugar próximo para hacer sus observaciones desde un punto fijo. Fué a una pequeña agrupación de rocas que parecían un barco anclado y se dejó caer despacio. Cuando se sintió en la tierra plegó las alas. Sabiéndose seguro alzó la pata izquierda para calentársela contra las plumas del vientre y respiró hondo. Luego ladeó la cabeza y miró al hombre con un ojo mientras cerraba el otro con voluptuosidad.

—Ahora veré si las sombras te protegen o no.

El viento que llegaba lento y mugidor traía ceniza fría y hacía doblarse sobre sí misma la hierba seca. El pelo del hombre era del mismo color del polvo que cubría los arbustos. La brisa entraba en el cuerpo del buitre como en un viejo fuelle.

Si es que comes del hombre ten cuidado
que sea en tierra firme y descubierta.

Recordaba que la última vez que comió carne humana había tenido miedo, también. Se avergonzaba de su propio miedo él, un viejo buitre. Pero la vida es así. En aquel momento comprendía que el hombre que yacía enmedio de un claro de arbustos debía estar acabado. Sus sombras no se movían.

—Hola, hola, grita, di algo.

Hizo descansar su pata izquierda en la roca y alzó la derecha para calentarla también en las plumas.

—¿Viste anoche la luna? Era redonda y amarilla.

Ladeaba la cabeza y miraba al muerto con un solo ojo inyectado en sangre. La brisa recogía el polvo que había en las rocas y hacía con él un lindo remolino. El ruido de los cañones se alejaba. "La guerra se va al valle próximo".

Miró las rocas de encima y vió que la más alta estaba bañada en sol amarillo. Fue trepando despacio hasta alcanzarla y se instaló en ella. Entreabrió las alas, se rascó con el pico en un hombro, apartó las plumas del pecho para que el sol le llegara a la piel y alzando la cabeza otra vez, se quedó mirando con un solo ojo. Alrededor del hombre la tierra era firme —sin barro ni arena— y estaba descubierta.

Escuchaba. En aquella soledad cualquier ruido —un ruido de agua entre las rocas, una piedrecita desprendida bajo la pata de un lagarto— tenían una resonancia mayor. Pero había un ruido que lo dominaba todo. No llegaba por el aire sino por la tierra y a veces parecía el redoble de un tambor lejano. Apareció un caballo corriendo.

Un caballo blanco y joven. Estaba herido y corría hacia ninguna parte tratando sólo de dar la medida de su juventud antes de morir, como una protesta. Veía el buitre su melena blanca ondulando en el aire y la grupa estremecida. Pasó el caballo, se asustó al ver al hombre caído y desapareció por el otro extremo de la llanura.

El valle parecía olvidado. "Sólo ese caballo y yo hemos visto al hombre". El buitre se dejó caer con las alas abiertas y fue hacia el muerto en un vuelo pausado. Antes de llegar frenó con la cola, alzó su pecho y se dejó caer en la tierra. Sin atreverse a mirar al hombre retrocedió, porque estaba seguro de que se había acercado demasiado. La prisa unida a cierta solemnidad le daban una apariencia grotesca. El buitre era ridículo en la tierra. Subió a una pequeña roca y se volvió a mirar al hombre:

—Tú caballo se ha escapado. ¿Por qué no vas a buscarlo?

Bajó de la roca, se acercó al muerto y cuando creía que estaba más seguro de sí un impulso extraño le obligó a tomar otra dirección y subir sobre otra piedra. Más cerca que la anterior, eso sí.

—¿Muerto?

Volvían a oirse explosiones lejanas. Eran tan fuertes que los insectos volando cerca del buitre eran sacudidos en el aire. Volvió a bajar de la piedra y a caminar alrededor del cuerpo inmóvil que parecía esperarle. Tenía el hombre las vestiduras desgarradas, una rodilla y parte del pecho estaban descubiertos y el cuello y los brazos desnudos. La descomposición había inflamado la cara y el vientre. Se acercó dos pasos con la cabeza de medio lado, vigilante. El cabello era del color de las hierbas quemadas. Quería acercarse más, pero no podía.

Miraba las manos. La derecha se clavaba en la tierra como una garra. La otra se encondía bajo la espalda. Buscaba en vano el buitre la expresión de los ojos.

—Si estuvieras vivo habrías ido a buscar tu caballo y no me esperarías a mí. Un caballo es más útil que un buitre, digo yo.

El hombre caído entre las piedras era una roca más. Su pelo bajo la nuca parecía muy largo, pero en realidad no era pelo, sino una mancha de sangre en la tierra. El buitre iba y venía en cortos pasos de danza mientras sus ojos y su cabeza pelada avanzaban hacia el muerto. El viento levantó el pico de la chaqueta del hombre y el buitre saltó al aire sacudiendo sus alas con un ruido de lonas desplegadas. Se quedó describiendo círculos alrededor. El hedor parecía sostenerlo en el aire.

Entonces vió el buitre que la sombra de la boca estaba orlada por dos ileras de dientes. La cara era ancha y la parte inferior estaba cubierta por una sombra azul. El sol iba subiendo, lento y amarillo, sobre una cortina lejana de montes. Bajó otra vez con un movimiento que había aprendido de las águilas, pero se quedó todavía en el aire encima del cuerpo y fuera del alcance de sus manos. Y miraba. Algo en el rostro se movía. No eran sombras ni era el viento. Eran larvas vivas. Salían del párpado inferior y bajaban por la mejilla.

—¿Lloras, hijo del hombre? ¿Cómo es que tu boca se ríe y tus ojos lloran y tus lágrimas están vivas?

Al calor del sol se animaba la podredumbre. El buitre se dijo: "Tal vez si lo toco despertara". Se dejó caer hasta rozarlo con un ala y volvió a remontarse. Viendo que el hombre seguía inmóvil bajó y fue a posarse a una distancia muy corta. Quería acercarse más, subir encima de su vientre, pero no se atrevía. Ni siquiera se atrevía a pisar la sombra de sus botas.

El sol cubría ya todo el valle. Había trepado por los pantalones del muerto, se detuvo un momento en la hebilla de metal del cinturón y ahora iluminaba de lleno la cara del hombre. Entraba incluso en las narices cuya sombra interior se retiraba más adentro.

Completamente abiertos, los ojos del hombre estaban llenos de luz. El sol iluminaba las retinas vidriosas. Cuando el buitre lo vió saltó sobre su pecho diciendo:

—Ahora, ahora.

El peso del animal en el pecho hizo salir aire de los pulmones y el muerto produjo un ronquido. El buitre dijo:

—Inútil, hijo del hombre. Ronca, grita, llora. Todo es inútil.

Y ladeando la cabeza y mirándolo a los ojos añadió:

—El hombre puede mirar al sol de frente.

En las retinas del muerto había paisajes en miniatura llenos de reposo y de sabiduría. Encima lucía el sol.

—¿Ya la miras? ¿Ya te atreves a mirar la luz de frente?

A lo lejos se oían los cañones.

—Demasiado tarde, hijo del hombre.

Y comenzó a devorarlo.

VII

AVENTURA EN BETHANIA

Viajaba Mr. Laner por las llanuras calcáreas de Cíbola. La carretera estaba poco concurrida. No se veía ningún coche delante del suyo en una extensión de veinte millas y aquella sensación de soledad le gustaba.

Vió una estación de gasolina en un cruce de caminos y se detuvo. Salió una vieja muy rubia, despeinada y flaca con un cigarrillo en los labios.

—Llene el depósito —dijo Laner.

La vieja lo miraba con el ojo izquierdo cerrado para evitar el humo del cigarrillo:

—*Please,* añadiría yo.

Mr. Laner era un hombre cortés, pero en aquel momento estaba distraído y no se le ocurrió añadir la fórmula amable: *please.* La mujer rubia trabajaba en la bomba y miraba agriamente a Laner. "La cortesía —dijo por fin, sin quitarse el cigarrillo de los labios— no cuesta dinero". Entonces Laner declaró que estaba desorientado en aquellos caminos de Cíbola, añadió que en aquel momento no sabía siquiera el lugar adonde se dirigía, se disculpó sonriendo y llevó la mano al ala del sombrero. La vieja rubia parecía una bruja, más apta para despojar a los muertos después de una batalla que para dialogar con turistas desorientados. Cuando terminó de llenar el depósito alargó la mano pidiendo el dinero. Laner dijo mientras pagaba:

—¿Quiere tener la bondad de quitar el polvo al parabrisas?

Ella se pasaba el cigarrillo de un rincón de la boca al otro con la lengua y rascándose con la mano libre en la cadera negó:

—No. Estoy sola y sin ayudante.

Luego añadió con sorna:

—¿Sabe usted adónde va por ese camino? A Bethania. Allí estuve yo dos años. Ahora es un pueblo fantasma y no hay más que lagartos. Ah, y la *vieja de los juanes* que de vez en cuando va allí a renovar la cruz.

—¿Qué cruz?

La rubia rió como si estuviera borracha y dijo:

—Vaya usted allí, digo a Bethania. Aquel es un buen sitio para los divorciados melancólicos.

Añadió una palabra soez y dió una patada a la rueda más próxima tal vez para ver cómo estaba el aire. El carruaje, que tenía una suspensión muy delicada, vibró y Laner tuvo la impresión de haber recibido aquella patada él mismo.

—Señora —dijo conciliador, pero enérgico—, usted está ocupada en un servicio público y no perdería nada siendo más amable. Incluso por prudencia, señora. Usted está sola y en medio del desierto. Figúrese que un viajero tuviera una mala idea.

Mientras Laner hablaba la vieja walkiria fue a la puerta de su vivienda y volvió con una hacha de mano. Antes de llegar al coche escupió el cigarrillo.

Pisó Laner el acelerador y salió en dirección a Bethania, el pueblo fantasma. Se dijo: "Esa mujer debe estar borracha". Todo el mundo era en Cíbola amable, servicial y atento. Por esa razón aquella mujer desentonaba más.

La perplejidad de Laner era mayor recordando que la bruja rubia había adivinado su situación y su estado moral. "Es verdad que soy un divorciado melancólico. Y ella lo sabe. ¿Cómo es posible que ella lo sepa?"

Se encontró poco después a la entrada de una aldea desierta y despoblada. Hacía algunos días que andaba por las carreteras de Cíbola buscando un lugar donde quedarse y pasar una larga vacación. Cuando vió la aldea vacía pero con algunas casas bien conservadas, tuvo una inspiración extravagante: vivir en el pueblo fantasma algunas semanas. La idea era atractiva. Mr. Laner hombre de imaginación, llevaba sus sesenta años con una coquetería masculina hecha de descuídos en el orden de comer, del beber, del dormir.

La walkiria de la fuente de gasolina tenía razón. El pueblo se llamaba Bethania. Ese nombre venía de un hecho memorable. Laner no creía en los milagros aunque pensándolo bien —se decía— mi falta de fe puede ser un pequeño hecho milagroso. Del milagro de Bethania no sabía nada Mr. Laner. Se enteró más tarde.

Diez años antes, cuando aquella aldea estaba habitada en su mayor parte por indios y mestizos, el municipio hacía para la pascua florida grandes fiestas. Entonces la walkiria tenía la estación de gasolina en la aldea misma. Se trabajaba en las minas de carbón. Hubo aquel año hasta una compañía de teatro. Cuando los actores anunciaron su llegada se formaron en el pueblo dos bandos, uno en favor y otro en contra. La obra que anunciaban no podía ser más moral: "La pasión del Señor". Pero el cura había oído decir que el primer actor vivía maritalmente con una mujer que no era su esposa y precisamente ese actor era el que hacía el papel de Jesús. Su amante —se puede suponer—, la Virgen María. El cura encontraba aquello nefando, pero se impuso la curiosidad de los más.

La primera función se celebró en un pajar especialmente habilitado para el caso. Estuvo lleno de indios con sus calzones blancos. Los que no tenían asiento estaban de pie o en cuclillas. La representación resultó bien. El primer actor con su peluca rubia y el manto azul lo hizo todo tan bien que cuando después de morir en la cruz se apareció a los apóstoles entre las nubes de gasa, hubo un rumor de admiración y algunos espectadores se arrodillaron y se pusieron a rezar. La walkiria que estaba allí, reía en un rincón del pajar y se rascaba la cabeza.

No faltaron en la representación inexactitudes históricas entre ellas una manada de pavos (los pavos sabido es que no existían en Europa ni en Galilea durante el tiempo de Jesús porque los llevaron los descubridores de América). El centurión romano hablaba de las órdenes recibidas de su coronel. El mismo centurión hacía de Poncio Pilatos, de Cirineo y de Caifás.

El beso de Judas causó en el público verdadera indignación. Todavía llevaba Judas la bolsa de los dineros en la mano cuando abrazó al Maestro y esa bolsa quedó bien visible sobre el hombro de Jesús. Para que no hubiera dudas la agitaba y hacía sonar las monedas. La ira del público fue tal que el actor que hizo el papel tuvo que salir de la escena y la compaña prescindió de él en el resto de la representación por razones de seguridad. Ese actor que conocía a los campesinos, se había desfigurado cuidadosamente para la escena. Jesús, en cambio, tenía su barba natural. Se la dejaba todos los años para la pascua con ese fin y no le importaba ser reconocido en la calle. Al contrario.

Después de la función San Pedro, sin quitarse la túnica, salió al proscenio con una guitarra y comenzó a tocar pasodobles y polcas mientras la gente joven formaba parejas y bailaba. Terminado todo, los actores se iban a la posada menos el que había hecho de Judas que se iba a dormir al pueblo de al lado no por nada —decía— sino porque tenía parientes.

Los campesinos recordaban aquella función y sobre todo lo que sucedió el día siguiente en la plaza. Sería media mañana cuando el que había representado a Jesús salió dispuesto a dar un paseo por la aldea. Iba vestido como todo el mundo, pero su barba oriental, la dulzura de sus ojos y la solemnidad de sus maneras —estaba consciente del alto personaje que encarnaba en la escena y a eso le llamaba "cultivar el tipo"— atrajeron la atención de la gente. Fue hacia la iglesia. Se sentó en una cerca de adobe y encendió un cigarrillo.

Cuando Laner se acercaba a Bethania ignoraba todo esto. Pero aún sin saber que en aquella aldea había sucedido un milagro, sentía alguna clase de misterio en los juegos de luz y sombra sobre los muros de adobe y de ladrillo viejo.

Los indios al ver al actor se quedaban contemplándolo en un silencio reverente. Algunos se quitaban los sombreros, miraban desde las esquinas rendidos de admiración y la cosa comenzaba a ser incómoda para el actor quien terminó su cigarrillo y decidió ir volviendo a la posada. Los indios lo siguieron a distancia con el sombrero en la mano. Sabiéndose observado el actor caminaba con gravedad. Al llegar frente a la posada se dió cuenta de que le seguía toda una multitud.

Entró en el porche. La gente afluía en silencio y se instalaba en la placita como si esperara algo.

Subió el actor a su cuarto y tomó un whisky. Después, otro. Encendió el segundo cigarrillo del día y miró con cuidado por la ventana esperando que los indios se habrían marchado. Pero allí estaban. No sabía qué hacer cuando oyó en el cuarto de al lado toses mañaneras —el representante— y entonces decidió volver a bajar y disfrutar de toda aquella gloria. Si el representante lo veía no tendría más remedio que aceptar el hecho de su inmenso éxito personal.

Al llegar al porche vió la plaza llena de gente en silencio. Arrojó el segundo cigarrillo, le puso el pie encima, se pasó la mano por la barba y alzó sus ojos azules. La poca gente que quedaba aun de pie se arrodilló.

Comenzó entonces a oirse un rumor acompasado. Rezaban. El actor sentía una emoción más fuerte que en la escena. Percibió en la nuca bajo la piel un ligero hormigueo. Estaba pensando que en la historia del teatro tal vez no se había visto un caso como aquel. Y seguía "cultivando el tipo", es decir, moviéndose con una dignidad ritual y vigilando la dirección de sus propias miradas.

Algunas personas comenzaron a cantar y poco a poco siguieron los demás. Cantaban una canción de semana santa. La melodía era de una tristeza dulcísima. El actor no sabía qué hacer, pero comprendía que no debía retirarse. Desde su ventana el representante de la compañía debía estar viendo todo aquello.

Al terminar la canción a coro se destacó de la multitud con pasos inseguros un hombre de media edad y rasgos violentos y rudos, mestizo de negro e indio. Se quedó de pie con el sombrero en la mano y se puso a cantar otra canción esta vez él solo:

Nuestro Señor fue a cazar
por los montes que solía ...

Seguía refiriendo cómo Dios, padre de Jesús, encontraba a su hijo fatigado y sediento y en vista de que no había cazado nada le regalaba dos faisanes. Entonces Jesús volvía satisfecho a la aldea con la escopeta al hombro y en las manos las dos aves.

En el templo había una imagen de tamaño natural donde Jesús mostraba las manos extendidas y en cada una de ellas un faisán disecado con sus plumas de colores y una coronita en la cabeza porque eran —según decía el que cantaba— faisanes santos.

Acabada la canción todo quedó en silencio. El actor no sabía qué hacer. Por fin con voz muy grave dijo:

—¿Deseais algo de mí, hombres de buena fe?

Igual que en la Biblia y en el escenario decía "deseais" y no "desean ustedes". Y en aquel momento se dió cuenta de que el hombre que había cantado era ciego. Y daba grandes voces:

—No veo el ángel, no veo la estrella, no veo los faisanes de Jesús crucificado.

A cada lado del ciego había una mujer. La de la derecha, vieja. La otra, joven. Estaban de rodillas las dos, pero se levantaron y empujaron dulcemente al ciego hacia el porche. Volvieron a arrodillarse los tres en el primer peldaño.

—Señor —dijo la mujer vieja—. Devuélvele la vista a mi hijo.

El actor recordando su papel en la escena, bajó dos peldaños, se acercó al ciego, puso sus manos extendidas sobre él y dijo solemnemente:

—Hombre de Dios, hágase según tu fe.

Luego lo persignó y le ayudó a levantarse. Entonces todo el mundo pudo comprobar que el hombre veía. Comenzó a cantar en acción de gracias a pleno pulmón y con unos trémolos delirantes. El actor estaba muy pálido y tuvo que apoyarse en una columnita del porche. Había hecho nada menos que un milagro.

Cuando terminó su canción el hombre que había recobrado la vista alzó las dos manos en el aire por encima de la cabeza y

con la derecha fue atenazando de uno en uno los dedos de la izquierda mientras miraba un lugar en lo alto y decía:
—Estoy contando los ángeles. Uno a la derecha, otro abajo, el tercero atrás. Encima hay un puñado de estrellas y el gran Dios en medio rezando el rosario.

El actor que no sabía cómo salir de todo aquello, dijo:
—Volved a vuestras casas y rezad, gente de Bethania.

Gruñía el cura detrás de los cristales de la abadía. La aldea se llamaba Agreda, pero aquel nombre bíblico impresionó a los indios. Todos se fueron lentamente de espaldas y sin dejar de rezar. El actor se decía: "¿Es posible que yo haya hecho un milagro?" Cuando no quedaba nadie en la plaza apareció una vieja harapienta y flaca a quien llamaban la Coyota. Se acercó al porche y puso en el suelo dos hojas secas de palma pascual formando una cruz. Luego les prendió fuego. Ardieron, se consumieron y dejaron en la tierra la huella de la ceniza y del fuego.

La walkiria de la gasolina solía decir que la Coyota era una mestiza de negro y esquimal. Cuando lo supo la Coyota dijo que era verdad, pero que de allí le venía la gracia.

Los campesinos tomaron el acuerdo de cambiar el nombre de la aldea. Desde entonces se llamó Bethania. El divorciado melancólico Mr. Laner ignoraba todo esto. Y recorría despacio las calles de la aldea con la intención de quedarse a vivir en ella por algún tiempo. Para un hombre cualquiera habría sido una prueba difícil, pero no era Laner un hombre ordinario. Tampoco era un héroe. Era, en verdad, un ventrílocuo famoso. Aunque no se podía decir que fuera viejo, acababa de retirarse de la profesión. Atravesaba un período de tristeza y desencanto y estaba convencido de su fracaso en la vida. Su joven esposa Angélica había obtenido tres meses antes el divorcio en Nueva York donde los dos vivían y Mr. Laner desolado, buscaba una "cura de soledad". El juez dió el divorcio fácilmente por la diferencia de edad. Laner tenía sesenta y cinco años y ella apenas veintisiete. Fue un golpe serio para Laner. El ventrílocuo era estoico en todo menos en el amor y había dejado días atrás Nueva York con una sensación penosa de fracaso a la que no se acostumbraba. Al salir de la ciudad llamó por teléfono a Angélica. En lugar de Angélica le contestó la voz de un hombre malhumorado que acababa de despertar. El choque fue violento y triste.

Recordándolo en Bethania trataba Laner de atenuar la amargura con reflexiones. Era posible que el mecanismo del teléfono cometiera un error. Una máquina puede equivocarse.

En fin, suponiendo que Angélica tuviera realmente un hombre a su lado. Mr. Laner no podía decir nada. Ella era libre. Y después de colgar el teléfono Mr. Laner le escribió unas líneas breves: "Angélica, me voy hacia el suroeste huyendo de mi sombra. No tengo a nadie en el mundo más que a Horacio y voy a buscarlo ahora mismo para arrojarlo al Hudson. Ese muñeco me irrita.

"Sólo quiero decirte adiós, amiga mía. Cuando recibas estas líneas estaré ya lejos. Tal vez no te veré ya más. Me queda de ti una melancolía llena de deseos cancelados, pero no suprimidos. Cualquiera que sea tu suerte no olvides que yo soy y seré el mismo para ti." Y firmaba: *Laner*. Ella lo había llamado siempre por el apellido.

Se decía Laner en Bethania: "Soy un caso ordinario y corriente: un marido divorciado que sigue queriendo a su mujer. No tiene nada de extraño pensando que soy treinta y seis años más viejo que ella".

Horacio era el muñeco más grande de su colección y con él había tenido sus éxitos mayores. Recordaba que salió de Nueva York con la idea de arrojarlo al Hudson. Pero no era fácil. En todos los puentes solía haber vigilancia. Siempre hay alguno mirando al que arroja algo al agua, sobre todo si arroja un niño. Horacio no era un niño, pero desde lejos lo parecía.

En lugar de arrojarlo al río lo quemó *vivo* en las afueras de una aldea entre detritos y latas vacías.

Cuando Laner volvió al coche iba diciéndose: "es curioso como un muñeco de madera puede acompañarle a uno". Sin él se sentía mucho más solo y triste.

Más tarde en Bethania recordaba a Horacio y tenía ganas de improvisar algún diálogo si no con él —que no existía— con alguna persona imaginaria. Le volvía a la memoria una canzoneta que Horacio cantaba en la escena cuando trabajaba en el circo Medrano de París:

> *Il quitait ses epaulettes*
> *son poignard, son ceinturon,*
> *son épée et ses aiguellettes,*
> *non ce n' est plus le fier dragon*
> *mais le Père Tymoleón.*

Se daba cuenta de lo incongruente de su situación y aquellos versos sonaban de un modo absurdo en el pueblo fantasma.

Allí junto a la iglesia vacía estaba la estación de gasolina abandonada, con las fuentes gemelas rotas y cubiertas de polvo. La iglesia de adobe tenía en lo alto una cruz. Carecía de puerta y los aros de las ventanas habían sido arrancados también. En un rincón se veía un ala de ángel pintada de negro y amarillo. Recorrió la aldea. Junto a la bocamina que estaba en las afueras había aun raíles y esqueletos de vagones. Al pasar frente a la casa que le pareció mejor conservada se detuvo y entró. En una de las paredes pendía un colgajo de papel que a veces era agitado por la brisa como una bandera. Luego salió pensando que podría vivir en aquella casa relativamente bien.

Cerca había un antiguo bar con anuncios de cervezas y whiskys. Debía haber sido un bar próspero. Se conservaba todavía el mostrador y algún taburete. En el muro dos o tres litografías con modelos desnudas anunciando licores. Una se parecía a Angélica. Imaginando que en el mostrador había un barman gordo y bondadoso —cosa que no le costaba esfuerzo porque Laner era hombre de fantasía— el ventrílocuo decidió hacerlo hablar. Así se sentiría menos solo. Le atribuía esa voz atiplada que tienen a veces los hombres de vientre voluminoso:

—Mr. Laner, usted es un hombre raro de veras. ¿A qué ha venido a Bethania? ¿Qué se le ha perdido aquí?

Y él se respondía a sí mismo con su voz natural:

—Iba al azar por esas tierras buscando un poco de apartamiento. Soy artista. Bueno, entendámonos, artista de *music-hall* o de circo. Un juglar, usted comprende. Mi profesión es la de mostrar habilidades con la voz y hacer reír. No crea usted, para hacer reír hace falta cierta inteligencia. Y alguna generosidad. Yo soy ventrílocuo, mi muñeco mejor se llamaba Horacio y la gente se reía cuando yo ponía en sus labios expresiones que me presentaban a mí como un tipo no sólo humorístico sino vergonzosamente ridículo. A través de Horacio la gente se reía de mí. Los públicos de Europa y América se han reido mucho a mi costa. Pero me pagaban sus risas y así ganaba yo mi existencia. La mía y la de Angélica.

Seguía mirando la litografía que anunciaba una cerveza mejicana. Suponía que además del barman había en aquel lugar otras personas. Y con la boca cerrada produjo en distintos tonos varias preguntas que parecían sonar detrás de él:

—¿Qué hace en Bethania, Mr. Laner?

—Bueno, lo que hago es en pocos palabras . . . digerir mi mala suerte.

—¡No me diga!

Imitaba Laner la voz de su muñeco Horacio que solía usar aquella exclamación —¡no me diga!—. Luego el muñeco se puso a insultarlo también a su manera, es decir, con palabras barrocas:

—Es verdad, señores. Mr. Laner está paseando por el desierto su calidad de estafermo ramplón, de amante desconfitado. El gordo barman reía. Y reían también los otros. Laner acogía aquellas risas con una bondad de *clown*. Suponía Laner que estaba sólo en el bar, en la aldea y tal vez en veinte millas a la redonda (a aquella distancia estaba el cruce de carreteras y la walkiria de la gasolina). Más tarde vió que había un poblado con tiendas, policía, barbero y hasta cine, a unas seis millas en dirección al sur.

Hacía años que no había estado tan sólo y de pronto se sentía con ganas de hablar de Angélica. Se volvió dando la espalda al barman imaginario. Enfrente había una ventana abierta donde sonaba la brisa de un modo aventurero.

—Señores míos —dijo como si estuviera rodeado de gente— Angélica es hermosa. Muchas mujeres hermosas hay en el mundo, pero Angélica tiene además cualidades secretas. No voy a hablar de ellas porque la reserva parece bien, incluso en un marido divorciado y en estas soledades. Angélica era cuando yo la conocí una mujer única y no exagero. Tenía una profesión un poco... inusual. No sé si esto les interesa o no. Las personas parecen atraerse unas a otras por sus rarezas y peculiaridades. Un ventrílocuo es un ave rara, también. Yo. Yo soy un ventrílocuo. Tenía que salirme al paso una mujer como Angélica, una mujer que... bien, una mujer exquisita, suculenta, impoluta...

Al oir su propia voz devuelta por los muros desnudos del bar se calló un poco avergonzado. Creyó por un instante que la modelo del anuncio de cerveza se reía de él y salió del bar repitiendo entre dientes:

—Exquisita, suculenta e impoluta, eso es.

Dedicó el resto del día a instalarse. Sacó del coche una colchoneta de aire desinflada, mantas, objetos de aseo, unos frascos de whisky y algunos libros. También una lámpara de gasolina.

Ponía en las tareas de su instalación el cuidado de los viejos solteros. Aunque Laner estuvo casado con Angélica, había conservado siempre algo de su carácter de solterón.

Angélica procedía de Nueva Orleans donde su abuela había hecho ruido durante los años más turbios del siglo pasado. Nueva Orleans no era Bethania. Todo el mundo sabe lo que pasaba en aquella ciudad en tiempos del coloniaje francés. La abuela de Angélica tenía un negocio bastante objecionable. Es decir en las costumbres de Nueva Orleans no lo era tanto: una casa de tolerancia, una de aquellas casas que por orden de las autoridades mostraba una luz roja sobre el dintel de la puerta.

Creía Laner que aquella profesión de la abuela dejó sobre Angélica una influencia maléfica. No era fácil explicar en qué consistía esa influencia porque Angélica era de costumbres recatadas. Pero cuando la conoció tenía dieciocho años y trabajaba para ganarse la vida en la funeraria más importante de la ciudad donde era maquilladora de muertos. Pintaba los labios, coloreaba las sienes, llenaba de algodón la boca de los cadáveres para evitar las flacideces de las mejillas. Mientras trabajaba se oía una orquesta y entraban y salían constantemente otros empleados cuya presencia parecía quitar al aire esa electricidad funesta de las cámaras mortuorias.

Al principio —antes de saber su profesión— Laner percibía en Angélica cosas extrañas. Por ejemplo, iban al cine. El tomaba su mano, le quitaba el guante. Quitar el guante a la novia es una de las caricias más exquisitas que se pueden imaginar. (Del repertorio de las caricias permisibles en público). Luego Laner le besaba la mano. La palma, el montecillo de Venus. Casi siempre sentía un olor raro y persistente a farmacia. Una fragancia como a alcanfor. Por fin Angélica le confesó el origen de aquel olor y al mismo tiempo se apresuró a decirle una cosa conmovedora como si quisiera compensar lo uno con lo otro. Aquella segunda confidencia, viendo las cosas despacio, honraba a Angélica y hacía de ella una especie de secreta heroína. Angélica dijo a Laner que era virgen. No acababa de explicarse Laner la relación entre aquellas dos circunstancias: "Maquilla a los muertos y es virgen". Angélica explicó que en aquellos trabajos preferían a las muchachas vírgenes y las que lo eran tenían un salario más alto. Angélica renunció sin embargo, a aquel plus de virginidad porque, según dijo, se había negado a ser reconocida por el médico. Un detalle delicado. Así era Angélica. Laner se hacía reflexiones a su manera: "He aquí una mujer en la flor de la vida que por su profesión está, digámoslo así, desvalorada y disminuída ante los hombres. ¿Quién se atrevería a casarse con una maquilladora de muertos?" Y Laner que había perdido la juventud, pero no el deseo juvenil de sus mejores tiempos, se enamoró de ella con su olor a alcanfor y todo. La timidez de la novia —parca vergonzante— su sentimiento, a veces penoso de inferioridad, la hacían encantadora para un hombre que se acercaba entonces a los sesenta. Laner se sentía adulado por el destino.

Angélica respetaba a Laner, de eso no cabía la menor duda. A veces en los tiempos del noviazgo Laner se irritaba y decía: "Un poco menos de respeto y un poco más de amor, querida". Esto ponía triste a Angélica. Comprendía Laner que el amor no se podía exigir y que ella no tenía un carácter muy apasionado. A solas, se decía Laner: "Yo tengo su secreto. Angélica me querrá más o menos, pero me será fiel". No ignoraba que pasado el primer deslumbramiento del amor ella se sentiría atraída por hombres más jóvenes, pero "su secreto es mío porque sólo yo sé en el mundo que ella ha sido maquilladora de muertos. Quien tiene nuestro secreto tiene nuestra alma". Laner creía tener el alma de Angélica.

En el viaje de novios fueron a Francia donde ocurrieron hechos nuevos y penosos de recordar. Tuvo Angélica en París desde el primer día cierto éxito social. Todo el mundo la galanteaba hasta el extremo de que la muchacha poco a poco fue perdiendo su timidez y olvidó del todo sus cadáveres. Laner se preguntaba un poco alarmado: ¿A dónde vamos a parar? Porque aquella súbita seguridad y desenvoltura de Angélica le hería a él primero superficialmente y luego profundamente.

Fue doloroso, aquello. Cuando más enamorado se sentía Laner se vió relegado a segundo término. Pero no se resignaba y se creyó en el caso de organizar la defensa. Es decir, decompensar de algún modo aquel súbito desequilibrio de poderes. Lo hizo de una manera inesperada.

En Bethania le gustaba la placidez de la aldea. Encontraba suaves las sombras de las esquinas de adobe y el silencio en el cual tal vez se oía a un pequeño *golfer* roer la madera del gozne de un portal. "Mi presencia va a alterar las costumbres de estos animalitos", pensaba.

No había en Bethania más que dos colores y los dos desvaídos: el azul del cielo y el gris terroso de la aldea, que era el mismo del desierto. Pensaba en el gordo barman como si de veras existiera y hubiera hablado con él. Y recordaba los términos de la defensa bastante vil que organizó contra Angélica cuando tuvo la impresión de que ella parecía sublevarse secretamente contra él. Estaban en París y vivían en un hotel cerca del Luxemburgo. El día era lluvioso y gris. Fue aquel día cuando calumnió Laner por vez primera a Angélica. Una calumnia de una perfidia infantil que no salió del ámbito de la intimidad conyugal. Laner calumnió a Angélica ante ella misma. Le dijo que tenía un defecto, un defecto físico que ella no podía comprobar ni tampoco desmentir. Recordándolo en Bethania decidió Laner: "Voy a escribirle una carta confesándole por fin mi calumnia". Y escribió en un block apoyado en las rodillas: "No trato de repetirte las cosas que te he dicho mil veces en nuestras horas de dulce intimidad sino algo que no has oído todavía. Pon la mayor atención, Angélica.

"Durante los últimos años de nuestro matrimonio yo te atribuí un defecto físico. Un defecto nimio, pero ominoso. El defecto que yo te atribuía invalidaba todos los atractivos de tu persona. Era de veras miserable. Una vez que lo dije ya no podía volverme atrás. Alguien ha dicho que la palabra es como el vaso de agua vertido en la arena. ¿Cómo recoger otra vez esa agua? He aquí que estoy tratando de hacerlo con estas líneas, ahora. ¿Es tarde? Nunca lo es para conducirse noblemente.

"Dos circunstancias hacían entonces penosa tu vida. Una moral —el recuerdo de tu antigua profesión macabra— y otra física: la idea de que tu aliento olía mal. (Esta fue mi calumnia). Aquí donde estoy, en este pequeño pueblo encantador, habitado por todo género de gente frívola y adinerada entre los que no faltan artistas conocidos y mujeres sujestivas, en este lugar donde tan difícil es recogerse a solas y recordar el pasado, yo quiero ser completamente honrado contigo. Y confesarme. Sí, Angélica, yo te calumnié. ¿Por qué? Recuerdo que en París te hiciste ligera, graciosa y adquiriste, por decirlo así, conciencia de tus atractivos. Tu ligereza tomaba a veces caracteres un poco ofensivos para mí. La cosa había comenzado un día en Niza y se fue haciendo grave de veras en París. ¿Recuerdas? Aquel día en Niza yo me quedé dormido a tu lado. Tú sabías que yo no debía dormir después del almuerzo sino sólo descansar y que en esa diferencia estaba la eficacia del régimen que entonces seguía. Tú atendías a mi régimen con una dulzura —¡ay!— maternal. O filial.

"Pero yo dormía en nuestro cuarto del hotel. Mientras yo dormía te entretenías tú en pintarme los labios con tu barrita de carmín. Me pintabas también las cejas, los párpados, las mejillas. Lo hacías para evitar que durmiera, para despertarme. Y por fin desperté. Tú reías. En Francia reías fácilmente. Yo diría que reías demasiado. Cuando me miré al espejo comprendí que mi piel era más fragante, mis ojos más vivos. Parecía mi sangre más joven bajo la epidermis. Pero había algo siniestro en todo aquello. Te digo la verdad, el recuerdo de aquel episodio me es desagradable todavía ahora. Me miraba al espejo y me veía muerto y maquillado. No sólo te permitías olvidar tu pasado sino que te atrevías a jugar con él, incluso a emplearlo como un elemento de comicidad en contra de tu viejo esposo. En el fondo del espejo te veía a ti con las yemas de los dedos manchadas de color y los ojos asustados. Cuando te diste cuenta te quedaste horrorizada. Ese horror, lo confieso, me fue grato.

"Yo no te dije nada ni hacía falta. Lo comprendiste todo.

Algunos días después estuvimos en un *cocktail party* y la fiesta fue un triunfo para ti. Los hombres jóvenes estaban pendientes de tus palabras, de tus gestos, de tus miradas. Cuando volvíamos al hotel —en el ascensor, lo recuerdo bien— yo te dije que tu aliento olía mal, que tu aliento hedía. Te lo dije en inglés para que el mozo del ascensor no lo entendiera. Tú lo creíste. Tu respiración hedionda te puso triste y te devolvió tu humildad. Era mentira, pero tú no podías comprobarlo. Nadie puede comprobar el olor de su propia respiración. Como yo esperaba, te contrarió mucho y con el tiempo llegaste a ser de veras desgraciada.

"No es que yo ahora esté buscando tu perdón. Estoy lejos, en un lugar donde es inútil esperar que vengas. La gente me asedia —desde que he comenzado a escribirte esta carta me han llamado dos veces por teléfono— y tal vez estoy en camino de crearme nuevas responsabilidades. ¿Un amor nuevo? Quién sabe. Aquí me encuentro bien y para que mi felicidad sea completa necesito ser del todo sincero contigo. El pasado acabó para siempre. Horacio el triste muñeco a quien tú odiabas ya no existe. Lo quemé. Iba a decir que lo quemé vivo y en realidad esa fue la sensación que tuve mientras ardía. Y era un lazo que me ligaba al pasado. El recuerdo de mi calumnia es otro lazo y lo estoy destruyendo en este momento. Yo soy así.

"Hablando sin circunloquios, amiga mía, lo que quise decirte entonces era que olías a muerto. Aquella noche yo me sentía desamparado junto a tu juventud. Ya lo sabes. ¿Qué pensarás ahora de mí? No podrás negar que en el fondo de lo que hago hay algo plausible y me pondría ahora mismo a convencerte de ello si en este momento no llamaran a la puerta. Un momento, voy a abrir. No era nadie. Es decir, unas muchachas interesadas en teatro moderno con las que tengo que salir dentro de un instante. Nada más por hoy —no puedo hacerlas esperar— pero me gustaría merecer una respuesta tuya. Buen amigo como siempre.—*Laner*".

Llevó la carta al poblado próximo. Fue de prisa como si se tratara de una diligencia urgente. "Cuando lea la carta Angélica me insultará, pero no importa. Prefiero sus insultos a su indiferencia".

Al llegar de regreso a la aldea suspiró y se metió en casa. Era ya noche cerrada. Tenía una colchoneta de aire tendida sobre un bastidor plegable de acero y se acababa de acostar cuando oyó voces fuera de la casa. Se asomó a la ventana sin encender luz. Desde allí se veía una parte de la plazuela de Bethania.

Al asomarse las voces cesaron. Pensó Laner que podía ser una ilusión. Lo mismo que hay espejismo en el desierto podía haber esa clase de engaños del oído.

Volvió a la cama tomando antes una tableta de vitamina B.

Al día siguiente se levantó e hizo una nueva inspección de la aldea. Su calle se perdía cuesta arriba en una colina donde había algunos árboles.

Entre los árboles encontró esparcidos por el suelo los huesos ya mondos de un cervatillo. Allí se había desarrollado recientemente un combate desigual. Un coyote había matado y devorado a una corza. La corza es un animal gracioso y pacífico y el coyote repugnante. Laner se dolía de la muerte del cervato pero meditaba más despacio y se decía: "En realidad ¿a quién debe la corza su gracia, su timidez, su agilidad, incluso su ligereza? Al lobo. Al coyote. La corza que murió no tenía el oído ni el olfato bastante finos ni las patas bastante largas ni los movimientos bastante coordinados ni los músculos bastante elásticos para merecer seguir viviendo. No pudo escapar. Sólo se salvan los mejores. Viendo las cosas despacio, toda esa gracia tímida y esa agilidad armoniosa la deben las corzas al coyote. ¿Es cruel la naturaleza? No. Cada cosa sirve a su contraria, en la vida. El coyote repulsivo merece la gratitud de los que amamos a la corza, su víctima".

Como una prolongación de estas reflexiones, comenzó a formarse en su conciencia una idea: "¿No deben algunas mujeres, tal vez todas las mujeres, la delicadeza, la gracia, la dulzura de su alma a nuestra violencia?" ¿No se proponía él con su calumnia contra Angélica hacerla más sensitiva y armoniosa, más tímida y recatada, más codiciable? Oh, fémina sensitiva, oh antigua *virgo melancholica*.

Recordaba la carta de la noche anterior y comprendía que aquella confesión que había hecho a Angélica representaba una renuncia al futuro, a la reconciliación. Eso le dolía. Se arrepentía también de haberle dicho que estaba rodeado de gente joven y seductora. Trucos del resentimiento. "Sólo con mi soledad, soy un viejo —pensaba—, pero cuando caigo en esas debilidades paso a ser un vejestorio".

Pasó el día yendo y viniendo y también hablando consigo mismo. El monólogo era un poco deprimente e hizo hablar a otras personas imaginarias con sus habilidades de ventrílocuo. Todas aquellas personas lo acusaban. Algunas le preguntaban con un acento agresivo. En el bar por ejemplo la chica del anuncio de cerveza le decía:

—¿Era usted un sádico, Laner, o solamente un anciano desencantado y mala persona?

No respondió directamente Laner sino que hizo intervenir al barman de la voz atiplada:

—Ni sádico ni mala persona. Mr. Laner era nada más un enamorado cuando calumniaba a Angélica. No podía evitarlo. Ahora que controla sus emociones le ha escrito una carta verdaderamente noble. ¿Se le puede pedir más?

Decía Laner al barman:

—Amigo mío, usted me comprende.

Sin dejar de hablar consigo mismo a través de figuras imaginarias fue al poblado a comprar víveres y aprovechó el viaje para comer en un café. Le sirvió la comida una camarera que se llamaba Betsy y que tenía unas manos hermosas y una mirada vacía y lenta.

A última hora de la tarde había en los rincones de Bethania demasiadas sombras. El remate de los tejados por el lado del poniente parecía de oro. No sabía Laner adónde ir y decidió acercarse a la iglesia, frente a la cual había dejado el coche. Caía la tarde y llegaba un sol amarillo y sesgado.

—No soy tan viejo aún —se dijo entre resignado y satisfecho— y mi cuerpo siente en este momento la ausencia de ella.

La cruz del frontis del templo que rebasaba el tejado estaba un poco inclinada hacia el norte por el viento. Laner entró en la iglesia. En el muro del poniente había una sola ventana muy alta donde la luz era como en los escenarios de los teatros.

Cuando estaba en Nueva York o en cualquier otra ciudad Laner dejaba el coche en la calle sin cuidado. Junto al desierto la soledad le parecía peligrosa sin saber por qué. Al encender los faros la luz se proyectó dentro de la iglesia e hizo resaltar en un rincón el ala de un ángel. Un ala rota y suelta pegada contra el revoco del muro. No era Laner hombre religioso, pero aquel ala le pareció que tenía allí un sentido misterioso.

Fue a su casa. Se sentía a sí mismo interesante por vivir en un pueblo fantasma, donde se proponía seguir al menos hasta ver si Angélica contestaba o no su carta. Le había dado como dirección *general delivery* de la oficina de correos del poblado.

Le parecía pronto para acostarse y salió otra vez a la calle pensando en Angélica y hablándose a sí mismo: "En París yo no hablé a Angélica desde el principio de su aliento maloliente. Solía decir que su respiración era la de una persona que tenía las digestiones difíciles o los dientes averiados. Comenzó Angélica desde aquel día a abusar de los perfumes. Alguien le recomendó también un producto de farmacia y lo tomaba a escondidas. Pero le estropeaba el estómago. Con todo esto Angélica no podía menos de agradecerme —era lo que buscaba— que la retuviera al lado y que la besara en los labios. Ella creía ser indigna de mi amor igual que en los tiempos del alcanfor y la cadaverina".

Después de pasear por el pueblo sin rumbo, volvió a su casa. Sentado en la cama, miró alrededor. En el silencio se oían algunos granitos de arena que entraban con el viento y repicaban en el papel hueco del muro. Había en el cuarto un cajón de madera convertido en mesa de noche. Allí tenía el tabaco de pipa, la lámpara de gasolina y algún otro objeto. Antes de encender la lámpara, cerró Laner como pudo la ventana para evitar que acudieran insectos a la luz.

Trataba de seguir recordando, pero creyó oir voces fuera de la casa. Hablaban dos mujeres —a las que no veía— con inflexiones amables y cantarinas.

—Yo —decía la walkiria— creo que este es el año mil.

—Si fuera verdad no estaría el suelo alrededor de Bethania poblado de flores y hierbitas del señor que es una bendición.

—Perdona, pero yo no veo ninguna. No he visto ni una sola flor.

—Hay que ponerse en cuclillas y mirar el cacto, la hierba, el cardillo, la salvia. Todo tiene su florecita, el cacto también. ¿No has visto que en Bethania hay flores grises? Una bendición del Señor.

El fresco de la noche o el polen del desierto que flotaba en el aire hicieron estornudar a Mr. Laner en su ventana y aquellas mujeres desaparecieron. Poco después se oyó un claxon y una voz casi infantil que gritaba:

—¿Coyooootaaaa?

Era una llamada amistosa. Y Laner volvió a reconocer la voz de la walkiria del hacha. En las dos horas siguientes no volvió a oir el menor rumor. Se durmió. Pero despertó sobresaltado. Trató de dormirse otra vez sin conseguirlo y se sentó por fin y encendió su lámpara.

Recordaba otra tarde lejana en París. Estaban en el cuarto del hotel. Al otro lado de los cristales se extendía la ciudad dorada y tibia. Habían ido a ver el film de Walt Disney "Blanca Nieves y los siete enanitos" y Angélica se escandalizaba con el precio que habían pagado. Laner se había dejado caer aquel día en la cama y tomó un libro, pero no podía leer. Todo lo que leía lo relacionaba con Angélica. Y recordando el film repetía imitando la voz de uno de los enanos cuando descubre a Blanca Nieves durmiendo: *"Tiens, c'est une jeune fille!"*

La noche en Bethania era tibia y él acostado en el camastro con las manos detrás de la nuca dijo el nombre de su antigua esposa:

—Angélica...

Nadie contestaba. Repitió el nombre dos, tres veces, cada vez más alto y por fin se contestó tímidamente a sí mismo imitando la voz de ella:

—Sí, querido, aquí estoy.

Laner había dado a aquellas palabras una entonación dulcísima. Imitaba muy bien la voz de Angélica. Era una voz familiar que no le exigía el menor esfuerzo. Y Laner en aquella voz ponía un gran amor... por sí mismo. A través de la garganta del ventrílocuo dijo Angélica una serie de cosas de veras agradables:

—Me repetiste muchas veces en aquellos días de París, querido esposo mío, que yo te consideraba inferior a los amigos nuestros. No es cierto, aunque después de algunos años de matrimonio eso suele suceder a muchas mujeres. A casi todas. Pero yo te quería porque sabía ver tus cualidades secretas. Cualidades que nadie ha visto tal vez nunca en ti más que yo. Aparentemente eres un hombre sin relieve. Pero tu vulgaridad es el disfraz en el que te envuelves para no herir a los demás con tu superioridad natural y tu grandeza. Yo lo veía y callaba. Te lo digo, Laner, ahora. Eres un hombre superior y lo has sido siempre aunque sólo sea por tu manera de aceptar tu... vulgaridad. No digas que no porque te conozco mejor de lo que te conoces tú mismo.

Limpiando la pipa Laner sacaba del tubo un trozo de algodón manchado de nicotina y exclamaba:

—Angélica, estás abrumándome. Tú siempre has sabido ver detrás de las apariencias. Pero era tu cariño que te hacía verme mejor de lo que soy.

Volvía a imitar la voz de ella, una voz dulce atiplada y rendida:

—Como te digo, tardé bastante en comprender que te habías impuesto la vulgaridad como norma. No una vulgaridad cualquiera, sino una sucesión compleja de trivialidades que acababan por constituir una verdadera obra de arte. Recuerdo, Laner, que un día me dijiste: siendo el futuro de todos el mismo, un puñado de huesos en un rincón de un cementerio, ¿para qué tratar de ser mejor, más grande, más importante? Ese deseo es lo más sórdido y miserable de la naturaleza humana. Y por otra parte nadie lo realiza, es verdad. Yo te quería, Laner. Hay entre tú y yo un hecho que tiene una importancia extraordinaria para una mujer: tú fuiste mi primer amor. Lo sabes, ¿verdad? Ese amor primero deja en el alma de la mujer una huella imborrable. Entonces ¿qué importa si tu manera de ser me irrita a veces? Yo te quiero suceda lo que suceda. Yo soy en todo caso la misma para ti, encanto de mi vida, corazón mío, viejito mío primaveral. Redentor de mis días lúgubres.

Se interrumpía Laner a sí mismo, se puso la pipa en la boca, aspiró aire sintiendo la oquedad limpia y volvió a imitar la voz de Angélica:

—Comprendo la importancia de tu vulgaridad, Laner. Mientras esa vulgaridad era pasiva todo iba bien, pero a veces se hacía agresiva y activa. Cada vez que me herías con tus palabras, con tus gestos también, porque yo estaba obsesionada por el mal olor de mi boca, cada vez que te apartabas un poco de mí conteniendo el aliento, cada vez que veía en ti una expresión de contrariedad o de contenido asco yo me escondía en mi concha como un caracol por algunas horas. O algunos días. Y te agradecía tu amor, pero esa gratitud mía no me hacía feliz, la verdad.

Dejó Laner la pipa, encendió un cigarrillo y mientras devolvía el humo contestaba a las supuestas palabras de ella:

—¿Qué iba yo a hacer? Se ve uno arrastrado por la corriente de la pasión y se defiende y lucha con todas las armas posibles, nobles o innobles.

Laner quedóse un momento escuchando. Creyó oir un rumor y cuando comprobó que era el papel desgarrado del muro y movido por la brisa se tranquilizó y quiso imitar la voz de Horacio. Pero aquel muñeco siempre hablaba burlándose de Laner e insultándolo. No le halagaba la idea.

Se acostó sin volver a encender la luz. Fumaba a oscuras sin placer porque no veía salir el humo y antes de dormirse hizo hablar a Angélica otra vez:

—Tranquilízate, Laner, amigo mío y recuerda que te quise y que todavía te quiero a pesar de todo. Duerme, querido. Yo pienso en ti, yo sueño contigo. Estamos separados, pero sólo físicamente. Mi alma está contigo. Si oyes un día que me he vuelto a casar puedes estar seguro de que en la noche habrá un hombre (no tú) a mi lado, pero soñaré contigo.

—Oh, Angélica, es demasiado. Tal vez yo no merezca tanto.

Repitiendo estas palabras Laner se dormía, feliz. Al día siguiente despertó sintiendo los restos de aquella felicidad de la noche anterior. Salió de casa, trepó a la colina y desde allí volvió a mirar la aldea. Era pequeña, terrosa, irregular y mísera como un hormiguero. Veía en la base de la colina montones de detritos minerales y dos rieles que aparecían y desaparecían, oxidados, en la tierra. Caía poco a poco en una tristeza sombría pero sentía el murmullo de la brisa en los oídos y entonces el hecho de vivir allí le parecía meritorio. Bajó a la aldea y se puso a pasear por la plaza.

Decidió ir al poblado y al ver el edificio de correos pensó en la carta que había escrito a Angélica. Aunque no podía tener respuesta todavía, se acercó a la ventanilla del "general delivery" a preguntar.

Después hizo varias compras y fue al café. Le sirvió la joven Betsy quien le preguntó si era verdad que iba a explotar las minas de Bethania. Laner dijo que vivía en Bethania porque estaba haciendo una "cura de reposo" y que no le interesaban las minas.

—¡Qué le parece a usted! —exclamó ella, asombrada.

Volvió Laner a Bethania cantando a media voz. Cuando llegó frente al bar vacío y abandonado se detuvo y entró.

—Aquí estoy —dijo dirigiéndose al supuesto barman—. ¿No cree que para vivir en Bethania hace falta estar en malos términos con la gente de ley? ¿No piensa que podría ser yo un pillo, un granuja, tal vez un criminal?

Laner improvisó la respuesta del barman a quien atribuía ahora la voz del muñeco Horacio:

—Hombre, la verdad, Mr. Laner. En el poco tiempo que lleva aquí creo haberle calado. No es usted hombre de grandes decisiones, ni buenas ni malas. Es usted un hombre que trata de ser honrado sabiendo que es incómodo, que es imposible en fin de cuentas y que es un poquito ridículo. Es decir, que es usted buena persona, pero un poco carcamal y desde ahora se le podría llamar sin desacato una especie de títere que hace cosas sin pies ni cabeza.

—Tal vez sin pies ni cabeza, pero con un alma.

—Un poco avergonzado se marchó a su casa pensando: no puedo dejar de imitar a Horacio. Me acompaña aquel muñeco y me insulta como siempre. Menos mal que también me acompaña Angélica. La tengo al lado, la llevo dentro, está siempre conmigo y me dice cosas amables. La verdad es que me encuentro a gusto aquí. ¿Para qué frecuentar la gente? Nadie logra penetrar en la intimidad de los otros. Nadie sabe tampoco lo que los demás piensan de uno. ¿Para qué frecuentarlos? Aquí yo solo, con Angélica a mi alcance ¿qué más puedo pedir?

Llegó a su casa y se sentó en la cama con las manos en

las rodillas y la vista fija en la sortija de casado que conservaba en la mano izquierda.

—Angélica mía, la tarde que vimos en París el film de Walt Disney, una tarde de primavera gris y turbia, quería yo confesarte mi embuste, pero no podía. Fue una tarde que no olvidaré nunca. Tú llorabas después de haber hablado yo así como por descuido de la fetidez de tu aliento. Nunca había dicho yo esa palabra horrible: *fetidez*. Aquella tarde la dije porque me consideraba humillado. Y te hizo una impresión tremenda. Para aligerar la escena yo repetía con la voz de uno de los enanos del film una frase que me parecía graciosa: *"Tiens, c'est une jeune fille!"* Tú sabes que tengo cierto talento de imitación. Sabía que nadie conseguiría hacerte reír aquella tarde y por eso insistía. Confieso que si te hubieras reído me habrías decepcionado. No quería verte alegre. Trataba de hacerte reír para que tú me lo agradecieras nada más, no para alegrarte. Y yo seguía acostado, con las manos en la nuca repitiendo la frase del enano una vez y otra. Cada vez gritaba más. Tu tristeza me dolía y me gustaba a un tiempo y tú te dabas cuenta. ¡Vaya si te dabas cuenta de aquello!

—¡Qué tiempos, Laner querido! —respondía ella—. Entonces tú estabas celoso, confiésalo.

—¿Yo?

—Loco de celos. Y tus celos me halagaban. Ojalá me hubieras matado en un arranque de pasión. Pero no. Te ponías irónico y sarcástico. Tu pasión se corrompía y producía hongos venenosos en los rincones de tu conciencia. Eso es lo que a mí me sacaba de quicio.

Alzaba las manos Laner en el aire y trataba de tomar un acento ligero:

—Lo de siempre, querida. Hay cosas mías que nunca comprenderás. Soy feliz aquí. Estoy mejor que en Nueva York. Y más cerca de ti que nunca. Estás a mi lado, acudes cuando yo quiero, me hablas si te pregunto y velas mi sueño, tú, despierta a la cabecera de mi cama. Soy feliz. Aquí no hay teléfonos, es verdad, ni visitas ni jóvenes seductoras. Tampoco hay la posibilidad de que tú me llames, pero todo tiene su ventaja. No espero horas y horas, como en Nueva York, tu llamada. Como te digo, estás siempre conmigo. Y la soledad exterior no es tan terrible. Cuando no pueda aguantar me iré a otra parte porque hay en Cíbola ciudades muy hermosas llenas de encanto y carácter. Déjame que siga recordando aquella tarde en París. Mi alegría —*"tiens, c'est une jeune fille!"*— era un poco escandalosa y algunos huéspedes de los cuartos vecinos debieron oirme. Alguien se alarmó. Entendió las cosas a su manera y quizá por puritanismo o por envidia me denunció a la administración del hotel. Llamó por teléfono al manager y le dijo que yo tenía una virgen en mi cuarto. El gerente debió quedarse estupefacto. ¿Una virgen? En Francia sólo han tenido una, la doncella de Orleans y hay que ver el ruido que han hecho con ella. En todo caso el gerente me llamó por teléfono para decirme que en su hotel no admitían clientes *de passage* y que no toleraba equívocos. Yo tenía ganas de reír, pero me contenía viendo tu llanto. En aquel momento te serviste un vaso de whisky y lo bebiste en pequeños sorbos. Tratabas de cubrir el supuesto olor de tu aliento con otro más fuerte. Todo era consecuencia de aquella palabra que había dicho yo un poco antes: *fetidez*. En los días siguientes volviste a beber. Bebías a menudo. El alcohol debilitaba tus resistencias y comencé a ver una Angélica nueva. En mi pecado encontraba yo mi penitencia. No diré que cayeras en el cinismo, pero tenías una coquetería que ignoraba y que usabas sólo con los demás. El alcohol suprimía tus inhibiciones. Eso me ofendía. Había en toda tu gentil persona, cuando hablabas con los otros, un aire de promesa que yo no te había visto antes. Y esa promesa no era para mí sino para ellos. ¿No es verdad, querida mía?

—No, Laner —protestaba Angélica a través del ventrílocuo—. Esa es la manera natural de París. ¿No recuerdas que en París todas las mujeres dan esa impresión, digo la impresión de que se ofrecen al hombre con quien hablan?

—Quizás, Angélica —decía Laner rascándose la rodilla—, pero yo no soy francés. ¡Qué días aquellos! Frente al circo donde trabajaba había un café a donde iban algunos artistas. Pintores, poetas, gente rara. Algunos parece que son ahora famosos. Ibamos allí. Y recuerdo que a menudo había alguien a mis espaldas cuya mirada buscaba al sesgo la tuya. Y tú seguías bebiendo para disfrazar la supuesta fetidez de tu aliento. Las pequeñas causas buscan la compensación en efectos que a veces son desproporcionalmente grandes. Es natural, tus resistencias disminuían con el alcohol y a veces sintiéndote observada y deseada tu labio inferior temblaba un poco. No. No me torturo. Tengo una memoria realista y eso es todo. Tú eras deseable y te dabas cuenta. Pero si todos te deseaban ninguno sentía por ti ternura alguna más que yo. Y yo no decía nada. ¿Qué podría decir? ¿Que tus ojos buscaban siempre en todas partes otros que no eran los míos? Por entonces nos presentaron a Maurice Valadine un hombre ligero, una espumita, pero una espumita amarga que trataba de ser cínica. Yo no le dí importancia. Tú y él salíais solos. Te halagaba que un hombre tacaño como suelen ser los franceses gastara dinero en obsequiarte a pesar de tu aliento fétido. Cuando viste que tus *soirées* con él me molestaban comenzásteis a quedaros en el circo para ver mi número. Menos mal. Entonces yo no dormía. No podía dormir. Me pasaba las noches viéndote dormir a ti a mi lado y pensando: duerme porque sus amantes la han fatigado. Duerme saciada y feliz. Entretanto yo . . .

—Laner —interrumpía Angélica a través del ventrílocuo—. Tú sabes que lo que estás diciendo carece de base y de sentido. Maurice era casado. Claro es que hay casados adúlteros y que tú no me creías. Habías llegado al extremo de que la mayor sinceridad mía te parecía el mayor engaño. Mirabas y no decías nada. Pero le transmitías tus dudas a Horacio, al terrible muñeco. Y Horacio desde el escenario o desde la pista comenzaba con bromas equívocas y acababa a veces con tremendos sarcasmos que ofendían a Maurice, me ofendían a mí y eran sobre todo una falta de respeto para ti mismo.

—Cada cual se defiende como puede, querida.

—¿Defenderte tú? ¿De qué?

—De ti, Angélica. De tu desvío en plena luna de miel. Estoy seguro de que me eras fiel al menos en aquellos días, pero no basta con eso. ¿Tú has visto lo que pasa en el bosque con las plantas y los árboles que están demasiado juntos? Uno roba los minerales al otro, le absorve el oxígeno, lo envuelve, le niega el paso a la altura. Vive quizá de la esperanza de la destrucción del otro y cuando esa destrucción llega se nutre de sus hojas podridas, de sus raíces en descomposición. Es la ley del bosque. Hasta que el uno devora al otro. No digo que ese fuera nuestro caso, pero había entre nosotros una lucha silenciosa de cada instante. En el bosque los organismos débiles sucumben. No todos. Hay una excepción. Nada más débil que una orquídea. Sin embargo, la orquídea tiene un arma terrible: la belleza .Y la orquídea renunciando a trepar y asomarse a la luz, se instala en la juntura de dos ramas de un árbol y aspira la savia, roba la clorofila y produce flores de una belleza cuya contemplación hace daño.

Estaba Laner satisfecho de aquellas palabras que consideraba especialmente poéticas y dignas de Angélica. Fingiendo la voz de ella preguntó:

—¿Puede la belleza hacer daño de veras, Laner?

—Sí, Angélica —decía él tratando de abrir un frasco medicinal con dificultad porque lo había cerrado con demasiada energía el día anterior—. Tiene sus propias leyes imprevisibles. Cuando se espera encontrarla más fuerte es más débil. Por donde se espera que fracase, triunfa. La belleza tiene sus leyes difíciles e inexorables.

—No digo que no.

—Y ese es mi caso. Aquí estoy con toda mi derrota a cuestas. Aquellas noches de París yo sabía lo que eran los grandes suplicios de los antiguos enamorados de Grecia y Roma, de España y de Francia, del cielo y de la tierra. Ahora en este desierto yo . . .

Abrió el frasco, sacó una píldora y la tragó. Luego siguió hablando sin más testigos que las paredes desnudas:

—En mi caso la belleza difícil y rara —la orquídea— era mi renunciamiento. Esa vulgaridad artificial de la que hablábamos ayer era mi obra de arte. Hermosa de veras, Angélica. Y como tú sabes, la belleza puede ser una fuerza. Es una fuerza. Hablo de mi voluntario vencimiento contigo. Esto era en Francia y es todavía aquí, ahora. Salí de Nueva York voluntariamente, humildemente y sin protesta. La belleza de lo humilde suscita a veces lo extraordinario. Tus amigos querían ser grandes, ser superiores, seductores, excepcionales, únicos. Bien, yo no quería ser más de lo que era y mi heroismo estaba en mi deliberada vulgaridad.

—Pobre Laner mío —decía él con la voz de Angélica—. ¿Dónde está ese heroísmo? ¿Quieres decirme en cuál de tus actos ha estado nunca lo extraordinario? Pero no importa. Ya te dije ayer que tu mediocridad es tu obra de arte.

—Ayer hablabas de mi superioridad secreta.

—Eso es, Laner. Eres un genio. Eres superior a todos los que me cortejaban entonces en París.

Reía Angélica feliz (Laner imitaba su risa entre las cuatro paredes desnudas). Angélica se burlaba un poco dentro del pecho del ventrílocuo. Luego Laner se trasladó mentalmente al circo de París en el que actuaba con Horacio. Hacía cantar al muñeco una canzoneta en la que el héroe era un tal Dupont. La letra de un grotesco erótico bastante atrevido era para el público de los sábados. La gente reía. Laner preguntaba al muñeco Horacio por qué se reía la gente y Horacio volvía a cantar con su voz de flauta rota:

Parce que Maurice n'est plus Maurice
mais le Père Tymoleón . . .

Ese Père Tymoleón era en la fábula un tipo grotesco y con él trataba Laner de aludir a Maurice que estaba en la sala. No podía evitar aquellas venganzas contra los amigos que galanteaban a Angélica. Horacio, el muñeco, decía de Maurice que era un *cocu* y con el deseo de vengarse de su destino le hacía la corte a una joven *parca* que...

—Pero eso era innoble, querido.

—Aquello pasó, Angélica. Tú tenías derecho a disponer de ti misma. Lo reconozco ahora que ha pasado el fuego de las antiguas iras y rencores. Tenías derecho, Angélica. No te culpo de nada. Vibraba la voz de Angélica en el pecho de Laner:

—Laner, no hables así. Yo no había dispuesto de mi misma. Me gustaba que me cortejaran y eso era todo. En cambio tú le dijiste un día a Maurice que yo había sido maquilladora de muertos. ¿Por qué se lo dijiste? ¿Qué necesidad tenías de envilecerme si yo te era fiel?

—No sé, pero estoy seguro de que con eso no te hice daño alguno. La primera reacción de Maurice fue de estupor cuando le revelé lo de tus cadáveres. Parpadeó, se le encendieron un poco los ojos y dijo: *"Voyons,* es extraordinario de veras". Lo decía sin repugnancia. Pocos días después llegaste tú con un libro en la mano. Un libro de poesía que al parecer estaba entonces de moda. Yo lo abrí. Estaba dedicado, pero no por el autor sino por Maurice quien en la dedicatoria se disculpaba de aquella libertad. Con Maurice parece que ese pasado tuyo era un atractivo más. Yo estaba furioso. El libro se titulaba *"La jeune parque".* Por vez primera en mi vida usé aquella noche la ironía venenosa. Te dije que aquel libro era una alusión irrespetuosa y grotesca a tu pasado. Tú creías que el título era "El joven parque" y te sentías halagada. Al menos en un joven parque hay buenos olores. Pero cuando te dije que no eras parque sino "parca" —la joven parca— perdiste los estribos. Ya sé que nunca quieres aceptar que alguna vez has perdido los nervios conmigo. ¿Por qué? El caso es que gritaste: ¡Yo no soy una parca! Te digo la verdad, hasta entonces yo no había tenido sino celos naturales, quiero decir, celos de rivalidad masculina por decirlo así, honrada. Pero aquella noche vi que cualquier circunstancia de tu vida por triste que fuera sólo podía añadirte atractivos. El haber sido una parca te favorecía por triste que fuera el hecho, al menos con algunas personas. Sobre todo con algunas personas. Y yo, la verdad, me sentía perdido. El amor en Francia es más que en ninguna otra parte, literatura. Las parcas son las hijas de la noche y las que no perdonan. Las implacables. Para Maurice había algo poético en todo aquello.

—Es posible, —concedía Angélica.

Y los dos reían repitiendo la frase "algo poético" con una risa un poco canalla.

El cielo de Bethania iba encendiéndose. La soledad de la aldea en aquella hora del crepúsculo inquietaba un poco a Laner. Parecía que las casas estaban habitadas y que los habitantes se callaban para espiar mejor desde las ventanas. Volvió a hablar alzando demasiado la voz como si desafiara la curiosidad de sus vecinos.

—Aquella noche llegaste muy tarde al hotel. Yo te había esperado en vano a la salida del circo. Llegaste fatigada. Dijiste que habías estado bailando con Maurice en una *boite*. Hablamos, discutimos. Con el pretexto de encender el cigarrillo abrí tu bolso buscando el mechero. Y vi una carta, el encabezamiento de una carta: *Angélica cherie, j'adore ta* . . . No pude leer más. No pude enterarme de lo que adoraba aquel hombre en ti. Comencé a hacerte preguntas crudas, pero tú en lugar de responderme bostezabas. Te hablaba generoso, comprensivo, superponiéndome a mi dolor y tú bostezabas. "¿Es posible que tengas celos feos, celos sucios, celos malos?" Eso me decías en inglés: *dirty jealousy*. Yo no sabía qué contestar. Sucios eran mis celos, vayan si lo eran. Mientras te miraba lleno de curiosidades y amores y odios era intolerable para mí que tú quisieras dormir. Y repetías entre dientes: "Es muy tarde, Laner. Ya hablaremos mañana, pero no con esas palabras porque me ofendes y me vuelves loca". Yo no te dejaba dormir. Otras noches como aquella te impedí dormir y parecía que íbamos a morirnos los dos de insomnio. ¿Recuerdas? así, pasaban los días y la sangre se nos envenenaba a los dos. Yo sé que tú no querías a Maurice. Te burlabas de sus atenciones y de sus homenajes. Yo no podía averiguar lo que habíais hecho, lo que ibais a hacer. Es decir, la materialidad de la anécdota que era lo que más me importaba. Ya sé que no existía esa anécdota. Es decir, lo supongo. No te acuso, Angélica. Nunca te he acusado concretamente. Desarrollé mi ofensiva como pude. Comencé con el mal olor, seguí con la parca y con las bromas de Horacio en el circo, pero una acusación concreta no la hubo jamás. ¿Es que la hubo alguna vez? ¿Eh, qué dices? ¿Te he acusado yo una sola vez en nuestra vida de haber hecho esto o lo otro con fulano, zutano o mengano?

Sin dejar de hablar Laner se quitaba con un pie el zapato del otro. Estaba buscando en su recuerdo una frase para atribuírsela a Angélica. Por fin se dijo a sí mismo con la voz de ella:

—No me digas más, querido. Reconozco que merecía tus sospechas. Nunca fui infiel, pero me gustaba hacértelo sospechar y dejarte con la duda. Inventaste el mal olor de mi aliento bajo la sugestión de mi mal aliento moral. Y entonces yo quise darte la razón en parte como una venganza. Tenía derecho a vengarme, Laner. Y algunos días, es decir, algunas noches... no sé como decírtelo. No sé. Voy a decírtelo, pero no sé cómo...

Acabó Laner de quitarse el zapato que dejó boca abajo en una posición inestable y dijo con su voz natural:

—No, Angélica, un poco de piedad para ti misma. No seas cruel contigo ni tampoco conmigo. Piensa que yo estoy aquí, que te oigo y que soy un hombre con mi sensibilidad moral.

—Entonces callaré por ahora. Pero sólo por ahora, Laner. Un día te lo diré todo. Todo. Aunque sufras tú y sufra yo. Aunque...

Le faltaban palabras y aliento a Laner. Fuera del cuarto, en la noche, se oía el viento. Laner se puso a hacer la cama que estaba muy desordenada. Estirando las sábanas imitaba la voz de Horacio y cantaba una tonadilla de los *boulevards*. Tenía ganas de hacer intervenir también a Maurice en su diálogo con Angélica. Creía estar viéndolo allí en el cuarto con una chaqueta de gamuza sobre la camisa deportiva de lana. Aunque era sólo un comerciante, se vestía como un artista, es decir, como un bohemio rico. Y Maurice cuando hablaba daba la impresión de estar enamorado de sí mismo. La voz de Maurice era fácil de imitar. Y decía a través del ventrílocuo con un timbre de voz un poco afeminado:

—He estado escuchando a los dos, sin demasiada descortesía, *mon Dieu*. Uno trata de ser discreto pero tengo oídos y mis oídos funcionan. Yo no creo ser un portento, pero poseo mi discernimiento como cada cual. A veces un poco más, según dicen. He oído hablar a ustedes hace un momento y me pregunto: ¿en qué quedamos? ¿Se odian? ¿Se aman? Nunca pude averiguarlo en París a pesar de que soy bastante buen psicólogo. Recuerdo que Angélica me hablaba bien de usted, Laner, pero usted me insultaba en sus diálogos con Horacio, digo en el circo. ¡Qué cosas decía! Supe que Angélica le amenazó con divorciarse y que entonces usted le dijo una cosa un poco ridícula entre amantes. Le dijo que sin ella usted se vería obligado a renunciar a la vida.

—¡Vaya una tontería —dijo Laner desnudándose y sintiéndose un poco humillado por las palabras que él mismo atribuía a Maurice—. Yo hablé de renunciar a la vida, es verdad, pero nunca lo pensé en serio.

—Lo pensaste muy en serio, Laner —dijo Angélica.

—¿Yo? —preguntó Laner ruborizándose—. ¿Y quieres que

lo confiese aquí, delante de este sujeto? Bien, todos moriremos. Yo antes que ustedes porque soy más viejo. Y luego ¿qué? También ustedes morirán y un día seremos un puñadito de huesos en un rincón al que la gente no podrá siquiera dar un nombre.

—¡Confiésalo, Laner!

—No tiene el valor de confesarlo —decía Maurice a través del ventrílocuo—. ¿Por qué? Bah, la naturaleza me ha dado una razón bastante clara, una razón francesa, *quoi*. La verdad es que uno quiere averiguar demasiadas cosas y perdone usted que me salga del tema. Aquí está Angélica. Todos queremos averiguar cosas. El que sabe, posee, domina. Usted quiere averiguar algo concreto. Bien. Creía usted que ella se distraía demasiado del camino de la luna de miel. Yo debo decir la verdad. Tal vez ella tuvo la tentación cuando nos conocimos, pero no se dejó vencer. A pesar de ese panerotismo de las recién casadas que las empuja vagamente al libertinaje, Angélica era un monstruo de buen sentido.

—Sí, es verdad, Angélica era así —afirmaba Laner buscando las cerillas para encender la pipa—. Pero yo no hablé de suicidarme porque un hombre no habla de esas cosas sin sentirse en ridículo. Desesperado sí que lo estaba, pero no hasta el ridículo.

—Vamos, vamos. ¿Y qué motivos tenía usted para desesperarse?

—Hay una conciencia, Maurice. Usted parece olvidar que hay una conciencia.

—Olvídela, Laner. Es mejor. ¿Para qué quiere usted esa conciencia? A mí me la dieron sin pedirla y trato de olvidarla como un paraguas viejo. Yo no puedo quejarme de mi mujer. *Du tout*. Pero esa conciencia le hace a usted inferior a un perro y a un gato. ¿Es que un gato puede ser ridículo? En cambio usted lo es, Mr. Laner. Está en el caso, gracias a su conciencia, de envidiar al perro y al gato. Yo sé que no desconfía usted únicamente de mí, aunque los otros galanes no merecían sus celos de esposo como los merecía yo. Me refiero al dulce y tímido Paul, al infantil André, a Richard el reservado y taciturno. Uno es quien es y no lo digo yo sino que lo decían las mismas mujeres a quienes trataba. Pero Angélica se mantuvo en su puesto. No por amor. Yo no creería nunca que ella estaba enamorada de usted. Tal vez por propia estimación, usted comprende. *Une femme, quand même* tiene un alma, digo yo.

Laner hizo intervenir a Angélica como si estuviera en el cuarto:

—Cállate, Maurice, no hables así delante de Laner, que odia cualquier clase de cinismo.

Imitaba Laner la voz de Maurice respondiendo:

—Bah, como Laner decía antes, todo acabará un día. Mi cinismo y su fe. Y los lugares donde fuimos felices o desgraciados. Y Europa. Y América. Y el planeta entero, incluso yo, con mi razón francesa. Dicen que hay una ley divina. Aunque la haya. Esa ley, si la hay, es una tremenda desconsideración para nosotros que no tenemos culpa de nada. Incluso para mí. ¿No es eso cuanto puedo decir? Yo no tengo la culpa.

—¿Pues quién la tiene? —preguntaba Laner.

—El orden universal, *mon cher*. Habría que encontrar alguna manera de castigar ese orden universal que me ha dado la perfección sin pedirla y que me la quitará sin consultarme. A mí, *mon vieux*, a mí.

Se oyó una risa femenina. Laner reía con la risa de Angélica y trataba de burlarse de la vanidad de Maurice. Luego le atribuía a ella las palabras siguientes:

—Tú eres, Laner, muy superior a Maurice. Pero no hay que engañarse. Aunque superficial y ligero la verdad es que Maurice era fuerte en su ligereza.

—Así y todo —dijo Maurice tristemente— tú me dejaste para salir con el inocente André. Entonces yo tenía celos también aunque no tantos como Laner. Comprendía que era ridículo, pero no podía evitarlo. Estuve vigilándolos a los dos. Nada, Laner. No había nada importante con André. Quizás un beso en la mano al despedirse. Es natural que no fueran más lejos. André es un niño de papá y mamá, puro, tonto y presuntuoso. Fue desbancado por Harry, un bárbaro podrido de dinero. Era americano y tenía ganas Angélica de salir con un compatriota. Se comprende. Entonces éramos dos a espiarlo: André y yo. Cada cual por su lado. Y . . . bueno, tampoco pasó nada. Angélica solía decir de Harry: es un *bulldozer*. Usted era respetado también por el *bulldozer*. No había nada de nada. Es posible que cuando ella se acostaba con usted pensara en alguno de nosotros, pero esa infidelidad in mente la cometen todas las esposas y es inevitable. Luego ella se cansó del *bulldozer* y comenzó a salir con aquel inglés evasivo que andaba siempre borracho y a quien le rompieron un diente a la salida del metro de la Gare du Nord. Lamentable, *mon cher*. Harry se unió a nuestra vigilancia. Ya éramos tres. Usted no contaba porque es el titular. Era usted el único que compartía la intimidad de Angélica. El inglés aunque era el único tal vez realmente sugestivo e inteligente del corro parece que tampoco logró nada. Es natural, Angélica dormía con usted, pero soñaba conmigo.

Cuando Laner imitaba las voces de los otros parecía que había en el cuarto cinco o seis personas. Maurice dijo de pronto a través del ventrílocuo:

—Déjese de tonterías, Laner y excuse mi franqueza. Ella me quería.

—¿Cómo lo sabe usted?

—Me dió grandes pruebas de confianza. No me obligue a decirle en qué consistieron.

Suspiró Laner, deprimido, fue a los pies de la cama ordenó las mantas y las dejó dobladas de modo que al amanecer, si hacía frío, pudiera extenderlas sobre su cuerpo.

—Miente todo el mundo —gritó de pronto, furioso—. Todo el mundo miserable, podrido y canalla, miente.

Dió una patada a una caja de cartón que salió trompicando y fue a quedar en el vano de la puerta, interceptando la entrada. Laner se acostó a dormir, pero daba vueltas en su camastro y buscaba razones para comprender su propio insomnio. No encontrándolas, se decía: "Es el silencio. Demasiado silencio". En Nueva York estaba acostumbrado a dormir con los ruidos de la ciudad. Se dijo a sí mismo tratando heroicamente de imitar la voz de Angélica:

—Te consideras vencido. Pero ¿vencido por quién? ¿Por Maurice, por André, por Harry?

Laner no creía en aquel momento a Angélica y su propia falta de fe le hacía daño. Puso en labios de ella otras palabras más violentas:

—La verdad es que yo debía haberte engañado con todos tus amigos, Laner. No merecías otra cosa. Pero ya digo, soy imbécil y honrada. No puedo evitarlo y bien que me arrepiento ahora. Confieso que tu amenaza de suicidio me paralizó aunque fuera una amenaza falsa.

Esas palabras que él mismo atribuía a Angélica le parecían más convincentes, pero tampoco le tranquilizaban. Y la nueva alusión al suicidio le ofendía. Se levantó sabiendo que no dormiría y bajó al garage. Iba escaleras abajo blasfemando, cosa que muy raramente hacía. Tomó el coche pensando que lo mejor sería dar un paseo y salió de Bethania por una carretera desconocida. "El defecto capital de Angélica es un cierto egoísmo defensivo, a veces monstruoso". Recordaba las palabras de Angélica como si de veras las hubiera dicho ella y no él. Y se consideraba un poco ofendido.

Veía desde el coche una gran extensión llana y gris al frente

y a la izquierda. A la derecha y a unas cuantas millas se levantaba un macizo de montañas.
Creyó ver algo que se movía a un lado del camino. Era una mujer vieja. No podía comprender Laner que anduviera por allí a aquellas horas ni que siendo tan vieja corriera con tanta agilidad. Se dirigía al camino y alzaba la mano pidiéndole que se detuviera. Laner frenó y ella preguntó sin aliento:
—¿Va usted a la umbría?
Laner no quería confesar que iba sin rumbo y abrió la portezuela:
—Suba usted.
Era tan flaca que sus huesos parecían mantenerse juntos por prodigio. Lo único agradable en aquella mujer era su voz. No tenía dientes y hablaba con una voz bien timbrada de bebé. Laner preguntó:
—¿Dónde está la umbría?
—Siga usted derecho y yo le avisaré. Yo soy la Coyota. Así me llaman y voy a una aldeíta que hay antes de llegar a la umbría.
Llevaba Laner la chaqueta puesta del revés, con el forro que era impermeable hacia afuera. Después de un largo silencio, la vieja volvió a hablar:
—¿Se llama usted Juan? Si no se llama usted Juan es inútil que se ponga la chaqueta del revés.
Laner se volvió a mirarla. Era una vieja quemada por el sol y el viento. Parecía hecha de viejas raíces endurecidas al fuego. Laner miraba al camino, pero veía a la vieja a su lado.
—Yo no hago mal a nadie —se disculpó ella— pero por si acaso, sólo se atreven a acercárseme los que se llaman Juan y antes se ponen la chaqueta del revés por si acaso. Ahora voy a la umbría porque Ramón el de Santo Domingo tiene ganado enfermo. Y usted me lleva. Ya sabía yo que usted me llevaría porque me lo dijo la alemana de la gasolina.
Creyó Laner haber oído aquella voz una noche desde la ventana. La Coyota preguntaba:
—¿Qué perfume lleva? ¿Clavel?
—No, señora. Yo no uso perfumes. ¿Por qué?
—Por nada —dijo ella cruzándose sobre el pecho un mantoncillo negro para defenderse del viento de la velocidad—. Entonces debe ser el olor del cuero del asiento que está recogiendo el rocío de la noche.
No dejaba aquella mujer el tema del perfume. Dijo que ella lo usaba los sábados, día de la inmaculada Concepción. La vieja miraba a ambos lados del camino y volvía a hablar:

—Da gozo ver tantas flores. Aceleró Laner deseando llegar cuanto antes. El poblado indio apareció de pronto detrás de una colina y la mujer dijo:
—Deténgase aquí porque tengo que entrar a pie.

Frenó Laner y se puso a virar con el coche, pero la vieja le dijo que no se marchara, porque lo presentaría a Ramón el de Santo Domingo. Y añadió de pronto: "El tiene lo que usted necesita. Lo tiene en una calabacita seca". Había Laner detenido el coche y bajó, intrigado. En aquel momento apareció Ramón seguido de un perro triste y flaco. Era un indio de cara impasible y hombros estrechos. Miró a Laner y dijo: "¿no es usted el gringo que vive en Bethania?" Laner estaba extrañado de que la vieja y el indio tuvieran noticias de él. Y los escuchaba absorto. Ellos hablaban entre sí del ganado enfermo. Laner miraba alrededor, curioso.

La casa del indio Ramón era un cubo de adobe de dos plantas. Laner se preguntaba otra vez: "¿Qué será lo que tiene Ramón y yo necesito?" Sentía una gran curiosidad. Pensó que tal vez la Coyota oía por la noche sus falsos diálogos.

Tenía la casa del indio una escalera móvil apoyada en el muro. Por aquella escalera, cuyos remates toscos se alzaban en el vacío como dos cuernos desiguales, se subía al segundo piso. Inquietaba a Laner la incomodidad y la pobreza de aquella gente. La Coyota preguntó al indio:
—¿Has traído las substancias?

El indio sacó del bolsillo una calabacita seca. Ella la agitó con movimientos cuidadosos y miró a Laner de medio lado:
—Una gota de ese líquido mataría a un búfalo en menos que canta un gallo. Pero yo no hago mal a nadie. Ni siquiera a un búfalo. Aunque a veces por el mal se saca el bien.

Miraba Laner la terracita que cubría la planta baja pensando "un búfalo. No hay búfalos, ahora". Y pensaba por qué razón podría necesitar un veneno tan activo él y contra quién. La vieja y el indio lo trataban con una familiaridad que no le disgustaba.

Entraron en un cuarto pequeño. El indio se quedó en la puerta un instante como si quiera decir algo, pero de pronto se marchó. Había dejado la calabacita en manos de la Coyota quien invitó a Laner a sentarse y se puso a contarle que había vivido en Bethania cuando la aldea estaba habitada por los mineros. Lo decía como si aquello fuera un gran privilegio.

Añadió que en Bethania pasaron muchas cosas, unas buenas y otras malas. Antes de que hubiera aeroplanos y automóviles y de que vinieran los *sonobiches americanos*. Un día la justicia condenó a muerte a un hombre y cuando lo colgaron en la placita de Bethania cayó a tierra de pie porque la cuerda era demasiado larga. No se hizo daño. Pero el *sheriff* le brincó encima, lo derribó y tiró de él por las piernas hasta extrangularlo. La Coyota decía que mucho después, cuando el *sheriff* era viejo, en el aniversario de aquella ejecución, encargaba todos los años una misa y la pagaba de su bolsillo en sufragio del difunto. Estaba arrepentido.

Sin transición la vieja dijo a Laner que Ramón había ido a buscar a los juanes para la ceremonia. Laner se decía: "¿Qué ceremonia?" Después de haberle contado la brujita el arrepentimiento del *sheriff* había entre ellos una confianza mayor. Ella le preguntó:

—¿Tiene usted en el bolsillo algún sello de correos? Vamos, no se demore. Yo sé lo que usted necesita. Por el mal se puede sacar el bien. Yo no soy como la alemana que salió al camino con un hacha. Yo lo estimo a usted y a cualquier otro forastero que venga aquí sin rumbo máxime si está enamorado y si lleva dentro del cuerpo a los enemigos del alma. ¿Tiene un sello de correos? Vamos, pronto.

Se apresuró Laner a mirar en la cartera. Tenía uno, aéreo, rojo y grande. La Coyota lo tomó sin esperar a que Laner se lo ofreciera. Luego cogió la calabacita, la invirtió dos veces y con el tapón mojado extendió aquel misterioso líquido sobre la parte engomada del sello. Estuvo contemplándolo en la palma de la mano y esperando a que se secara. Reía como una comadreja.

—De esto —dijo— no hay que decir nada a nadie. Usted vive en un pueblo fantasma y habla solo por la noche y luego sale y anda por las carreteras sin necesidad. Eso quiere decir que necesita mi ayuda. Usted enviará este sello dentro de una carta a una persona que está lejos. Mírelo. Ya está sequito. El líquido no tiene color ni olor. Pero la persona que moje este sello con la lengua no volverá a escribir otra carta. No diga usted a nadie una palabra. A tanta distancia nadie sabrá que ha sido usted. Usted lo enviará esta misma noche o mañana a más tardar porque es lo que le conviene. Ahora déme la cartera. La cartera, le digo.

Le recordó Laner que la tenía en la falda. La vieja se quedó escuchando un momento los rumores de fuera. "Los juanes no vienen todavía". Pareció dudar un momento y por fin volvió a mojar otra vez el sello y explicó: "Así las substancias estarán más espesas". Cuando creyó que el sello estaba seco, lo envolvió en un trocito de papel y lo dejó en la cartera de Laner. Después sacó de ella un billete de dos dólares. ¿Me lo da usted? preguntó. Laner dijo que sí y ella lo escondió apresuradamente en sus harapos. "No es mucho si se compara con lo que yo le he dado", dijo alegremente. Reía como si aquello fuera un juego de niños. "No crea usted —volvió a explicar— que a mí me gusta matar a la gente. Yo hago el bien con usted porque a usted lo conozco. A las personas que viven lejos y reciben cartas por avión y las responden a esas no las conozco. Nada se me da de ellas y para mí es como si no hubieran nacido. ¿Comprende?

Los juanes subían ya y eran tres. Al entrar dijeron algo en su idioma y la Coyota salió con ellos después de mirar a Laner como una niña suele mirar a la persona de quien acaba de recibir un regalo. "Yo le rezaré —dijo— al cristo de los Faisanes para que todo salga bien". Laner sonrió sin comprender.

Se había quedado en el cuarto Ramón el de Santo Domingo quien dijo a Laner:

—¿Tiene usted whisky en el coche?

En un rincón del cuarto había una pequeña chimenea de adobe con algún fuego, aunque cubierto de ceniza. El indio lo avivó y puso dos astillas. Luego declaró:

—Lástima. El whisky hace amigos a los indios y a los blancos.

Veía Laner en el dorso de la propia mano palpitar el reflejo de las llamas. Y pensaba: "Tengo que marcharme". No quería seguir allí porque nunca había podido entenderse con los indios. Poco después miró el reloj y dijo que era tarde.

Salió pensando en el sello envenenado que tenía en la cartera. "Desde hace veinticuatro horas me han sucedido más cosas extrañas que en diez años en Nueva York. Tengo el sello en la cartera". Y se decía: "¿Para qué me lo ha dado? ¿Qué voy a hacer yo con él?"

Los faros del coche iluminaban el camino sin luna. Vió cruzar despacio a una liebre que bajo los faros se detuvo deslumbrada. Laner hizo sonar el cláxon y la liebre retrocedió sin llegar al otro lado. Sabía Laner que aquello tenía entre los indios la significación de un augurio, no sabía si bueno o malo.

Pensó en el sello e iba a tirarlo, pero temía que alguien lo encontrara y quisiera usarlo. "Voy a detener el coche —se dijo— y a quemarlo con una cerilla". Cuando comenzó a frenar oyó a su derecha el grito desgarrado de un ave nocturna. Soltó el freno y aceleró otra vez. "¿Será verdad —se preguntaba— que este sello puede matar a la persona que lo lleve a la lengua?" Si era así ¿en quién estaba pensando la Coyota cuando se lo dió?

No hallaba en su memoria ninguna persona digna de tanto odio. Ni Maurice el vanidoso, ni André el infantil, ni siquiera Harry la bestia silenciosa. Y se quedaba dudando un momento para preguntarse luego, absorto: "¿Pero es que sólo por odio se puede matar?

Llegó a la aldea con la impresión de haberse salvado de un peligro. Encendió la lámpara de gasolina y buscó el sello en la cartera. Lo tomó con unas pinzas que usaba para limpiar la pipa y lo acercó a sus ojos. Chascó la lengua entre admirado y escéptico y dejó aquel pequeño objeto cuidadosamente en la mesilla sobre una hoja de papel blanco. Se sentó en la cama y poco a poco sin darse cuenta comenzó a dialogar otra vez:

—La verdad es, Angélica, que tú te marchaste de casa, cuando nos acostumbrábamos ya en Nueva York a nuestros rencores y resentimientos. Lástima.

El ventrílocuo hacía hablar a su mujer sin dejar de mirar el sello:

—¿Por qué no crees a nuestros amigos, Laner? Ellos te dicen la verdad. Si Maurice te dice la verdad ¿por qué no crees a Maurice?

Había comenzado a desnudarse Laner, pero no estaba seguro de poder dormir. Y sentado en la cama con los codos apoyados en las rodillas se respondía a sí mismo:

—Es que Maurice habla sin convicción. Sólo habla con convicción cuando se refiere a tus atractivos y esa convicción no la tiene él sino que la presto yo. ¿No lo has notado? Es un verdadero problema el que me crea aquí, Maurice.

Seguía mirando el sello. La voz de Maurice intervino de pronto:

—Decídase, Laner. Castigue el orden natural, digo el orden universal en Angélica.

Laner se alarmó. Lo había dicho a través de Maurice, pero se alarmó de veras. Y se quedó callado un largo rato. Luego hizo hablar de nuevo a Maurice:

—Decídase, Laner. ¿Por qué no ella? No olvide que Angélica y yo confiábamos un día en su suicidio, es decir, lo esperábamos como un elemento de facilitación. Ella era culpable.

—¡Yo, no! —gritó Angélica, fuera de sí.

—Castigue el orden universal en ella, Laner. Ella lo merece. Es posible que en este momento yo esté celoso, pero no le pido que le mande el sello envenenado por esa razón, no le pido que lo envíe siquiera por razón alguna. No hacen falta motivos ni razones. Se puede ser un asesino deportista, distante, frío y sin motivación. El arte por el arte, *je crois*. Y por lo que se refiere a usted, el hecho tiene todas las motivaciones. Todas. Absolutamente todas.

—¿A mí?

—A usted, monsieur Laner. Vamos, escríbale una carta a Angélica y mándele el sello. Tal vez ella no lo empleará para escribirle a usted sino a André o a Harry. Con mayor motivo, entonces.

Laner tomó la pluma, volvió a dejarla. El viento agitaba el girón de papel despegado del muro. Se acostó y no podía dormir. Volvió a sentarse en la cama y a contemplar el sello. Y sin vacilar más comenzó a escribir: "Esta es la segunda carta que te escribo desde Bethania. ¿Habrás leído ya la otra en la que te revelaba mi calumnia sobre tu aliento fétido? ¿Leerás esta? Si la lees no tomes a mal lo que te digo. No es el esposo resentido quien te escribe, sino el amigo. Quizás en este momento tienes dificultades. La idea de que vuelvas a trabajar en un *mortuary home* me desagrada. Si quieres puedes disponer de algunos cientos de dólares que me sobran de mis pequeñas rentas del año pasado. Como no me interesa aumentar el capital he pensado en ofrecértelos. Envíame dos palabritas y te haré llegar el cheque. Sé que nunca tienes sellos y que por pereza eres capaz de dejar pasar los días sin comprarlos. Esa es la razón por la cual te incluyo uno aéreo. Sobre esta misma nota mía escribe con lápiz de los labios una sola palabra de dos letras: una *s* y una *i: sí*. Y devuélvela en otro sobre. A correo seguido, repito, te enviaré el cheque". Metió dentro el sello y no pudiendo dormir —sabía que sería difícil— fue al garage, puso el coche en marcha y corrió al poblado a echar la carta.

Parecía desierto el poblado. "Yo soy en este momento —pensó sin displacer —un asesino". Después de dejar la carta en el buzón estuvo dando vueltas sin rumbo. Al pasar frente al café cerrado pensó en la camarera Betsy. Tenía las manos gordezuelas e inocentes. Las imaginaba acariciándolo a él y sentía que se mareaba como en la adolescencia cuando caía en fuertes crisis de deseo. "Todavía no soy viejo", pensó.

Aunque seguía solo tenía la impresión de que había hecho aquellos días mucha vida social y se sentía fatigado de ver caras nuevas y sostener diálogos convencionales. Después, desde el coche, volvió a hablar como si tuviera a su lado a Maurice:

—Dígame, Maurice. En su intimidad con Angélica ¿le hablaba ella de mí?

Imitó Laner la risa de Maurice. Luego le hizo hablar:

—Vamos, Laner, se conduce usted como el clásico marido jubilado.

Y volvía a reír de un modo cínico. Laner se acordaba de una noche en el circo Medrano cuando Horacio dijo procacidades refiriéndose a Maurice y el público reía. Llegó a Bethania. En su casa otra vez encendió la lámpara sin cuidarse de cerrar la ventana. Al ver que entraban algunas mariposas apagó la luz y se dispuso a dormir. Pensaba en Angélica con una difícil ternura de verdugo y en sí mismo con extrañeza. No conseguía dormirse. "He apagado la luz, pero la tengo encendida dentro de mi cabeza", se dijo. Volvió a encenderla. Algunos insectos se pusieron a volar en torno a la lámpara y uno cayó al suelo con las alas quemadas. Viéndolo arrastrarse pensaba: así somos los hombres, desnudos, con las alas quemadas y arrastrándonos sobre el vientre lleno y el sexo insatisfecho. Otro insecto tropezó con la frente de Laner. Habitualmente Laner no podía tolerarlos, pero aquella noche no le importaba. Se levantó y se puso a pasear. Tropezó una vez más con la caja de cartón y llamó a media voz:

—Angélica ... Acabo de enviarte un sello envenenado y si lo que dice la Coyota es verdad, acabo de enviarte la muerte. Sí, yo. Por correo aéreo, en un sello inocente color de rosa.

Angélica respondía a través del ventrílocuo:

—Morir no me importa, Laner. Y menos así, por venganza pasional. Pero sólo puedo morir a manos del hombre adecuado. Tienen que ser las manos con las que he soñado a solas en las altas horas de la noche. Esas manos y no otras. ¿Comprendes?

—Angélica —dijo empujando con el pie otro insecto medio quemado debajo de la cama—. ¿Quién es el hombre que tiene esas manos? ¿Es Maurice? Yo me inclino por Maurice. Pero si todo es cuestión de manos, en ese caso tú no sabrías nunca que esas manos han sido las mías, si yo no te lo dijera en este momento.

Simuló la respuesta de ella:

—Lo que estás diciendo es banal, Laner. Tú sabes que nada ni nadie han de volver a reunirnos. ¿Por qué entonces todos estos trucos?

—No son trucos, querida. La muerte va hacia ti. Mañana puede suceder todo, absolutamente todo. Y tú no lo sabes. Te lo digo y no puedes evitarlo. No lo sabrás hasta que no tenga remedio.

Después de decir eso Laner no encontraba palabras para atribuírlas a Angélica y se calló. Apagó la luz y se acostó pensando: "Me siento culpable, pero no desgraciado". Sintió en la frente el roce de un ala de mariposa y cuando llevó allí la mano sintió el mismo contacto en la nariz. Encendió otra vez la luz y se miró las manos. "No las de Maurice ni las de André sino las mías, las de Laner. ¿Por qué decía Angélica que las mías no servían?" Esta reflexión le deprimía tanto que se dijo: "Si fuera yo francés ahora lloraría. Los franceses lloran por amor".

Había en la noche un vasto silencio. "Ese mensaje que le he enviado es la muerte. La muerte envuelta en la esperanza de unos cuantos billetes de cien dólares. Un cebo sórdido, pero seguro". Y después imitando la voz de ella dió un grito. El mismo Laner se asustó pensando: "La soledad es peligrosa. Han podido oírme la Coyota o la walkiria o las dos. ¿Qué pensarán si me han oído dar este grito?" Luego recordó que en alguna parte había leído que los hombres de genio cuando están solos hacen a veces cosas infantiles. "¿Seré yo un hombre de genio?"

Eso le satisfizo. Pero como había dado el grito de Angélica tuvo que hacerla hablar:

—¿Qué has hecho, Laner?

—Ofrecerte dinero, querida. Y un sello de correos color rosa. Con mis manos. Con estas manos inadecuadas.

Luego se calló, se abandonó a reflexiones neutras y poco después dormía. Cuando despertó por la mañana recordó aquel grito de Angélica —es decir suyo— como si acabara de oirlo. Se vistió de prisa y echó a andar hacia la iglesia pensando que la verdad última de las cosas se queda siempre oculta debajo de la realidad. Su verdad última era el crimen. En la iglesia subió al púlpito. Le gustaba la idea de dirigirse a toda la aldea de Bethania y creía verla reunida allí. Las caras tenían el color de la aldea y del desierto. Cactos polvorientos. Barro gris. Miraban y no decían nada.

—Hermanos míos . . .

No le parecía bien aquel comienzo religioso y rectificó:

—Pueblo de Bethania. Vengo a hacerles una pregunta. He aquí mis manos. ¿Son mis manos adecuadas o no?

Nadie le contestaba. Mostraba sus manos por los dos lados y repetía:

—Estas son. ¿Por qué no habían de ser éstas? ¿Qué piensan ustedes? ¿Quieren decirme lo que piensan ustedes sobre el particular?

Una voz de mujer no simulada sino verdadera, se oyó al pie del púlpito. Era la Coyota. A la luz del día parecía un poco más joven. Al ver a Laner en actitud oratoria lo disculpó. "No se apure usted, que en esta tierra la gente hace cosas raras también, de vez en cuando. Cada cual tiene sus cabales gracias a Dios, pero alguna vez el más fuerte tropieza". Laner iba bajando. Cuando estuvo al lado de la vieja sintió en el aire perfume de clavel. "Debe ser sábado", pensó.

—¿Se ha quedado estos días con Ramón el de Santo Domingo? —dijo, por hablar.

Recordando que la vieja conocía su secreto se creyó obligado a ser amable:

—Lo digo porque si quiere puedo llevarla en el coche.

—No —dijo ella dándose cuenta del ánimo inquieto de Laner—. Donde yo vivo no puede subir automóvil alguno. Sólo hay una senda de cabras. Usted me tiene miedo, señor forastero. ¿Por qué me tiene miedo la gente? Oh, eso ellos se lo saben.

Y reía. Salieron y dieron la vuelta al edificio. Quedaron cara al campo. La Coyota tendía la vista alrededor:

—Muy linda está la campiña, ¿no le parece?

Laner sólo veía algún que otro cacto. Contra lo que esperaba la Coyota no quería nada de él.

—La grandeza de Dios —dijo extendiendo su vista por los alrededores— se ve en la floresta de Bethania.

Luego recitó a media voz con su boca sin dientes y su dulce voz de niña el "corrido" del Santo Cristo de los Faisanes. Cuando terminó preguntó:

—¿No se le hace lindo?

Pero no tardó en marcharse recitando ahora los *"gozos de la comadre Sebastiana"* y Laner se quedó solo otra vez. Fue hacia el antiguo bar y en el umbral se detuvo un momento. No se atrevía a intentar la comedia de otras veces y volvió lentamente hacia el garage pensando en la Coyota que le había sorprendido cuando trataba de improvisar un sermón explicando su caso a la aldea. ¿Para qué vino? ¿Qué se proponía aquella mujer viniendo a verle? ¿Recitarle el romance del Cristo de los Faisanes?

Fue al poblado y se dirigió a la oficina de teléfonos. Escribió un telegrama para Angélica: "No abras la carta. Si la has abierto no uses el sello de correos que va dentro y si lo usas no lo mojes con la lengua porque está envenenado". Cuando iba a entregar el telegrama se dió cuenta de que estaba haciendo la confesión pública de un intento de asesinato. Arrugó el papel, lo tiró al cesto y pidió una conferencia dando el número del teléfono de Angélica en Nueva York. Mientras tanto el papel se iba esponjando y Laner volvía el rostro al oir el rumor. Por fin le dieron la comunicación y cuando Laner es-

peraba oir la voz de Angélica, oyó la de un hombre malhumorado que decía: "Hace tres meses que esa mujer no vive aquí".
Aquella voz asustó a Laner terriblemente. Salió de la oficina envuelto en una nube de incertidumbre, pero con cierta calma en el fondo. Ya en la calle volvió a entrar para recoger el telegrama del cesto de los papeles y se lo guardó pensando: "Si Angélica no está en su antiguo domicilio no recibirá mi carta. Pero tal vez se la reexpedirán a su dirección nueva". Aquella dirección nueva le parecía un refugio insuficiente a donde los diligentes carteros de Nueva York llegarían sin dificultad. Y tenía miedo, y se sentía frustrado —y en el fondo un poco más tranquilo— todo al mismo tiempo.

Fue al café a almorzar. La camarera se mostraba siempre sorprendida de verlo. Le preguntó si era verdad que vivía en la aldea fantasma. Al contestar Laner que sí la muchacha abrió grandes ojos:

—¿Completamente solo?

Quería preguntarle si tenía agua en la casa, cuándo y dónde se bañaba, pero a mitad de la frase comprendió que aquellas no eran preguntas decentes en una muchacha soltera.

—Un día —dijo— fuí con mi prima a un parador de una aldea medio abandonada que hay en la montaña y nos quedamos a dormir. ¿Sabe usted qué pasó? Cuando abrí las sábanas para acostarme encontré un lagarto.

Laner que cuando hablaba con Betsy se sentía juvenil y bromista, le dijo:

—¿Está usted segura? ¿No sería una lagarta?

Betsy soltó a reír y Laner le tomó una mano. Era como una caricia a una niña pequeña. Al tomarle la mano la risa de aquella chica se hizo más gutural.

Terminado el almuerzo salió Laner y anduvo al azar por el poblado pensando quedarse allí todo el día. Llegó a pensar en instalarse en el único hotel que había y esperar noticias de Angélica, pero a media tarde no sabía qué hacer y regresó a la aldea fantasma pensando: "Así es la vida. Ahora daría todo lo que poseo por detener esa carta". Buscó en el cajón de los guantes las gafas contra el sol y se las puso. El cristal izquierdo estaba rajado.

Llegó a Bethania y ambuló por las calles inquieto. "La verdad es que soy un verdadero asesino aunque mi carta no alcance a Angélica". Llegó hasta la bocamina y allí se sentó melancólico y estuvo acariciando pensamientos lúgubres. Luego se fue a casa.

Por la noche se puso otra vez a hablar con Maurice. Este

decía en las sombras del cuarto: "Angélica me besaba en la oreja y ese beso me hacía cosquilla. Angélica me decía que usted para sus años estaba muy bien conservado. Pero no se preocupe. Esas confianzas no querían decir gran cosa". Esto último se lo decía Laner a sí mismo —a través de la voz de Maurice— con una gran convicción.

Pasó Laner parte de la noche dialogando con André que hablaba como un chico inocente y sin experiencia de nada. Después de muchas preguntas capciosas confesó André que había tenido "cierta intimidad' con Angélica. Entonces Laner se puso a ironizar con un cinismo muy falso. Al parecer trataba de imitar a Maurice sin conseguirlo.

Al día siguiente al despertar se avergonzó Laner de aquel diálogo con André, pero la vergüenza duró poco. Pensando si la carta habría alcanzado o no a Angélica salió de casa. Por la calle hizo hablar a Harry. Entre todos los rivales era Harry el único violento.

—Si alguno tiene que matar a Angélica —dijo Harry— debía ser yo.

—¿Al parecer las manitas de usted son las adecuadas?

—¿Qué manos? ¿Qué manitas?

—Las que ella espera —y añadió con el acento y el estilo barroco del muñeco Horacio: Sí, las manitas, las garritas, las palmas con el montecillo de Venus, los carpos de la caricia y de la muerte.

—¿Qué dice? ¿Está usted loco?

—La zarpa del caso, el palmo suave y terrible, amigo, el puñadito de miel, el pulso del embeleco, el pase del maniluvio y el ademán.

—¿Pero qué ademán? ¿Está usted *crazy*?

Añadió Harry palabras sucias. Palabras elaboradas, complejas en su procacidad.

Contra el muro de adobe había un lagarto dormitando. Era verdoso y cristalino. Los flancos le palpitaban. Laner dió un rodeo para no asustarlo y se acordó de Betsy, la camarera del restaurant.

Se sentía más desairado que el día anterior. Y se puso a dialogar otra vez con Harry. Era difícil aquel americano que nunca sacaba las manos de los bolsillos. Y que respondía con procacidades.

Conservaba Laner el texto del telegrama que no envió y que recogió por prudencia del cesto de los papeles. Se entretuvo en quemarlo. Como lo hizo a pleno sol apenas se veía la llama. El papel amarillento se abarquillaba y ennegrecía. Y pensaba: "La carta ha llegado ya a sus manos, pero es imposible que aquel líquido en el dorso de un sello pueda ser un veneno mortal". Esa reflexión parecía más bien decepcionarle. Y la decepción le producía inquietud y sentimiento de culpabilidad. Quiso entretener la espera (esperaba algo importante sin saber exactamente qué). Había puesto un pequeño retrato de Angélica encima del cajón que hacía de mesilla de noche en su cuarto y volvió allí sólo para contemplarlo. Después se dió cuenta de que llevaba varios días sin dormir y después de comer se acostó temprano con luz todavía en el horizonte.

Despertó al día siguiente descansado y fresco. Pensaba ir al poblado, pero era pronto. Salió a la calle y entró en la antigua casa consistorial. Nunca había pasado del patio, pero esta vez subió las escaleras y se detuvo en el primer piso. Los peldaños eran de madera y algunos estaban podridos y cedían bajo el pie. Otros gemían nada más.

Arriba había varios cuartos vacíos y en uno de ellos una mesa grande descansando sobre dos columnas de cemento. "Esto debió ser el salón de sesiones", pensó. En el muro había una mala estampa colgando de un marco que había tomado la forma perezosa de un rombo. Laner vió que era la fotografía de un presidente de la república, Coolidge, con gorro indio de plumas. Una cara no muy inteligente, la verdad.

Paseaba Laner a lo largo del cuarto. "Y Angélica tal vez ha muerto ya". Por la mañana esta reflexión tenía menos dramatismo que por la noche. La luz era en aquella habitación tan fuerte que se podían contar sobre la mesa los granos de polvo. Laner se miraba las manos y se decía: "Angélica no tenía razón cuando dijo que no son las manos adecuadas. ¿Pero lo dijo realmente ella? Lo único inadecuado es que son mías, tal vez". A fuerza de mirarlas quedaron grabadas en sus retinas y siguió después viéndolas flotar en el aire. "Quiera ella o no, han sido estas manos, las mías".

Creyó tener la evidencia de la muerte de Angélica y sintió deseos de hablar con la vieja Coyota. Pero se miraba las manos y seguía viendo otras semejantes alrededor. ¿Las de Maurice? ¿Las de André? ¿Las de Harry o las de Víctor, Ricardo, John? Creía ver tres pares de manos a cada lado de la mesa como si estuvieran los rivales presentes y sentados alrededor para una reunión razonada y grave.

Laner se puso a la cabecera. Por la ventana entró un saltamontes sacudiendo el aire con la vibración de sus fuertes élitros y Laner miró con desdén aquellas manos amigas y enemigas. Para verlas tenía que tener las suyas también apoyadas en el borde de la mesa. El juego parecía infantil y comprometido, pero una vez más recordaba Laner que los hombres excepcionales hacen niñerías cuando están solos. Entre todas aquellas manos ¿cuáles serían las que Angélica consideraba dignas de suscitar su agonía? Comenzó a hablar solemnemente:

—Señores, el azar es sabio, es irónico, es tal vez cínico. Probablemente tres cosas a un tiempo. Yo los contemplo a ustedes mis amigos y rivales desde la altura de mi soledad...

Oyó una voz en la calle y se acercó a la ventana. Era la Coyota que lo buscaba:

—Ande usted —le dijo cuando lo vió—. Lléveme al poblado que tengo que comprar pelos de caballo.

—Suba usted, señora Coyota.

Ella no se hizo rogar. Entró diciendo que necesitaba los pelos de caballo para hacer trampas y cazar pájaros vivos con cuyas entrañas haría adivinaciones y medicinas. Luego añadió:

—Ustedes los jóvenes no es bueno que vivan solos.

Se sintió Laner halagado. "La Coyota me ha mostrado sus habilidades —pensaba— y yo voy a mostrarle las mías". Se puso a imitar las voces de los rivales amigos como si estuvieran todos allí. Lo hacía mejor que nunca porque la noche anterior había dormido muy bien.

Maurice. (*Condescendiente*) —Vamos, Laner. ¿Por qué ha de necesitar tantos cómplices?

Laner. —Que lo diga Harry.

Harry. (*Huraño*) —¿Yo? ¿Qué tengo que ver yo con sus problemas? Usted es un quidam, un zascandil.

Laner. —¿Eh?

Harry. (*Afectadamente grosero*) —Un pelagatos, un pinchauvas, un puerco, un guiñapo y además de todo eso como dijo la alemana de la gasolina, un divorciado melancólico.

Miraba la Coyota los labios inmóviles de Laner con media sonrisa. Laner se creyó obligado a explicar que tenía aquella habilidad desde su juventud y que podía seguir hablando de aquel modo todo el día y la noche.

—No, no es eso —dijo la Coyota—. Si quiere rezaré la jaculatoria para sacarle del cuerpo a los enemigos. Porque esos que le dicen malas palabras son los enemigos del alma.

En un rincón del cuarto el saltamontes trataba en vano de trepar a la ventana y resbalaba por el muro agitando los élitros. La Coyota se volvía a mirar al insecto amorosamente. Pero en la mesa se reanudaba el diálogo:

Maurice. (*Con una hiriente altivez*) —¿Mi opinión sobre el

caso de Laner. Le digo en pocas palabras: ¡Mon Dieu, qu'il est bete!
Laner. —¿Qué caso es el mío? ¿Quién habla de mi caso?
Harry. (Ronco y brutal) —Es el caso de un criminal con todas las agravantes, sobre todo la alevosía. Lo del sello de correos es alevosía.
Laner. —Por lo que más quieran no se refieran a mí como a "un caso". No digan que soy "un caso". Llámenme lo que quieran menos eso.
Se oían vibrar otra vez en el aire los élitros del saltamontes. Nadie decía nada. La vieja miraba a Laner fijamente.
Laner. —Llámenme si quieren un criminal. ¿En presencia? ¿En potencia? —la Coyota ponía una gran atención— ¿Quién sabe? ¿Cómo voy a saberlo yo? ¿Cómo saber siquiera si tengo o no las manos adecuadas?
La Coyota cogió al saltamontes, lo llevó a la mesa y dijo:
—Anda, dile a este señor forastero dónde están esas manos.
El insecto, como un minúsculo hombrecito vestido de frac mostraba su vientre y abría y cerraba la boca —una sombrita parda que aparecía y desaparecía casi rítimicamente. La mujer fue a la ventana y lo soltó en el aire. Dijo con acento muy ejecutivo que se hacía tarde y que tenía que ir al poblado a comprar pelos de caballo. Laner se irguió todavía con cierta solemnidad:
—Gentlemen . . .
La Coyota se impacientaba y hablaba un poco burlona. "No hay que despedirse porque esos *gentlemen* los lleva usted dentro de sus entrañas. Pero ya digo, si quiere yo se los puedo quitar del cuerpo". En la calle Laner le dijo que había enviado a alguien el sello de correos. La Coyota por todo comentario se puso a cantar:
—Tra-la-ra-la-lá . . .
Tuvo miedo Laner, ese miedo suscitado a veces por la incongruencia.
—Digo —repitió— que hace tres días y medio que envié el sello.
—Tra-la-ra-la-la-lá . . . —repetía ella y añadió: Está bien. Usted me llevó aquella noche a la umbría y yo le dí el sello. Favor por favor. ¿No es eso?
En aquella placita sin sombras parecía la vieja más seca todavía. Alzó la Coyota los ojos al cielo con una expresión de impaciencia y dijo:
—Un día me agradecerá lo que yo he hecho por usted. Usted ha matado a la señora Angélica. Ahora —añadió otra vez mos-

trándose ligera y flotante y como si tuviera ganas de bailar— es lo que digo: Tra-la-ra-la-lá . . .

Escuchaba Laner con la boca abierta. No sólo Angélica había muerto sino que la vieja lo sabía y lo decía. Lo decía cantando. Laner preguntaba muy nervioso:

—¿Pero ella ha muerto? ¿Cómo lo sabe usted?

La Coyota repetía: "Ha muerto. Bueno, aún no ha dado las tres boqueadas, pero no hay quien la salve". Oyéndola Laner se sentía lleno de odio y rencor no contra la vieja sino contra otras personas o cosas, contra la vida misma.

La Coyota repetía sus órdenes:

—¡Vamos de una vez, que tengo prisa!

Subieron al coche y fueron al poblado. La vieja decía una vez más que los dos lados de la carretera estaban poblados de flores. Laner no veía una sola flor. Le pidió que en el poblado no dijera para bien ni para mal el nombre de Angélica. La Coyota en lugar de contestar volvía a cantar: "Tra-la-ra-la-lá . . ." alzándose un poco y dejándose caer en el asiento.

Al llegar a la población Laner fue hacia el correo avivando el paso y pensando: "Si Angélica muere tal vez me atraparán y me juzgarán. En ese caso la Coyota tendrá un rol importante en mi vida, digo, en mi muerte!

La vieja había ido a comprar sus pelos de caballo con dos *pennies* negruzcos en la mano.

Entró Laner en la oficina de Correos y se acercó a la ventanilla de *general delivery*. Le dieron dos cartas y las tomó con las manos temblorosas pensando que Angélica le había contestado y que por lo tanto había usado el sello. Pero en seguida vió que eran las mismas cartas que él había escrito días antes y que se las devolvían con la indicación: *Devuélvanse al remitente.* Laner volvió al coche y se dejó caer en el asiento con los ojos deslumbrados y un gran suspiro. El deslumbramiento procedía de un resplandor que el sol encendía en un metal del parabrisa. Betsy pasaba en aquel momento junto al coche y le dijo sin detenerse:

—*Howdy.*

—Hola, Betsy.

—¿Malas noticias, míster?

—Ni malas ni buenas —dijo él, viéndola de espaldas y comprobando la flexibilidad de su cintura y la altura de sus caderas.

Si la noche anterior le hubieran dicho que al día siguiente le devolverían aquellas cartas habría sido un hombre feliz. Pero por la mañana sus sentimientos eran diferentes y estaba un poco decepcionado. Tenía la frente mojada de sudor y, sin embargo, la mañana era fresca. "La vieja miente", pensó. En aquel momento no sabía si se alegraba o lo sentía. Fue al café y al acercársele Betsy notó Laner que le olía un poco el aliento. Volvió a mirar las cartas sin abrirlas. Comprobó otra vez Laner que el aliento de Betsy olía y ese detalle daba de pronto a la muchacha como un derecho a la amistad. No se podía decir que fuera mal olor sino más bien —pensaba Laner— un perfume acre. "Si viviera con ella no se lo diría nunca".

Sacó Laner del bolsillo un mechero de plata y nácar lleno de brillos y fulgores y encendió un cigarrillo. Betsy lo miraba encandilada.

Cuando salió Laner sentíase ligero y flotante como la Coyota. Encontró a la vieja acomodada ya en el coche. Tenía una expresión secretamente triunfadora y su manojo de pelos de caballo en la mano. Laner con las dos cartas en el bolsillo estuvo mirándola un momento:

—¿Decía usted que Angélica está muerta? —y reía feliz y burlón.

Creyó que ella iba a echar a cantar como antes, pero no hubo tal:

—Sí, hombre —dijo irritada—. No piense usted más en eso. Usted la ha matado ahí dentro, ahí en los adentros donde antes le hablaban sus enemigos. Ahí ha estado ella tres días agonizando. Ya dió la última boqueada.

Laner puso el coche en marcha. A pesar de todo era verdad que tenía la impresión de que sus problemas se habían hecho mucho más ligeros con aquel asesinato frustrado. Callaba, pero la Coyota hablaba por él:

—No es bueno que viva usted como vive porque tiene el saco de los sentires lleno de malas figuras. El sello trajo la mala y la contramala. Soñada la muerte, curado el relajo. Míster —añadió jovial— ¿no sabe que hay males que traen venturas?

Decía venturas a la manera antigua. Laner conducía el coche y sentía a la Coyota allí a su lado con cierta admiración de gringo civilizado y errante.

VIII

EL DESIERTO

Cihuatlampa vivía en su pobre milpa. Un día estaba sentado en el suelo con las piernas cruzadas y miró la viga de madera que sostenía el techo. A veces hablaba, la viga. Aquel día le dijo: "Aparecerá un lagarto en el cielo. Un lagarto que caminará hacia el norte. Ese día las mujeres embarazadas abortarán y si alguna no aborta, parirá un niño con cabeza de perro". Aquella viga tenía virtud para profetizar las desgracias.

Vivía Cihuatlampa cerca de la frontera de México y había escogido la orilla del desierto para levantar su casa porque no podía estar nunca dentro de los lugares sino al margen: a la orilla del valle, al lado del desierto. Alzó la cabeza hacia la viga y dijo:

—Soy Cihuatlampa Ehecal, que quiere decir "el viento que llega del lugar donde habitan las mujeres" y yo te pregunto ¿dónde está Xocoyotl?

La viga le contestó:

—No caviles más, porque Xocoyotl estará hoy mismo aquí contigo.

Cihuatlampa salió. Había puesto a secar fibras de maguey. Las mojaba y las ponía al sol. Cuando estaban secas volvía a mojarlas. Así las hacía más tiernas y les quitaba el olor. En el mercado las compraban para hacer petates.

Cuando volvió a la choza encontró sentada en el suelo con las piernas cruzadas a Xocoyotl. Tenía Xocoyotl los ojos grandes como los caballos. Y dijo:

—Cihuatlampa, haz como si yo no hubiera venido.

El hombre tocó el suelo con la palma de la mano, la llevó a los labios y comenzó:

—Díme de dónde vendrás mañana, viento que esparces las arenas y derramas el agua de lluvia. Díme de dónde vas a venir mañana.

Quería ir con una carga al mercado y tener el viento en contra o a favor era importante. Salió a la puerta y miró al cielo. El lagarto volador no aparecía. Volvió a entrar:

—¿Por qué has venido, mujer?

Xocoyotl repitió sin mirarle:

—Tú haz como si yo no estuviera en tu casa.

Cihuatlampa alzó la cara contra la viga:

—La luna tiene un conejo en la cara desde que la castigaron. Quelzacoatl el mexicano la castigó y el viento la arrastra por las noches mientras en la selva se oye a los guijarros cantar la canción del jorobadito Mitlampa.

Lo miraba Xocoyotl con ojos de venado y Cihuatlampa volvía a rezar:

—En la soledad el hombre compone su huarache al otro lado del desierto y yo lo siento desde aquí. La hormiga se lleva las hojas secas al fondo del barranco y yo lo siento desde aquí. Hay bodas en el poblado y yo lo siento desde aquí. Si pierdo mi soledad ¿podré hablar contigo?

La viga que cruzaba sobre sus cabezas crugió y dijo:

—La mujer está a tu lado. Tú hablas conmigo y la mujer escucha. Así debe ser.

Cihuatlampa pensó: yo hablo con Dios y la mujer me escucha. Y dijo a la mujer:

—Quédate a vivir conmigo.

Aquella noche durmieron juntos.

Amanecía y Cihuatlampa decidió no ir al mercado. Hacia media mañana llegó Totec, un indio de la misma tribu que se había criado con Cihuatlampa. Desde la puerta, dijo:

—¿Por qué me has robado esta noche a Xocoyotl?

Lo decía sin rencor. La mujer se levantó sin decir nada y se fue con Totec. Detrás iba Cihuatlampa diciendo:

—No sabía que Xocoyotl era tu mujer. No lo sabía. Vino aquí, se sentó en la puerta y habló. No lo sabía.

Todo el día estuvo Cihuatlampa pensando en aquello. Dos días después Xocoyotl apareció otra vez y Cihuatlampa le preguntó:

—¿Por qué vienes a verme a mí y entras en mi casa si eres la mujer de Totec?

Ella se sentó en el suelo y dijo sin mirarle:

—Haz como si estuvieras solo.

Cihuatlampa no quería volver a rezar y pensaba en Totec que hacía ollas de barro, plantaba maíz y bailaba los días nublados alrededor del palo de la tribu. Tejía también hojas de palma. Xocoyotl dijo: "Quizá Totec no sabe hablar con Dios". Cihuatlampa iba y venía por la choza con pasos cortos y vivos y por fin se detuvo delante de ella con las manos cruzadas a la espalda:

—¿Es verdad que tú no sabes escuchar a Totec?

El Desierto

—Totec sólo habla con los azcatlcoyotls que dicen cosas para reír.
—Mientes mujer, yo sé que mientes.

Ella se levantó y salió. Ya casi no la divisaba en la llanura arenosa cuando Cihuatlampa corrió detrás y la alcanzó. Pero Xocoyotl dijo que la esperaba Totec y siguió su camino. Volvió a su casa Cihuatlampa oyendo a su alrededor los rumores del desierto:

*Las piedras están tibias
y debajo palpitan los nidos
de las arañas cautelosas.
Las arenas están calientes,
pero la mano del muerto
encuentra debajo una humedad helada.*

Se acostó Cihuatlampa y al día siguiente se levantó con el sol para marchar al mercado. Cuando volvió a la choza era ya de noche y halló a Xocoyotl sentada al lado de la puerta. La mujer dijo:

—Haz como si estuvieras solo.

Cihuatlampa se sentó sobre sus talones, abrazó sus propias piernas y se puso a esperar que hablara la viga. Del desierto llegaba el rumor de restos humanos removidos que decían:

*Cincuenta días pesan sobre mí
desde que el viento me descubrió en la arena,
desde que la luna quemó mis manos
Temblad, los hombres sin camino
en este desierto de la mujer
de la mujer que no sabe hablar con Dios.*

Cihuatlampa mandó a Xocoyotl que se marchara. Ella no quería salir si no la acompañaba porque había visto una culebra en el camino. Cihuatlampa la acompañó más de una legua y cuando volvió encontró en su choza a Totec que dijo:

—Ya he visto lo que sucede. Desde ahora Xocoyotl será tu mujer y no la mía. Mañana la traeré yo a tu casa. Yo, para ti.

Totec cumplió su promesa y al día siguiente llevó a Xocoyotl de la mano a la choza de Cihuatlampa. "No reñiremos —le dijo—, no tenemos que reñir porque somos amigos desde la infancia". Cihuatlampa muy agradecido le pidió que se quedara a vivir cerca de ellos y le ayudó a construir una choza cubriéndola con tallos secos de maíz para que no entrara la lluvia. Y trabajaban los dos y cantaban.

Apesar de haber perdido a Xocoyotl su viejo amigo Totec

parecía feliz. Un día Cihuatlampa tuvo que ir al mercado y su mujer se quedó sola en casa y fue a la de Totec. Comenzó a hablarle mal de Cihuatlampa y a mostrar, como sin querer, sus rodillas redondas. Y a cimbrearse, caminando.

Cuando volvió Cihuatlampa Totec fue a verlo y le dijo:

—La próxima vez llévate a tu mujer al mercado para que no venga a poner veneno entre nosotros.

Contó lo que Xocoyotl le había dicho. Ella negaba y acusaba a Totec. Los dos hombres se miraban dudando y Xocoyotl rompió a llorar. Entonces Cihuatlampa, irritado, dijo a su amigo:

—Márchate de aquí. Eres un perro vagabundo que arrastra su pata podrida por el desierto. Si no te marchas te mataré.

Totec acometió a Cihuatlampa y los dos rodaron por el suelo. Totec consiguió atrapar el cuello de Cihuatlampa y lo apretó con las dos manos. La cara de Cihuatlampa se puso colorada, después morada y por fin negra. Totec se levantó y dijo: "Ha muerto. Lo he matado yo. Yo, con mis manos". Tomó a Xocoyotl por el brazo y la arrastró hasta ponerla encima del cuerpo de Cihuatlampa. Empujaba la cara de ella contra la del muerto y gritaba:

—Besa a tu hombre, Xocoyotl. Besa a tu hombre, mala mujer.

Ella no quería, pero Totec la sujetaba por el pelo. Ella gritaba y Totec repetía:

—Besa a tu hombre.

Después se marchó. No iba a su choza sino en una dirección cualquiera. Se dió cuenta de que la mujer le seguía. Totec comenzó a marchar con aquel trote que le permitía andar varias leguas sin detenerse. Xocoyotl se quedó sentada en la arena y cuando se sintió con fuerzas se levantó y marchó desierto adelante. Anduvo todo el día y toda la noche. Su sombra que por la mañana iba delante por la tarde se ponía detrás. Y caminaba sin saber adónde y sin fatigarse.

Al día siguiente seguía andando cuando vió que el cielo se ensombrecía. Creyó que era una nube, pero era un pájaro grande que hablaba:

—¿Qué haces aquí? ¿A dónde vas con un pie detrás de otro y la cabeza baja?

Ella se quedó quieta. El pájaro la tomó con sus garras sin hacerla daño y se la llevó por encima del desierto a Culúa cerca de un lugar amurallado donde había dos pirámides en ruinas y un teocalli casi deshecho también. En aquellas ruinas vivían unos indios que tenían el pelo apelmazado con sangre humana ya seca. Xocoyotl cuando se vió en tierra se acercó a unos hombres que la miraban y decían: "Esa es la mujer de las tierras arenosas". Preguntó Xocoyotl quién vivía en el teocalli y le dijeron que vivía el teul con sus serpientes, una blanca otra negra y otra de mezcla.

Xocoyotl subió al teocalli y un sacerdote salió a recibirla:
—¿De dónde vienes, mujer?
Ella se sentó en el suelo:
—Haz como si estuvieras sólo.

Comenzó el sacerdote a pasear, fue a los inciensarios y puso fuego. Subía el humo llenando la cámara de olores balsámicos. Luego volvió al lado de Xocoyotl:
—¿Cómo has venido hasta aquí, tú sola?
—Me ha traído el pájaro grande que tiene en el pico una culebra. Cuando salga la luna vendrá a buscarme y me dirá: "Tú, la mujer, hora es de que vuelvas al país de las arenas esparcidas".

Entonces el sacerdote salió, mató al pájaro con flechas envenenadas y volvió al teocalli haciendo sonar los aros de cobre que tenía encima del tobillo. "Ahora —dijo— hablaré con Dios". La mujer se sentó en un rincón diciendo: "Tú hablarás con Dios y yo te escucharé".

El sacerdote se puso en oración y se volvió de pronto asustado:
—Tú mataste a Cihuatlampa Ehecal, a tu hermano de tribu.

En el cuarto había también un tronco de árbol que sostenía un ángulo del tejado y hablaba:

El ave del cielo te ha traído
con el relente nuevo
y el viento caliginoso
del lugar donde habitan las mujeres.
¿Por qué tu deseo arma el brazo del hombre?
¿Por qué mata al hermano del hombre?

—Yo no fuí —repetía ella—. Fue Totec quien lo mató.

Al día siguiente con las primeras luces Xocoyotl oyó gritos y bramuras fuera de la casa. Dejó al sacerdote durmiendo y salió. Vió muchos hombres armados, entre ellos algunos que llevaban también el pelo apelmazado con sangre humana y subían a la pirámide, amenazadores. Xocoyotl iba desnuda y comenzó a llorar y a pedir protección.

La viga que cruzaba el techo decía:

Aun queda la palabra postrera
la voz mojada que dice al dios de la orilla
al chepudico Mitlampa:
he aquí tu propio silencio.

Los hombres entraron buscando al sacerdote y Xocoyotl escapó seguida por un joven que había estado espiándola toda la noche por los huecos de las ventanas.

Al medio día Xocoyotl y el joven llegaron a la orilla de un lago y buscaron vado para ir a una isla que se veía enfrente. En la isla encontraron frutas y pájaros. El joven cogía maderas secas para hacer fuego y ella se burlaba cantando la canción de los tejones que tienen miedo del fuego y de los hombres demasiado jóvenes que no han aprendido aún a encenderlo. Entretanto miraba el agua de lluvia que quedaba en el hueco de la roca. El joven preguntaba:

—¿Qué ves en el agua? ¿Por qué miras? Sólo hay un insecto verde y otro rojo.

—Están bebiendo —decía ella.

Apareció un hombre y al ver que Xocoyotl se asustaba dijo:

—Aquí estoy. Soy yo, el leñador.

Señalaba al joven y preguntaba quién era. "Tiene la cara —dijo— movediza como la masa de maíz antes de meterla en el horno". Tomó a Xocoyotl por la cintura y se metieron en el bosque. El joven seguía detrás, indeciso:

—¿Y tú? ¿Quién eres tú? —preguntaba el leñador a Xocoyotl.

—Vengo del país que tiene el suelo cubierto de arenas movedizas.

El leñador se apartó:

—Ya sé. Ya sé quién eres. ¿Por qué mataste a tu hermano?

Ella se acordaba del cadáver de Cihuatlampa Ehecal abandonado en la choza:

> Cihuatlampa tenía los ojos fuera
> porque en el último instante
> quería verlo todo en el desierto.
> Tenía el color cárdeno
> porque el rey buboso de las arenas
> le dió con un conejo en la cara.
> Y Totec me empujaba sobre el cadáver
> para que lo besara con mi boca,
> yo, la mujer que mató a su hermano
> y escapó hacia las piedras de Culúa.

—Ese joven que nos sigue sabe dónde está Mitlampa.

La tomó en brazos y pasó otra vez las aguas hasta la tierra firme. Xocoyotl le pidió que la llevara a su casa. "Tienes la cara —decía— como los adentros del fuego donde no se puede poner la mano". Ya allí Xocoyotl se sentó en el suelo y dijo:

—Haz como si estuvieras solo.

El leñador estuvo mirándola sin hablar. Tampoco ella decía nada y se oían a veces rumores como suspiros o como voces que hablaran quedamente. Xocoyotl tenía miedo:

> *La viga decía: lo mataste*
> *y huiste del desierto, lo mataste*
> *y viniste a la playa de las brisas calientes.*
> *Lo mataste y entraste en la choza limpia*
> *donde el buen leñador va a morir.*
> *Y haces girar tus ojos alrededor*
> *buscando al dios chepudito*
> *y sólo ves la sangre, la piedra, el hacha*
> *la cuerda en el cuello mientras repites:*
> *Haz como si estuvieras solo.*

El leñador salió de la choza. Por el bosque llegaba un campesino viejo y enfermo, con la piel pegada a los huesos. Andaba cojeando y tenía un hacha de obsidiana colgada de la cintura. El leñador joven lo señalaba y decía:

—Es el que corta las ramas vivas y luego bebe pulque y se pone a bailar en el claro del bosque.

Miró alrededor buscando algo con que defenderse, pero el viejo le acometió sin darle lugar. Su hacha resbaló por un lado de la cabeza y le abrió una brecha en el hombro. La sangre salía y le teñía la espalda, el anca y la pierna. Cayó al suelo el buen leñador y se arrastró como pudo hasta la choza. Xocoyotl miraba fría e indiferente.

Para salir del bosque Xocoyotl y el viejo tenían que atravesar lugares donde la luz no había entrado nunca. El viejo y Xocoyotl tenían miedo, pero seguían avanzando. Por fin salieron otra vez al lado de la laguna. "Ahora estamos —decía el viejo— en el mismo lugar donde te encontró el leñador de la cara de fuego". Vieron un coyote que andaba de medio lado con un trozo de liana atado al cuello. Este coyote les habló:

—Yo les sacaré de la selva pisando sólo las raíces amargas.

Marchaba con paso ligero y de pronto volvió la cabeza:

—Mujer, no hables hasta que hayas salido a campo raso.

Ella no respondió y poco después daban vista a una llanura al final de la cual se levantaba el poblado. El viejo dijo:

—Quédate conmigo y ayúdame a talar la selva.

Xocoyotl quería volver al desierto y pensaba: "El cuerpo de Cihuatlampa debe estar ya seco". Echó a andar sola. Al final del primer día estaba cansada y hambrienta. Buscaba un lugar donde dormir cuando apareció en el cielo un lagarto. Tenía el hocico en la dirección del desierto y Xocoyotl lo consideró una señal propicia. Siguió andando. El lagarto decía:

> *Sígueme en la mañana y en la tarde*
> *sígueme también en la noche cuando los viejos*
> *sentados a la puerta mueven la cabeza sin hablar*
> *pensando que en su juventud todo era mejor.*
> *Yo soy la lámpara antigua*
> *de los aturdidos y de los enfermos.*
> *Sígueme tú que mataste a tu hermano*
> *y al pájaro sagrado y al leñador*
> *y a otros hombres que lloraban como niños.*
> *Sígueme, yo soy Mitlampa el sarnoso*
> *pero conozco los caminos del hombre.*

Anduvo Xocoyotl muchos días y al final llegó al desierto. Encontró a los ancianos reunidos y un poco apartado a Cihuatlampa Ehecal haciendo aguas. Xocoyotl tuvo miedo porque lo había visto morir o creía haberlo visto morir. "Tal vez —pensó— no había muerto para siempre, como decía Totec". Se acercó a él y le dijo:

—Me marché buscando en otras partes la palabra tuya.

—¿Qué palabra?

—La palabra tuya cuando estabas hablando solo. O hablando con la viga. O con Dios.

Xocoyotl fue marchándose con pasos cortos y algunos hombres iban detrás de ella preguntándole aún: "¿Qué palabra es esa que hay que decir?"

Cuando Xocoyotl llegó a la antigua choza de Totec escuchó ruido de malas voces. Se detuvo y dijo al más próximo:

—Ven a la choza. Allí harás como si estuvieras solo.

Nadie le contestaba. Por las arenas rodaban las piedras y producían un rumor de conversaciones a media voz.

IX

DELGADINA

Una de las muchas mujeres que asistían al velorio se acercó a la Serrana y le dijo:

—¿No has visto lo que pasa en la cama de tu hermano el muerto?

Fueron a la alcoba mortuoria. La cabecera de la cama tallada al estilo renacentista tenía dos figuras de Pan tocando la flauta y bailando dentro de un medallón en el centro. Las figuras de Pan tenían cuernos y patas de cabra.

—¿Lo estás viendo? Podríamos cambiarlo de cama, pero sería tiempo perdido porque en la madera volverían a florecer los demonios con sus cuernos y trompetas.

Aseguraba que antes de poner allí el cuerpo del Penquero la cama no tenía en la cabecera aquellas malas figuras. "Estaba la madera limpia". Otra decía haber visto como la madera lisa formaba grumos y de pronto iban resaltando y señalándose aquellas figuras satánicas: los cuernos, las patas, los rabos . . .

Todas eran mujeres en aquel cuarto y la mayor parte tenían el rosario colgado de la mano. Se oía el susurro de alguna voz y el nombre del Penquero. El penquero es el empleado más humilde del rancho que cuida a los pencos, es decir, a los animales que por tener defectos físicos son abandonados por sus madres. Lo llamaban así por costumbre y sin ánimo de ofenderlo. Todos los pastores han sido penqueros en su infancia, pero a éste le quedó el apodo como un indicio de humildad y de insignificancia. Aunque después cuidó un rebaño de millares de ovejas y más tarde fue el amo del rancho, nadie se acordaba de su nombre: Paco Serrano.

En los velorios siempre se cuentan cuentos. De miedo las mujeres y de mujeres —bastante atrevidos— los hombres.

Se podría decir lo que se quisiera de los Serranos, pero cuando la hermana del difunto echaba la vista alrededor a más de una mujer se le encogía el ombligo. Lo único que le reprochaban aquella noche —en voz baja y a sus espaldas— era que no llorara. ¿Cuándo se ha visto un velorio sin plañidos? Seguramente el muerto se dolía en el otro mundo.

Una vieja con una guitarra negra en las rodillas sorbió aire por la nariz y dijo:

—Los Serranos no lloran porque les da satisfacción ver al Penquero en la cama de los señores y a todo este señorío viniendo a verlo.

A su alrededor se levantaban rumores de aprobación.

El Penquero había sido pastor toda su vida en aquel rancho de los ricos Arandas. Su hija ya muerta —Delgadina— fue seducida por el único hijo de los Aranda. Pero el muchacho estaba honestamente enamorado de ella.

Muchas cosas pasaron. Ahora el hijo de Delgadina iba y venía por los pasillos haciendo sonar las espuelas.

A la hija del Penquero la habían llamado Delgadina con una intención calumniosa y vil durante muchos años. Ahora todavía los parientes de los Arandas (que no podían ver a los Serranos) seguían con sus venenosas alusiones. La vieja de la guitarra negra se puso a recitar un romance con el ritmo del corrido mejicano. Era un romance que circulaba desde hacía cuatro siglos por aquellos valles. Aquel romance era una ofensa a la memoria del muerto, a la Serrana e incluso al joven de las espuelas. Se hizo alrededor un silencio alarmado. Luego se oyeron nerviosos rumores y por fin volvió otra vez el silencio. La vieja recitaba:

El buen rey tenía tres hijas
muy hermosas y galanas
la más pequeñita de ellas
Delgadina se llamaba.
Delgadina de cintura
tú has de ser mi enamorada.
—No lo quiera el dios del cielo
ni la Virgen soberana
que yo enamorada fuera
del padre que me engendrara.
El padre que tal oyera
la encerraba en una sala.
No la daban de comer
más que de carne salada
no le daban de beber
aunque ella lo demandaba . . .

Al llegar aquí la vieja miró alrededor con recelo y viendo que no había en el cuarto nadie de la rama de los Serranos —de la familia del muerto— repetía los cuatro últimos versos. La guitarra hacía un contrapunto discreto:

A la mañana otro día
se asomara a la ventana
y viera a su madre abajo
en silla de oro sentada.
Mi madre por ser mi madre
tráigame una jarra de agua
porque me muero de sed
y a Dios voy a dar el alma.
—Calla tú, perra maldita
calla tú, perra malvada.
Siete años que soy contigo
siete años soy malcasada . . .

Hacía otra pausa. Cerca, una mujer explicaba a sus vecinas:
—La que canta es una Aranda en tercer grado. Por eso se atreve y es lo que yo digo: bien hecho.
La recitante seguía:

A otro día Delgadina
se asomara a una ventana
vió a sus hermanas abajo
filando seda labrada.
—Hermanas, las mis hermanas
tráiganme una jarra de agua
porque me muero de sed
y a Dios vos a dar el alma.
—Primero te meteríamos
esta aguja por la cara.

Se asomara Delgadina
a otra ventana más alta
vió a sus hermanos que abajo
tirando estaban la barra.
—Hermanos por ser hermanos
tráiganme una jarra de agua
que yo me muero de sed
y a Dios voy a dar el alma.
—No te la doy, Delgadina
no te la damos, Delgada
porque si padre lo sabe
nuestra vida es ya juzgada.

Al lado de la cantante las mujeres movían la cabeza, entendidas, sensatas y lastimosas.

Se asomara Delgadina
a otra ventana más alta

> y vió a su padre que abajo
> paseaba en una sala.
> Mi padre por ser mi padre
> súbame una jarra de agua
> porque me muero de sed
> y a Dios voy a dar el alma.
> —Darétela, Delgadina
> si me cumples la palabra.
> —La palabra cumpliréla
> aunque sea de mala gana.
> —Acorred mis pajecicos
> a Delgadina con agua.
> El primero que llegase
> con Delgadina se casa,
> el que llegase postrero
> su vida ya está juzgada.
> Unos van con jarras de oro
> otros con jarras de plata,
> las campanas de la iglesia
> por Delgadina tocaban.
> El primero que llegó
> vió a Delgadina finada.
> La cama de Delgadina
> de ángeles está cercada
> y la cama de su padre
> de demonios coronada.

Cuando el romance terminó se asomó Efraín a la puerta fumando su marihuana. Era un viejo amigo del difunto.

—Un muertecito muy decente es el señor Paco el Penquero que en paz descanse.

Dijo eso como dolido por el romance.

Detrás de él se asomaron también a la puerta Paco y la Serrana. El muchacho de las espuelas preguntó quién había recitado el romance de Delgadina. Nadie contestaba. "¿Las brujitas de los Aranda tienen miedo?" dijo provocador. Renunció por el momento a averiguar quién había sido y salieron otra vez los tres. La mujer que había recitado el romance liaba un cigarrillo con los dedos temblorosos vertiendo la mitad del tabaco.

—Algún *sonobiches* les fue con el soplo —dijo.

Aquí y allá reían y repetían el último verso del romance:

"... de demonios coronada".

Todos pensaban en los diablos de las patas de cabra y los

cuernos que bailaban en el óvalo de madera de la cabecera. Poco después se presentó de nuevo la Serrana y repitió la pregunta: ¿Quién había cantado? Alguien dijo otra vez el último verso: ". . . de demonios coronada". Estas palabras se oyeron en todos los rincones del cuarto como si las repitiera el eco.

—La verdad es —decía alguien— que Delgadina la hija del Penquero murió en las Pedrizas sin ayuda de la religión. Y la enterraron en el arenalito.

La Serrana oía y callaba. Paco hijo de Delgadina iba y venía satisfecho de ver a su abuelo en la cama de los Aranda. Se asomó al aro de la puerta y la Serrana le dijo algo. Entonces el mozo se acercó despacio a la vieja recitadora, tomó la guitarra de sus manos, la puso en el suelo y sin dar muestras de enojo colocó un pie encima y después el otro. La aplastó. La vieja se hizo la cruz. Luego Paco la obligó a levantarse y la llevó al cuarto mortuorio. Una vez allí le dijo:

—A mí no me ofendes con tus dichos, pero vas a pedirle perdón a mi abuelo.

Ella amenazaba con los hombres de su familia que eran Arandas. Paco la frotó el hocico contra los zapatos del muerto y la hizo arrodillarse. La vieja se estremecía bajo la mano de Paco que le atenazaba el hombro. Cuando pudo librarse volvió a su rincón y se sentó. Se quedó allí quieta, mirando la guitarra aplastada. Movía los labios y no se oía lo que decía. En cambio se oía lejos el relincho de un caballo y la bocina de un auto. Por las ventanas bajas entraba el fulgor de los faros de algún automóvil. Coches de lujo conducidos por rancheros con las botas sucias de estiércol se estacionaban o partían. Algunos hombres se quedaban delante de la casa donde habían encendido una gran hoguera. Alrededor del fuego hablaban, reían, pasaban botellas y carne asada.

El rumor de rezos comenzaba en la cámara mortuoria y se expandía por los cuartos próximos. Todas las mujeres rezaban, menos la Serrana que iba y venía vigilando y ofreciendo vino.

Paco tomó un vaso que le llevó una sirvienta en una bandeja. Las viejas agitaban sus lutos como murciélagos y acercaban los hocicos para comunicarse su reverencia por aquella mano de Delgadina que, según decían, habían visto a flor de tierra sobre la sepultura. Una de las viejas hablaba de Santa Catalina de Alejandría y decía que había acudido al arenalito del monte y arrojado puñados de pétalos de rosa sobre la tumba. Parecía que Santa Catalina apoyaba su mano en una "rueda de cuchillos y navajas" como decía también otro romance desde los tiempos de la colonia.

Aquella vieja se ponía de pronto a decir que Delgadina era una santa, pero no renunciaba nadie a la base del escándalo: la calumniosa relación entre la hija y el padre. Todo porque Delgadina era joven y hermosa y pasaba largas temporadas en el monte sola con su padre viudo. La gente de imaginación sucia hablaba.

La vieja que había recitado el romance de Delgadina comenzaba a reponerse del susto que le dió Paco y contaba con aspavientos cómo el galán le frotó las narices contra los pies del muerto y ella le había amenazado con los hombres de su familia. Las otras viejas escuchaban y comentaban en voz baja con sus vecinas.

Era ya la media noche y a nadie se le ocurría cantar un buen "alabado" al muerto. En lugar de las loas florecían espontáneamente los vejámenes en voz baja. Entre los Arandas, claro.

Paco llevaba un cigarro puro apagado. Con un mechero enorme que le acercó Efraín se puso a encenderlo. Efraín no se atrevía a volver a la cámara funeral ni a mirar al muerto. Tenía miedo y Paco bromeaba:

—No tardarás en seguirle tú, Efraín, hijo de perra.

Efraín balbuceaba: "Respeta la vejez, Paco, que yo conocí a tu mera mamá". Paco añadía:

—Ya está en algún lugar puesta a secar la madera con que van a hacerte un día la civiera, Efraín. Y los clavos para cerrarla están ya fuera del paquete y desparramados en alguna parte.

Temblaba Efraín fumando su marihuana. Entretanto Juan Badinas llegó del ahijadero, se acercó y le dijo que si su merced lo tenía a bien diría un "alabado" en el cuarto del muerto. Paco lo miró despacio, con recelo. Badinas era un viejo de ojos fríos y expresión concentrada. Y nunca había tenido estimación alguna por el muerto. Paco le puso la mano en el hombro y le dijo: "Conforme, pero antes vamos a beber".

Fuera de la casa habían encendido otras dos hogueras y los rancheros se calentaban alrededor. Otros entraban por las puertas traseras a la cocina donde había vino y jamón. Luego iban a ver el muerto y salían también al portal porque el aire de los cuartos con olor de cirios quemados y rumor de rezos les mareaba. Comían chile picante para estimular la sed y reían con el belfo encendido por el resplandor.

Del lado derecho de la casa llegaban los rezos. Estaban de acuerdo los rancheros en que aquel era un buen velorio. "Hace años que no se ha visto uno con tanta plebe", dijo alguien.

Llegaban también algunos gringos que no hablaban español y a esos los recibía Paco riendo y llamándolos *"old bastards"*. Uno de aquellos hombres era el abogado que defendió al Penquero años atrás y lo salvó de un mal trance. Miraba alrededor como un pájaro asustado temiendo hallar al muerto en cada recodo de la casa.

La Serrana, hermana del muerto se había ido a su cuarto a descansar un momento. Se sentó en la cama sin encender la luz. Por los cristales entraban los reflejos de las hogueras. Oía lejos al rezador que estaba acabando el primer rosario. Salió otra vez de su cuarto pensando que su deber estaba al lado del muerto y fue a la cámara funeraria. En el pasillo vió a Paco que iba en la misma dirección con Juan Badinas.

Paco llevó una silla baja a los pies de la cama del muerto y Badinas, jefe del ahijadero, se sentó de tal modo que los zapatos de charol del pobre Penquero le quedaban encima de la cabeza y casi apoyados en ella. La habitación estaba orlada de los negros flúidos de la noche. Vacilaban las llamas en los cirios. Por fin el rezador calló, besó la cruz del rosario y se quedó en silencio. Juan Badinas que tenía la guitarra en las rodillas habló:

—Mi alabado no es del señor Penquero aquí presente sino de su hija la señora Delgadina que falleció hace más de veinte años sin que nadie haya dicho todavía nada en su alabanza. Y bien que lo merecía. La señora Irene Serrano —añadió corrigiendo el nombre— era un ejemplo de virtud y yo soy el primero en reconocerlo en medio de todos y con la cabeza levantada aunque con un corazón arrepentido.

Desde el otro extremo del cuarto el rezador profesional, que era un viejo de voz campanuda, alzó la mano reclamando silencio porque los rezos no habían terminado aún. Continuó con una prosa sonora que parecía temblar dentro de su pecho entre los ritmos vacilantes y las medias rimas:

—Santo Dios, Santo fuerte, Santo inmortal, concede al difunto Penquero el viático del cielo, la morada de los justos, la posada del Carmelo. Que las calaveras viejas vean por los ojos nuevos, que los huesos de las huesas se junten para alabarnos oh señor de los caminos y de los desesperados y de los que habiendo muerto no han sido aun enterrados y de los que contra moros lidian en campos cristianos; tres estrellas, tres Marías, tres hombres crucificados. El de en medio tiene sangre, los otros huesos quebrados, el de en medio clavelinas, hijo del Dios soberano; los otros culebras vivas por las piernas y los brazos. El de en medio roba amores, los otros odios y estragos. Y San

José está en la casa tocando sólo el piano cuando San Juan se arrimaba al palacio de Pilatos. Ampara Dios a esta oveja de tu precioso ganado y dale posada nueva en tu reino celebrado. Amén.

Todas las viejas respondieron: Amén.

Juan Badinas sentado en su silla bajo los pies del muerto esperaba mascando su chicle.

El rezador parecía recortado en la estampa del velorio con tijeras melladas y el perfil se erraba y rectificaba una vez y otra. Paco y la Serrana cambiaban miradas de recelo pensando en el "alabado" que iba a decir Juan Badinas. Nunca había sido amigo del muerto. Qué podría decir en un trance como aquel?

En los pasillos se aglomeraba la gente. Había circulado la noticia de que Badinas iba a hablar. Paco, preocupado, miraba desde la puerta esperando que terminara el rosario. Al oir los tres amenes y ver persignarse al rezador Juan Badinas mondó su garganta e hizo sonar las cuerdas de la guitarra. Pero el rezador levantó el brazo dando a entender otra vez que no había terminado y añadió:

—Por los caminantes perdidos en esta noche de sombra sin cobijos y de esquinas con viento y de calaveras con remordimiento y de almas con grillos y hierros y alientos de Satanás —al decir este nombre golpeó el suelo con el pie como si hubiera atrapado al diablo bajo la bota—, por los condenados al trespás que suben a la horca para no bajar más, por los que se van del mundo conformes y los que mueren rabiando, por la criatura que nace de madre pura y viene a la vida sin ventura y por los que lloran al ver la primera luz del Señor. Por las esposas abandonadas sin honor, por los mancebos descarriados, por el que tiene el puñal levantado sobre la garganta de su víctima, por el asaltado de ladrones y por el hombre de las malas generaciones y por las tres rosas de las tres encarnaciones, la del padre, la del hijo y la del espíritu santo de las dominaciones, amén Jesús.

Alto y huesudo el rezador quedó mirando los pies del muerto que tenía enfrente. Una vieja decía a su vecina alarmada:

—Como te veo a ti he visto al Penquero abrir y cerrar los ojos merito.

—Bah, —dijo otra vieja—, siempre se tiene ese parecer delante de un difunto.

Desde la puerta Paco seguía mirando a Juan Badinas. No las tenía todas consigo. Esperaba su "alabado" con la mano en el anca. El jefe del ahijadero hizo dos acordes rasgados en la guitarra y con la cara alta y los ojos adormecidos dijo:

—Ay, Penquero, que tu hija la Irene, flor de la glera y de la pradera, suave como la lana primera, ay que fue antaño el sueño y la ilusión de toda la gente ranchera, pero el Gran Señor la quiso para ornamento de su elevada esfera y se la llevó en la edad primera. Ay, Penquero que tu hija la Irene, virgencita de la primavera, que todos la veíamos en la montaña cimera como una persona y un ángel también como una estrellita mañanera, ay que tu hija la Irene, tu hija, Penquero, que ahora estarás ya con ella alma con alma y el cuerpo mortal en la tierra. Ay, Penquero que así nos dejas en este valle de amarguras y en esta tierra de desventura. Ay Penquero que estás como un señor en el lecho de los hombres de honor, ay mi amigo, que tantas veces la gente sin testigo dijo de ti mentiras y desenfrenos. Pero eran habladas y locuras y todos sabíamos que Delgadina era un ángel y una hembrita más pura en el condado que cualquier otra criatura. Ay, amigo honrado, ay ilustre pastor, mira la gente en reverencia a tu alrededor. Todos sabían que eras decente, pero todos te miraban con rencor. Yo envidiaba el aire de las Pedrizas porque ella lo respiraba y todos odiaban el valle de abajo porque ella nunca venía y era la flor deseada y ahora a ella y a ti todos les pedimos perdón. A ti como amigo y a ella como a una santa veneranda. Ay, compadre Penquero, tú que puedes...

Seguía con su extraña oración llena de ecos torpemente musicales. A medida que hablaba tocaba la guitarra no siempre acompasado y al terminar cada frase su voz descendía con un remate de dolo y tristeza. La gente se arracimaba en las puertas. La Serrana lo oía pensando en los cinco dólares que Badinas le había debido al Penquero toda su vida. En las cocinas lejanas volvían a oirse gritos de mujer no se sabía si risas o gemidos.

El "alabado" continuaba:

—Compadre Penquero, tú que estás con ella en el cielo, dile que nos perdone como Dios te perdona a ti, Penquero. A ti y a tu señor Aranda a quien le echaste acero y en ese lecho dió su aliento postrimero y a mí porque yo fui el primero en hablar calumnioso y embustero de Delgadina. Yo sabiendo que ella era desde enero a enero pura y limpia como el oro, el hielo y la primera lana del cordero. Yo te calumnié en las Pedrizas. Otros también lo hicieron por ceguera. Ceguera de odio y saña entre los mozos de la tierra baja. Y de envidia entre los viejos y las mujeres rancheras. Pero yo fuí el primero que te echó a la cara el cieno, el que escupió a las alturas la ignominia y el veneno. Cuando la señora Irene falleció yo vi que el cielo se abría y que un rayo relucía. Sobre los ojos, Penquero, me dió la luz de la vida un mero rayo del cielo. El pelo se me hizo blanco y el corazón todo negro y era mozo, pero andaba como si fuera ya viejo. Desde entonces no sabría decir si vivo o si muero. Este día memorable aquí por mis pasos vengo y en el umbral de la puerta y al pie de este noble lecho, aquí me tienes hermano por tu hija y mi respeto. Aquí estoy yo, Delgadina, santificando el recuerdo. Mírame aquí arrodillado, mira mis negros adentros. Ayer eran de serpiente, hoy son de tierno cordero. Mírame aquí Delgadina, rendido humilde y sincero. Tu perdón Delgadina es lo que quiero.

Se hincó de rodillas y la gente lo miraba, alucinada. La Serrana pensaba: "Todo eso está bien, pero ¿por qué no le devolvió los cinco dólares que le debía a mi hermano?"

Alguien debió pisar en la puerta el rabo de un gato y se oyó un maullido. Todo el mundo volvió la mirada hacia el muerto. El mismo Juan Badinas que esperaba arrodillado el perdón de Delgadina hizo un movimiento convulsivo volviéndose sobre un hombro hacia el lecho que estaba a sus espaldas. Una mujer explicó en voz alta:

—No ha sido el muertito sino el gato.

Paco, ligeramente conmovido, contestó a Juan Badinas:

—Bien hablado. No hacía falta porque nadie creía en las maldades que decían. En todo caso yo sé que ella está aquí dentro —se golpeó el pecho— y desde aquí te perdona. Desde aquí les perdona a todos. A todos —añadió bajando la voz— menos a uno.

—¿A quién? —preguntó dramáticamente Badinas.

Nadie le contestó. Dos mujeres cuchicheaban en el silencio del cuarto mortuorio:

—Badinas es el *cowboy* del ahijadero.

La Serrana miró alrededor. La gente le devolvía la mirada con ansiedad. Había alguien a quien no perdonaba Paco. ¿Quién sería? Paco dijo a Juan Badinas que seguía arrodillado:

—Levántate. El hombre a quien no perdono está lejos de aquí. Y no vendrá.

Le ayudó a incorporarse. En aquel momento otro ranchero viejo salió al centro del cuarto y comenzó a decir:

—Caballeros del velorio que han escuchado a Badinas, yo vengo a jurar delante de Cristo y las Tres Marías que fui el primero que habló contra el honor de la niña y dije el romance viejo del rey y de Delgadina.

Alzaba el puño en el aire y lo abría de pronto con los dedos crispados para decir:

—Que me castigue el eterno. Que se abran bajo mis pies los abismos del infierno. Yo fui el que se desvelaba por la niña Irene, yo mero. Por su nombre de doncella y por su alma y su cuerpo. Por sus ojos y su cara y la gracia de sus manos, por la tierra que pisaba y por sus hablares calmos. Yo soñaba cada noche que iba a ser su enamorado. Por sus amores que estaban más que en la tierra en el cielo yo fui quien la calumniaba y a ti Penquero. Goza de tu lecho noble y contempla ahí a tu nieto que lleva espuelas de plata y una cinta en el sombrero. Goza de la vida eterna como para mí la quiero.

Pareció que iba a arrodillarse, pero no lo hizo.

Estaban en el cuarto dos rancheros más, dispuestos a intervenir, pero Paco sospechó que estaban borrachos y les salió al paso. Uno de ellos decía refiriéndose a los dos "alabados":

—Los dos mienten porque el *sonobiche* que inventó la mala ocurrencia contra Delgadina fui yo. Y este otro que está aquí es mi testigo y puede avalorar mi palabra.

Paco decía:

—Vamos, vamos, que aquí no hay más *son-of-a-bitch* que Efraín.

Este fumaba su marihuana en el vano de la puerta y repetía:

—Parece mentira Paco. ¡A un amigo de tu mamá!

Para poner paz el rezador carraspeó, alzó los ojos al techo, golpeó el suelo con el pie y comenzó otra vez desde su rincón:

—*Vade retro*, Satanás, que el hijo de Dios siempre pudo más.

Antes de iniciar el segundo rosario decía también su "alabado" en versos cojos:

—Paco el difunto mentado en tierra de borregueros a ti la justicia humana te ha devuelto sus respetos y la justicia divina te abre las puertas del cielo. *Vade retro* Satanás que el hijo de Dios siempre pudo más. Tu hija la hermosa doncella Delgadina la mentada entre los santos del cielo te espera regocijada. Palmas con lazos de oro y campanillas de plata te reciben en la puerta de la celestial morada. *Vade retro,* Satanás que el hijo de Dios siempre pudo más.

Cada vez que decía el nombre de Satanás volvía a golpear con el pie y a veces el golpe era tan fuerte que temblaban las llamas de los cirios. Paco había vuelto a los corredores donde los hombres seguían bebiendo y detrás de él salieron Badinas y otros dos *cowboys*. El rezador hacía oir su voz campanuda. Los cuatro hombres un poco borrachos con los brazos por los hombros salieron y formaron corro junto a una hoguera. Se unieron a las canciones de los demás. Eran canciones tristes. Juan Badinas se limpiaba una lágrima con el dorso de la mano uniendo su voz ronca a las del coro. La hoguera daba sus resplandores. Uno de los mozos le dió con el codo:

—La verdad es que le debías cinco pesos al difunto.

—Mientes hermano, porque la semana pasada se los gané a las cartas y no quise cobrarlos. Es como si se los hubiera devuelto en propia mano.

No había testigos de aquello y nadie lo creía. La Serrana se había vuelto a meter en su cuarto. Sentada en la cama a oscuras veía afuera a los empleados del ahijadero cantando a media voz cosas tristes. Y a Badinas. Y a Paco que poco después volvió a entrar en la casa.

Pensaba la Serrana en la vida de su hermano muerto y en la suya propia. Muchas cosas habían pasado. Veinte años atrás el Penquero vivía con su hija en las Pedrizas. Los dos solos en la cabaña más cerca de la luna que de la tierra. Y dando que hablar a las culebras de la tierra baja. La hija del Penquero tenía los ojos azules y la piel morena y dorada, el talle gentil y la boca menuda. Malas lenguas pensando en su belleza y en la soledad en que vivía con su padre comenzaron a calumniarla. El nombre de Delgadina que le daban los *cowboys* estaba lleno de malignidad. Pobre Penquero. Los pastores suelen tener mala fama. O son muy simples o muy viciosos. El Penquero no era lo uno ni lo otro, pero la gente hablaba.

Y algunos lo creían.

En la choza estaba la niña casi siempre sola, sobre todo durante los meses de verano. El padre se iba con el ganado a las alturas y se quedaba allí meses enteros. A veces bajaba con una mula vieja a reponer víveres. Delante de él iba su perro, un animal sucio y feo que se llamaba *dandy*. Llegaba media hora antes que su amo. Las primeras palabras del Penquero a su hija eran siempre las mismas:

—¿No te ha dicho el *dandy* lo que te traigo?

Cuando la niña veía llegar al perro ponía agua a calentar y preparaba jabón y toalla porque lo primero que hacía el Penquero al llegar era lavarse y afeitarse.

Irene decía que el perro le había anunciado que padre le llevaba *raspberries*. Le gustaban mucho aquellas frambuesas silvestres.

La hermana del Penquero la Serrana recordaba aquellos tiempos como si las cosas acabaran de suceder. Y oía lejos los rezos del velorio. Ella vivía en la ciudad y trabajaba como obrera en una fábrica. El primo Efraín que cuando no estaba en la cárcel vivía en la casa de al lado, le dijo un día que la gente del rancho de los Arandas llamaba a Irene por mal nombre Delgadina. Un nombre lindo pero indecente. Efraín solía mentir, pero en aquel caso decía la verdad y ella pensó que si viviera en la choza de las Pedrizas con su hermano la gente no hablaría tanto. "Eso viene —pensaba— de que los *cowboys* tienen en la cabeza la idea de la soledad del padre con la hija. Y la fantasía cochina les puede". . .

A la Serrana le gustaba vivir en la ciudad, pero decidió ir a la cabaña de las Pedrizas por el buen nombre de su hermano y su sobrina. Fue la primera cosa razonable que hizo en su vida.

Para subir allí desde el rancho había que andar un día a caballo entre abismos y rompientes. Un mozo del rancho acompañó a la Serrana que no sabía el camino.

Lo primero que ella hizo al llegar a la cabaña fue preguntar a Delgadina dónde estaba su padre. La niña mostró las altas cimas de la sierra. Había cuatro horas sin camino hasta aquellas planicies donde el ganado pastaba en verano y no bajaba hasta el otoño cuando los árboles amarilleaban.

Mientras la niña hablaba su tía la miraba y decía para sí: "es esbelta como un junco, tiene el mirar franco y el gesto medido y la cintura más *cuerita* del condado". Recordando el terrible romance de Delgadina, añadía: "Hija de un rey podría ser". Y preguntaba con gesto agrio:

—¿Sabes lo que yo haría si viviéramos en tiempos de Billy the Kid? Levantar una horca en cada esquina del rancho. Sí, del rancho de los Arandas. ¿Para qué? Yo me lo sé. Yo sé a quiénes les haría bailar la polca con las patas al aire.

La Serrana se escandalizó de la pobreza del ajuar. Afortunadamente llevaba ropa y útiles de cocina. Por la noche la Serrana oía los rumores del campo y se asustaba con los crugidos de los muros al enfriarse la madera. "¿Cómo puedes vivir sola? ¿No tienes miedo?"

—Sí —decía la niña— pero me aguanto.

—Ese miedo —dijo la Serrana— te ha hecho los ojos tan grandes y tan hermosos, hija mía.

No sabía Irene que la llamaban Delgadina. Su nombre era bonito: Irene Serrano. Ella y su padre ignoraban el romance de Delgadina porque venían de otro valle y allí no se cantaba. Los dos eran como figuras de los cuentos antiguos.

El Penquero era el mejor pastor de Cíbola. Los dos ignoraban que hay un destino fatal para todo aquello que tiende en algún sentido a la perfección. El rayo elige en el bosque el árbol más recto y más alto. La desgracia sólo puede vivir a la sombra de la dicha y a sus expensas. Pero vivían descuidados y seguros confiando inocentemente, en no sabían qué. La Serrana bajó dos o tres veces al rancho. Pronto se dió cuenta de que su sobrina no se casaría en aquellos valles. Todos estaban enamorados de ella en secreto y escandalizados en público. Y muchos creían de verdad en sus propias y "malas habladas".

Cuando al acostarse la Serrana pensaba en estas cosas tardaba mucho en dormirse.

El día que el Penquero bajó de las cumbres se asombró de ver a su hermana. La miró complacido y dijo lentamente:

—Esta es la mera compañía que Irene necesitaba desde que falleció su madre.

Olvidó el Penquero sus bromas, pero le llevaba a Irene fresas silvestres. La Serrana planteó la conveniencia de ir alguna vez al poblado aunque sólo fuera para asistir a la misa de los domingos. El Penquero negaba. La soledad en la que el Penquero había pasado la vida lo había hecho taciturno y puro. Hablaba a veces con Dios y con el *dandy* —el perro miserable— usando el mismo lenguaje. Y no hablaba con nadie más. Al oir insistir a la hermana en que la niña debería bajar alguna vez al poblado, el Penquero pareció acceder:

—Alguna vez bajará, pero conmigo.

La Serrana pensó: "Eso tal vez hará mala impresión y será peor que si no bajara nunca". Pensaba en la mala voluntad de los *cowboys*.

Al día siguiente el Penquero se fue otra vez a las cumbres en busca de su ganado. Cuando las dos mujeres se quedaron solas la Serrana dijo: "Es un hombre rústico y no sabe nada de la vida".

La Serrana peinaba cada día a su sobrina. El cabello de Irene tenía a su tía obsesionada y confusa. No era rubio, tampoco negro. No podía decirse que fuera castaño. Más parecía cosa vegetal que humana. La Serrana se extasiaba con la belleza de su sobrina. La vestía con ropas suyas de la ciudad y hacía grandes extremos de admiración.

En aquel momento había muchos vaqueros que soñaban con Irene. Unos por haberla visto y otros por haber oído decir cosas torpes de ella. (También, triste es decirlo, porque el romance de Delgadina daba a la niña un aura satánica). Desde el rancho de los Aranda se veía en el horizonte el alto valle donde estaban el padre y la hija. Y algún vaquero decía mirando a las alturas melancólicamente y como para sí mismo:

*". . . delgadina de cintura
Delgadina se llamaba".*

Estas palabras del romance las llevaban en los oídos muchos de los que trabajaban en el rancho.

Pasó el primer año sin bajar al poblado. La Serrana se aburría y hablaba de volver a la ciudad. Creía que despreciaba a su hermano, pero en el fondo no se atrevía a hacer nada contra sus deseos.

Una mañana llegó a la cabaña de las Pedrizas el hijo del amo. Un chico de diecisiete años. "Muy gallardo", pensó la Serrana en cuanto lo vió. Esa palabra —gallardo— le parecía fina y la aplicaba sólo a la gente importante. El joven dijo que iba de caza y que se había extraviado.

La Serrana pensó: mentira. Viene por Irene. El joven ataba el caballo al poste y miraba alrededor:

—¡De veras que es un sitio apacible! ¿Y el señor Serrano?

Le gustaba a ella la manera de mirar del joven y de decir "el señor Serrano" y no el Penquero.

—En las Pedrizas altas con las borregas.

—¿Cuándo bajará?

—¿Quién sabe? Puede venir esta noche. Puede no venir en un mes.

La Serrana se decía: es un guapo mozo. Se llama Pepe. La polaina marcaba una pantorrilla fuerte y por la abertura de la camisa se veía el pecho adolescente casi femenino.

—Pues la verdad, no sé qué hacer. No sé si esperarlo o no.

Se veía que estaba tratando de conseguir una invitación. Irene iba y venía preparando una bebida con agua y miel. Cuando se la dió a Pepe éste dijo:

—Gracias, Delgadina.

La Serrana corrigió:

—Mi sobrina no se llama Delgadina sino Irene.

El mozo golpeó su bota contra un pilar para desprender barro seco, se ruborizó y dijo:

—Ya se sabe, pero ese nombre de Delgadina le iría bien a cualquiera muchacha espigada y esbelta.

Según lo que había oído la Serrana en el rancho, Pepe era un buen chico, tal vez demasiado flojo y sin carácter, pero a su edad y siendo tan rico ¿para qué necesitaba tener carácter?

—La verdad es que me quedaría unos días a esperar al señor Paco pero no me atrevo. Es decir, que me da reparo por ser ustedes dos mujeres solteras.

—¿Nos tiene miedo?

El soltó a reír:

—Es miramiento por ustedes. Un poco de miramiento. ¿Dice que su hermano puede tardar un mes?

—O dos.

Parecía dudar, Pepe. La Serrana dijo por fin:

—Puede quedarse si quiere. Además esta tierra es de su padre. Y la casa. De lo suyo gasta. Pero tenga cuidado —añadió exajerando temerariamente la broma—, porque las Pedrizas tienen mala fama.

Volvió el chico a reír y aquella risa hirió a la Serrana que lo miró severamente. El se puso serio también y en lugar de contestar se rascó la mejilla con el rebenque. Luego le preguntó a Irene:

—¿No se aburre usted aquí?

Irene no conocía la palabra "aburrirse" en español ni en inglés. Su tía se la explicó. Pepe dijo entre asombrado y divertido:

—Vaya, felices tienen que ser para no conocer el aburrimiento ni de nombre.

La Serrana disculpaba a Irene diciendo que no había tenido escuela y él se quedaba pensando: ¿qué podría darle la escuela a una muchacha como ésta a quien la naturaleza se lo ha dado todo? Preguntaba a la niña:

—¿Usted también me invita a quedarme?

—Donde está mi tía, mi palabra no cuenta —dijo ella.

Comenzó a llevar brazadas de hierba seca a un lado de la casa diciendo que cuando subía alguno del rancho tenía que avisar a su padre con una hoguera. Al ver el humo su padre bajaba a la cabaña. La Serrana dijo:

—No enciendas la hierba.

Vacilaba la niña con las cerillas en la mano.

—¡Te digo que no!

Don Pepe se encontraba allí muy a gusto. Decía que odiaba la rutina ordinaria de las aldeas y los ranchos. Prefería la ciudad o la soledad de aquellas alturas.

—¿Quieres que don Pepe se quede? —preguntó la Serrana a su sobrina.

—No sé —dijo ella, prudente.

La Serrana disculpaba a Irene y decía que era un poco selvática y que no estaba acostumbrada a tratar con la gente. Don Pepe, en lugar de contestar, se puso a hacer entusiastas elogios de todo lo que veía: los altos picos con nieves perpétuas, el barranco próximo, los pinares. La Serrana le preguntó si quería ver los alrededores. Se disculpó de antemano diciendo que no le acompañaría porque era vieja para subir y bajar por aquellos parajes. "Pero —añadió— Irene irá a buscar *mushroms* para el postre de esta noche. En el bosque hay muchos. Más vale que traigan dos cestos para toda la semana. Yendo usted con ella puede ayudarla".

Fueron al bosque. El aire era dorado y la Serrana los vió perderse entre los árboles y se dijo: "No hay nada más hermoso que la juventud". Pero se quedaba dudando y añadía: "Cada cual tiene en la vida lo que merece, pero yo no he tenido nada". Volvió a entrar en la choza y puso sábanas en la cama del Penquero por si se quedaba aquella noche el hijo del amo. Entretanto hablaba consigo misma:

—Se vive una vez no más. Y la juventud se va como un sueño. Yo sé lo que hago mandándolos al bosque. Lo que hago es poner la ocasión. Y que Dios ponga lo demás si le parece bien.

No solía hablar de Dios la Serrana sino en casos extremos como aquel.

Pensaba que en el pinar, lugar silencioso e íntimo como una alcoba, los chicos sólo podrían hablar de amor. Pero no era justo suponer que los muchachos tuvieran las mismas impaciencias de una mujer madura como ella. "Yo soy distinta —pensó—. Yo estoy trabajada por la vida y acostumbrada a vivir en ciudades y a ver los relajos que pasan entre hombres y mujeres".

Volvieron los chicos al oscurecer con sus cestos de *mushroms* y de fresas y con mil cosas que contar. En seguida comprendió la Serrana que se querían aunque no se lo hubieran dicho. Irene repetía con las mejillas rojas:

—Hemos visto un animal salvaje con tres crías siguiéndolo detrás. Pepe quería matarlos, pero yo le dije que no porque en aquellos bosques resuena un tiro tan fuerte que mi padre lo oiría y pensaría: ¿qué sucede en la cabaña?

—Por eso no disparé —dijo él.

El aire de la montaña, la sorpresa y tantas y tan precipitadas emociones les hacían desvariar a los dos un poco cuando hablaban. Pepe dijo que si no parecía mal, se quedaría unos días esperando al Penquero. Luego rectificó:

—Digo al señor Serrano.

Y se puso colorado otra vez.

La noche llegó súbitamente, como suele llegar en las montañas.

Pepe oyó desde la cama del Penquero aullar a los lejanos coyotes. Al día siguiente se levantó y se puso a hacer faenas caseras. Partió leña en trozos de todos los tamaños: para el fogón pequeño donde guisaban, para la estufa grande del invierno. Cortando leña sudaba y se quitó la camisa. La Serrana lo miraba desde el porche con cierta complacencia de hembra. Pepe entraba y salía tomando entre aquellas mujeres el lugar del macho protector. A media tarde la Serrana los envió otra vez al bosque. Antes de salir la tía arregló unos mechones del cabello de Delgadina descubriéndole la oreja izquierda y le puso una flor en el pecho. "No tengas prisa para volver. Nada importa más que vuestra felicidad". Y hablando la empujaba hacia Pepe que se había adelantado y la esperaba al pie de un árbol con dos cestitos vacíos en la mano.

Cuando estuvieron en la orilla del bosque Pepe dijo que pensaba en su propia familia como si no la hubiera visto desde hacía años. El no tenía a nadie en el mundo más que a ella.

—Toda la noche —dijo— he estado pensando en ti. Oyendo a los coyotes tenía envidia de ellos porque viven todo el año cerca de las Pedrizas y porque te ven desde sus madrigueras cuando vas al bosque.

Tres horas más tarde cuando volvieron a la cabaña ella tenía el rostro encendido y el chico en cambio estaba pálido y con los labios secos. La Serrana los miraba tratando de adivinar. Decía Delgadina que había visto una mariposa con dos cabezas. Pepe también había hecho descubrimientos y al hablar de un pájaro grande que se reía en el bosque la muchacha decía el nombre del pájaro y sus costumbres que conocía muy bien.

Los dos le hablaban a la Serrana agradecidos por su complicidad aunque sin referirse a ella. Y pasaban los días. Una tarde la Serrana llevó aparte a Pepe y le dijo como si le faltara el aliento:

—Tú eres tú. ¿Verdad? Un hombre. Y ella te gusta. Pues bien, tú habrás oído decir cosas abajo en el valle. Pero tú no eres como los *cowboys* ni la otra gente que vive en el estiércol. Tú eres un hombre recién llegado al mundo y con la leche de la madre todavía en los labios. No necesitas pensar mal de nadie porque la vida no te ha puesto todavía mugre en el corazón.

Iba a decir algo más, pero no podía porque lloraba. Pepe comprendió y estaba conmovido de veras, también.

El cuarto de Irene había sido adornado por la Serrana como para unas bodas. Puso cortinas en las ventanas, pantalla en el viejo candil de aceite, dos estampas con marco que había traído de la ciudad y un estuche para pulir las uñas que le parecía a la Serrana la última palabra de la distinción.

El joven seguía durmiendo en el cuarto del viejo pastor. Pero durante el día no se separaban los muchachos un momento. Antes de salir les decía la Serrana:

—Sois hermosos, jóvenes y amantes. Y más que amantes: sois desposados. Más que desposados. Mucho más que desposados, sois.

A veces Pepe sentía inquietud delante de aquella mujer de apariencia razonable que quería decir algo misterioso y nunca lo decía del todo. Buscaba a Delgadina con la sangre encendida y se iban no al bosque sino más lejos, en el caballo. Un día sentados junto a un profundo barranco y mirando al fondo Pepe dijo:

—Delgadina, estoy pensando que me gustaría ir contigo a un lugar a donde no pudieran llegar las voces ni las miradas de nadie.

—Ya estamos. Aquí no puede llegar nadie.

Cada uno tenía una sed del otro que no se saciaba ni disminuía y que parecía aumentar cada día. Allí al lado del abismo, ella miraba el cielo y él la miraba a ella. Vieron pasar animales grandes y pequeños. Por el aire gavilanes y por la tierra un ciervo lejano al otro lado del barranco. En el fondo había un arroyo en el que nadaba un castor gris.

Se quedaron callados y Delgadina tuvo miedo a veces de aquel silencio sin fondo.

Cuando volvían a casa la Serrana llevaba aparte a Delgadina y le hacía repetir todo lo que habían hablado. Por el interés que ponía la Serrana se diría enamorada también de Pepe. Estaba en realidad enamorada de los amores de los dos.

Los jóvenes vivían el uno para el otro. Devoraban lo que les daba la Serrana y se marchaban otra vez con el caballo. Tenía Pepe amaestrado al animal. Le preguntaba si era hermosa Delgadina y el caballo movía la cabeza de arriba para abajo. Ellos reían. A veces también parecía reír el caballo. Esas bromas de los enamorados campesinos de todos los tiempos parecían siempre nuevas.

Fue produciéndose un cambio curioso. Pepe se había puesto muy jovial, pero Irene se ponía triste fácilmente y un día dijo: "He pensado que mi tía es buena, pero un poco bruja. Una bruja buena, yo diría".

Una tarde junto al arenalito que tenía huellas frescas de pies de ciervo —había pasado por allí una madre adulta seguida de una corcita— se quedaron dormidos. Al despertar Delgadina vió con sorpresa que a su cabecera había un cacto vertical con dos brazos horizontales igual que una cruz de cementerio. No era raro encontrar cactos como aquel. Y Pepe seguía dormido. La cruz hacía una sombra fúnebre detrás. El cacto era casi negro y el hecho de que aquella cruz negra fuera producto de la casualidad, parecía anunciar un peligro. Dijo Irene que cuando muriera quería que la enterraran allí. El la abrazaba y decía que si sus padres se oponían a la boda estaba dispuesto a hacer una barbaridad.

Tardaba mucho el Penquero en bajar de las cumbres y entretanto los amantes no daban dos pasos el uno sin el otro. La Serrana les hacía la comida y lloraba o reía a solas, tierna y feliz.

Un día calculando la Serrana que su hermano estaba para bajar, encendió el montón de hierba seca. Dos horas después llegó el *dandy* y al verlo la Serrana dijo a Pepe que era más prudente marcharse sin esperar al pastor. Ella le hablaría y entretanto él podría preparar las cosas para volver unos días más tarde. El muchacho montó a caballo y salió al trote.

Delgadina fue a su cuarto y poco después llegaba su padre. La Serrana decía al pastor que había estado el hijo del amo y no pudiendo esperarle más se había ido otra vez al rancho. El pastor miraba a su alrededor, receloso:

—¿Cuándo dices que vino?

—Esta mañana, con la fresca. Poco después yo encendí la hoguera para darte aviso.

—¿Traía un caballo, no es eso? —ella afirmó—. ¿Y no ha venido nadie más desde que yo me fuí?

—No.

El penquero se acercó a su hermana, la tomó por el brazo y le dijo:

— El hijo del patrón ha estado aquí más de dos semanas. ¿Por qué mientes? ¿Qué es lo que quieres disimular?

Ella no decía nada. Comprendía que podía saber indicios que la desmintieran, el estiércol del caballo, por ejemplo. Irene fue al lado de su padre, le besó la mano y temblando de emoción le dijo que Pepe quería casarse con ella.

—Bien —comentó el pastor, taciturno—. Está bien. No necesito saber más. Yo sé por qué disimulas, hermana.

Mientras se afeitaba el pastor se cortó dos veces y se le oyó jurar entre dientes restañando la sangre. Al día siguiente antes de volver a las cumbres con su ganado el Penquero dijo a su hermana:

—La palabra del joven Aranda no vale más que esto —el pastor escupió de medio lado—, pero de lo que hacen los jóvenes antes de ser hombres tienen que responder los padres. De modo que ya veremos.

Volvió a sus altas cabañas. Antes de marcharse habló también de ir a la ciudad y de llevar consigo a Irene. Quería ver al primo Efraín y tenía planes en relación con la muchacha. No quiso decir qué planes eran.

Dos semanas después volvió a bajar y dijo que tenía que ir al rancho y que iría con su hija. La Serrana acicaló a Irene y cuando ésta y su padre salieron, la niña en la grupa del caballo, parecía una princesita.

En el rancho el Penquero esperó en vano como otras veces que Juan Badinas lo invitara a jugar a las cartas. El jefe del ahijadero no lo invitó. Consideraba demasiado bajo al Penquero para alternar con los mayorales.

Y al día siguiente fue el Penquero con su hija a la ciudad. La niña y Pepe se habían puesto secretamente de acuerdo. Se encontrarían en la plazuela de *old town* a una hora determinada. El tío Efraín, a quien iban a ver, vivía cerca de aquella plazuela.

El pastor y Delgadina fueron en el autobús y Pepe en el coche de su padre.

Había sido Delgadina vestida y adornada por su tía. Tenía un sombrero con una cinta colgando por detrás y guantes de color azul. Los primeros guantes de su vida.

El Penquero había hecho planes en relación con su hija contando con la ayuda del primo Efraín. Para el pastor, su primo era un hombre de mundo capaz de vivir en la ciudad sin necesidad de trabajar en los sucios ranchos de la tierra alta. Años atrás Efraín había colocado a una pariente en casa de Miss Burke, una vieja rica del East.

Todo lo que se refería a la ciudad era para el Penquero una nebulosa confusa y brillante.

Efraín los vió llegar asombrado. Habían llegado sin avisar. Lugar había para todos, eso sí. Delgadina al ver al primo de su padre pensó de pronto que aquel hombre era más pobre que ellos.

En cuanto dejaron sus bagajes la niña quiso ir a la placita del ayuntamiento que había visto desde el autobús. Había en ella un jardín y en el jardín un cañón antiguo. El Penquero quería hablar a solas con Efraín que parecía distraído. Y la niña salió al portal. Luego se alejó un poco, curioseando.

Entre la casa de Efraín y la plaza del ayuntamiento había una calle ancha y en cuesta. Las casas estaban juntas y apoyadas las unas en las otras. En esa calle vivían muchas personas. Todas hacían algo útil en la comunidad —pensaba Delgadina con admiración— pero la calle estaba siempre desierta. Delgadina no podía imaginar cómo vivían las gentes de la ciudad y subía por la calle despacio, mirando a los dos lados. Esperaba ver a Pepe en la placita donde se habían citado. La calle no tenía nombre y la llamaban de un modo vago: calle del Río. Para Delgadina aquella calle era el camino señorial de la plaza del ayuntamiento. No había nada más civilizado ni más digno de admiración en el mundo que la calle del río.

Alrededor de la casa de Efraín había otras muchas donde vivía gente de todas clases. Había también una especie de bar o cabaret de ínfima categoría regido por una mujer sonrosada vestida siempre de amarillo. Esa mujer era muy amiga de Efraín y había estado en el hospital hacía poco.

La iglesia del barrio era pobre también y tenía un letrero doblado sobre una esquina. En un lado decía *Tavern* y en otro *acle*. Algunos se equivocaban y entraban buscando un vaso de vino.

Aquellas casas eran feas, pero Delgadina las encontraba hermosas. En cuanto al tío Efraín no trabajaba. Su mujer no se había muerto como creía Delgadina sino que se había marchado con otro y desde entonces el marido fumaba marihuana, bebía y se ocupaba en extrañas tareas. Aunque todos los parroquianos del bar hablaban español, el bar tenía un nombre inglés escrito con una falta de ortografía: *Riberside*. Era la *b* que le correspondía a *Tavernacle*, es decir a la pequeña iglesia.

Decían Efraín que era natural que su mujer se le hubiera escapado porque tenía patas de perra corretona. Cuando le preguntaba el Penquero en qué trabajaba él decía:

—Estoy a lo que sale.

Algunas personas ricas de la ciudad habían tratado de redimirlo, sobre todo Miss Burke, la señorita rica que vivía en la plaza y gustaba de hacer caridades.

La segunda vez que Delgadina fue a la plazuela encontró a Pepe. Lo quiso abrazar y él dijo:

—No, aquí no Delgadina. Aquí hay que tener cuidado porque la gente mira.

Toda la ambición de Delgadina era pasear con él del brazo por la calle principal mirando las vitrinas de los comercios y saboreando la distinción que suponía pisar aquellas aceras tan bien alineadas.

En el bar de la mujer rubia el Penquero había preguntado al primo Efraín si Delgadina podía quedarse o no a trabajar en casa de Miss Burke. Efraín tomó un aire intrigante para decir: "Veremos". Y pidió otro vaso de vino. Era lo que decía siempre que le preguntaba algo el Penquero: veremos. Y no hacía nada. Quería llevar a la muchacha al bar y presentarla a la mujer rubia que parecía interesada en ella. El pastor se daba cuenta de que aquel no era lugar para su hija y no quería llevarla.

Delgadina, cuando no estaba con Pepe, andaba por los alrededores de la casa y se acercaba a la calle del Río (su gran aventura). Vió un día en lo alto de la calle dos caballos con guardias montados. Una vez a la semana los enviaba el jefe de policía a dar una vuelta por el camino del Río para "hacer acto de presencia".

En el silencio los cascos de los caballos sonaban de un modo un poco impresionante.

Miraba Delgadina la calle desierta imaginando que aquellos dos policías debían ser peligrosos. Los caballos seguían bajando con mucho codeo y arrogancia. Delgadina miraba desde la esquina sin comprender. Veía la calle desierta y antes de que los guardias llegaran a donde estaba ella, corrió a su casa, entró, cerró por dentro y se puso a mirar por una ventana.

Efraín y el Penquero estaban como siempre en el bar con la mujer rubia. Cuando los caballlos hubieron pasado, Delgadina pensó en ir al bar, pero su padre se lo había prohibido. Vió que los guardias montados se habían detenido en un cruce de calles sin saber qué hacer. Por fin volvieron y fueron subiendo otra vez por la calle del Río.

Sin conseguir descifrar tantos enigmas Delgadina vió llegar a Pepe. Fueron a la avenida principal y pasearon del brazo entre los comercios de lujo. Luego Pepe la hizo entrar en la galería de un fotógrafo donde la retrataron porque quería tener una buena fotografía de ella. Para justificar sus escapadas Irene decía a su padre que iba a la iglesia católica del barrio.

Aquella misma tarde el Penquero y su primo fueron con la mujer rubia a un rancho a ver si había pastos abundantes para criar vacas. Llevaron al Penquero como experto. Delgadina y Pepe lo aprovecharon para ir al cine. Ella no había estado nunca y todo era novedad y asombro. El se burlaba cariñosamente y la besaba en la oscuridad.

Cuando volvió a casa Delgadina vió que su padre y Efraín habían peleado. Efraín tenía ojos de loco y repetía una vez y otra:

—Yo no te dije que vinieras. Y además no soy una agencia de colocaciones.

Luego le proponía otra vez que dejara a Delgadina en la ciudad y le aseguraba que la mujer rubia del bar se ocuparía de ella. Estaba el Penquero muy decepcionado. Al día siguiente volvió con su hija al rancho. Al lado del autobús que llevaba a Delgadina y a su padre iba el coche de Pepe. Los dos amantes se miraban y se hacían guiños a espaldas del padre.

Era también domingo cuando llegaron al rancho y el Penquero se acercó a Juan Badinas esperando que lo invitaría a jugar a las cartas con los mayorales. Para el Penquero aquello representaba la consagración de su vida de pastor. Pero Juan le dijo brutalmente:

—Si tú crees que el haberme prestado cinco dólares te da derecho a alternar con los mayorales te digo que esa es una puerca ilusión.

Porque el Penquero le había prestado aquel dinero el año anterior. El pastor se calló y marchó con su hija a las Pedrizas mientras los otros rancheros se cambiaban medias palabras irónicas. Veinticuatro horas después Delgadina estaba otra vez con su tía en la choza del valle alto. Contaba mil cosas, todas extraordinarias. De Efraín decía que estaba siempre de mal humor y la Serrana le explicaba que acabaría mal porque la marihuana cruzaba y enredaba en la cabeza del hombre los nervios maestros.

Cuando Delgadina le dijo a su tía las promesas de matrimonio de Pepe ella se quedó pensativa. Días después llegó un peón con una carta de Pepe que decía: "He hablado de ti con mi padre y él se ha enfadado y me envía a Denver. Voy a estudiar medicina y a trabajar para ser independiente. Ven a Denver con tu tía y al llegar allí nos casaremos quiera o no mi familia. Con lo que me envíe mi padre podemos vivir tú y yo y también tu tía. Háblale a tu padre. Convéncelo. Si él no quiere, no importa. Ven tú. Será fácil escaparse un día, digo yo, cuando esté en las Pedrizas altas con el ganado y más con la ayuda de tu tía. Yo no podré vivir en Denver ni en ninguna parte sin ti".

Con aquella carta en la mano la Serrana feliz y animosa, decidió hablar con su hermano seriamente. El Penquero cuando bajó de las cumbres se hizo leer la carta dos veces y dijo:

—Ninguno de los dos está en sazón para el matrimonio.

Añadió que el padre de Pepe se negaría con toda seguridad y entonces la situación sería difícil para el Penquero. No se podría hacer nada porque don Pepe era menor de edad y si habían caído sobre ellos aquellas dificultades era porque la Serrana amparó los amores de los dos jóvenes a escondidas. Dijo el Penquero a su hermana que era una mujer sin decoro y que en mala hora había ido a las Pedrizas.

—Es demasiado tarde para lamentaciones, hermano —dijo ella.

La miraba el Penquero sin entender:

—¿Demasiado tarde?

Ella afirmaba con la cabeza y el pastor comprendió. Se quedó un momento en silencio con los ojos sombríos, luego pareció reaccionar y sobreponerse. Dijo:

—Bien. El padre del joven Aranda, si es hombre, se conducirá como es debido.

Enjalmó la mula y salió para el rancho. Cuando llegó se dió cuenta de que había echado en el camino dos horas más de lo acostumbrado. Supo también que el joven don Pepe Aranda había salido ya para Denver. Esto le contrarió, pero decidió que tal vez era mejor.

Dijo a los criados que iba a hablar con el amo sobre la pasta de semilla de algodón que había que comprar para alimentar el ganado en invierno, pero poco después de estar con él se oyeron grandes voces. El viejo Aranda decía:

—Tú, Penquero eres un hombre honrado, pero tu hermana es una bruja y no me atrapará a mí con sus trucos. Si la muchacha va a ser madre mi hijo es menor de edad y no es responsable ante la ley.

Contestaba el pastor. Su voz era suave y no trascendía del cuarto: "No es por mi hermana ni por mí, señor Aranda. Es por mi hija que vale más que todos nosotros juntos". Y volvía a explicárselo todo como si el patrón no hubiera comprendido. La entrevista fue larga y difícil. La voz del Penquero no se oía, pero la de Aranda era estridente y hacía temblar los cristales de las ventanas. Se le oyó hablar de una operación —un aborto— que él no tendría inconveniente en pagar. Entonces el Penquero lo insultó. Respondió el viejo Arandia con insultos peores. Hubo un gran alboroto. Se oyó arrastrar un sillón y los pasos de Aranda que corría hacia la puerta. Al mismo tiempo sonaron varios disparos. Seis disparos. El cuerpo del viejo Aranda quedó acribillado y hasta que llegó la policía los criados de la casa tuvieron al pastor acorralado contra un rincón. El Penquero decía de vez en cuando:

—No se tomen tanto trabajo, que no pienso defenderme ni escapar.

La policía detuvo al pastor quien no dijo sí ni no a las preguntas del juez.

Mucho le perjudicaron algunos detalles del crimen. Por ejemplo, el viejo Aranda murió con el segundo disparo y el Penquero cuando estaba ya caído en tierra le hizo cuatro más. Eso fue lo que le perdió, según el abogado defensor.

Como era natural al saber la noticia de la muerte de su padre Pepe volvió al hogar. Quiso subir a las Pedrizas, pero su madre estaba muy enferma y tuvo que quedarse a su lado. Si salía Pepe del rancho lo espiaban los criados para decir a la madre cuándo salía y entraba y los lugares adonde iba. Hablaban demasiado y sin respeto alguno de la pobre Delgadina y del hijo que iba a nacer. Había quien se atrevía a recordar el romance del rey moro en relación con la paternidad del niño, lo que escandalizaba una vez más a todo el mundo. Pepe tuvo algunos incidentes con ese motivo y peleó con un *cowboy* a quien echó del rancho.

Fue esa la única prueba de energía que dió Pepe en aquellos días y tal vez en toda su vida. Y entonces la gente decía asombrada que el joven Aranda se atrevía a defender a la hija del asesino de su padre.

Al Penquero lo condenaron a muerte, pero le conmutaron la pena por treinta años de prisión.

Delgadina no hacía más que llorar. Dió a luz sin otra asistencia que la de su tía. No había vuelto a saber nada de Pepe. En los días anteriores al parto iba al arenalito que tenía un cacto en forma de cruz y se estaba contemplando las huellas del cuerpo de Pepe y del suyo en la arena.

En los ocho días siguientes al parto Delgadina estuvo repitiendo constantemente que no quería vivir. Y se salió con la suya. La muerte de Delgadina fue como la última evidencia para los rancheros. Dios castigaba a la hija después de haber apartado al padre de la sociedad de los hombres. El padre era viejo y tampoco saldría de la cárcel —pensaban— sino con los pies por delante.

Don Pepe había vuelto a Denver después de la muerte de Delgadina y no se sabía nada de él. A veces llegaban al rancho rumores extraños. Unos decían que se dedicaba a beber y a embrutecerse y otros al revés, que era un joven brillante y que todo el mundo lo estimaba. Algunos se atrevían a insinuar que no estaba bien de la cabeza.

Nadie pidió un entierro cristiano para Delgadina y los rancheros mismos hicieron, por indicación de la Serrana, una fosa al pie del cacto que tenía forma de cruz y la depositaron allí. La Serrana decía: si los hombres no quieren ponerle una cruz en la sepultura, Dios se la ha puesto. El cacto era la cruz que le ponía Dios.

Las gentes dieron en decir que le había quedado a Delgadina una mano fuera a ras de arena y que aquella mano estaba siempre fresca y viva y hacía señales de adiós a los que pasaban. En ella tenía aún —decían— la sortija que le había comprado Pepe. La Serrana bajó al rancho con el niño. La madre de Pepe que seguía enferma quiso verlo y cuando lo vió dijo: "Otra víctima inocente. Dios nos asista". Días después le bautizaron con el nombre de Paco Aranda. Escribía la madre enferma a Denver llamando a su hijo y Pepe contestaba que la única persona que le importaba en el rancho no vivía ya.

La viuda había visto en seguida que el niño tenía rasgos de familia de los Aranda y que era su nieto. Estaba cansada de sus propios rencores y viéndose ella misma enferma se inclinaba a la comprensión. Pidió a la Serrana que se quedara en el rancho para cuidar al niño y declaró que éste no era hijo del diablo como solían decir sino de dos enamorados inocentes.

Estas pruebas de buen sentido de la viuda parecían a la gente muestras de decadencia senil. Los Aranda iban para abajo. Había quienes decían que los últimos Aranda acabarían en plena degeneración, lo que no era raro porque "en aquella comarca la gente *innataba* demasiado". Es decir, que se hacían demasiados matrimonios consanguíneos.

El hecho de que Pepe el heredero estudiara para médico en Denver y no volviera al rancho parecía una prueba de su falta de energía y nervio para llevar la hacienda.

Iba la Serrana imponiendo poco a poco su voluntad en la casa. Se sentía fuerte y discutiendo con las criadas dijo un día que al patrón de la hacienda lo tenía ella en los brazos. El niño había sido reconocido legalmente y la autoridad de la Serrana fue creciendo de tal modo que cuando la señora se puso vieja y senil y el administrador escribió a Denver, contestó Pepe diciendo que escucharan y obedecieran a la Serrana como a la misma dueña. La gente no acababa de creerlo.

El viejo Penquero seguía en la cárcel. Nadie sabía de él. A veces la Serrana iba a verlo en secreto, pero jamás pronunciaba su nombre en el rancho. Nadie se atrevía tampoco a preguntar por él. Las criadas viejas cuchicheaban por los rincones. Pepe terminó la carrera en Denver y se estableció allí como médico. No quería volver al rancho.

Murió en el rancho la vieja viuda de Aranda. Desde mucho antes la Serrana firmaba los cheques de los empleados, lo que acabó por consagrar su autoridad en medio del asombro de todos, especialmente de los viejos. Después de la muerte de la anciana viuda el administrador recibió orden de Pepe de vender cincuenta acres de tierra de regadío y la Serrana escribió al médico diciéndole: "Son bienes del hijo de Delgadina y tuyo. Con las rentas puedes hacer lo que quieras, pero no tocarás el patrimonio de tu hijo". Pepe no le contestó y la venta no se hizo.

La Serrana pensaba: "Delgadina tuvo lo que yo no tendré nunca. Ella supo lo que era ser querida por un hombre joven y hermoso. Murió, pero había tenido antes su gloria de mujer".

Varias veces había escrito la Serrana a don Pepe diciendo que era una vergüenza que la sepultura de Delgadina estuviera en el monte y que el niño Paco cuando fuera mayor tendría que resentirse de eso. Don Pepe respondía alarmado con largos telegramas diciendo que nadie tocara la sepultura hasta que él volviera.

Un día volvió. La gente seguía hablando:

"Enterraron a la amante
en un lejano arenal
dejaron la mano fuera
para que hiciera señal..."

La visita de don Pepe fue sensacional. Pasó en las Pedrizas tres días completamente solo. Al cuarto día según había dispuesto, subió una caravana de gentes diversas, entre ellos dos albañiles y un sacerdote con cubeta, hisopo, roquete, estola y cirios. El acto de bendecir la sepultura de Delgadina fue memorable porque asistieron todos los del rancho, incluso Juan Badinas que despreciaba al Penquero y a su gente.

Después de la bendición los albañiles cercaron aquel recinto en una extensión de un cuarto de acre dejando en el centro el cacto en forma de cruz y la sepultura. Cuando el trabajo estuvo terminado dijo don Pepe al cura:

—Ustedes son testigos de que el día de mi muerte deseo ser enterrado aquí con Delgadina.

Don Pepe volvió a Denver sin pasar por el rancho, que odiaba.

Luego no se supo nada de él en muchos años. La Serrana tenía noticias, pero no las comunicaba a nadie. Los ganados de las Pedrizas fueron llevados a otro valle y en la choza de troncos de árbol donde moraba Delgadina no vivía nadie. Algunos decían que los ciervos celebraban en aquella choza sus reuniones. La Serrana preguntaba, extrañada: "¿Qué reuniones?"

El hijo de Delgadina crecía. La Serrana le hablaba todos los días de su madre y le hacía rezar delante del retrato que tenía en su alcoba. Era el retrato que Pepe hizo a Delgadina cuando estuvieron en la capital. De aquella foto sacó un artista de la ciudad un cuadro al óleo que pasó al testero del comedor, es decir al lugar más importante de la casa.

Se fue criando el hijo de Delgadina a la manera campesina, es decir, sucio y fuerte. La Serrana le daba todos los caprichos. Le hablaba con admiración de su abuelo que estaba en la cárcel. Para la Serrana estar en la cárcel no era necesariamente una vergüenza. Cuando iba a ver a su hermano se ponía sus mejores trapos y no decía a nadie dónde había estado aunque todos lo suponían.

Una de las primeras experiencias de la vida del pequeño Paco fue el viaje a la capital a ver a su abuelo. No olvidaba nunca la expresión adusta y severa del viejo. Como es de suponer cuando iban a verlo no podían evitar los tres el dedicar los mejores recuerdos a la pobre Delgadina.

Paquito tenía un revólver de juguete y decía que con él iba a matar a los Aranda que quedaban. El abuelo sonreía tristemente y advertía a su hermana que no le permitiera al chico decir aquellas cosas delante de la gente.

Don Pepe no iba nunca por el rancho. Era hombre de ciudad y aunque médico bastante estimado, se hablaba, sin embargo, de sus desvaríos más que de su éxito profesional.

Algo que nunca comprendía el viejo Penquero era que Juan Badinas hubiera declarado contra él en el juicio tratando de agravar su responsabilidad. Diez años después del suceso, el Penquero todavía se lamentaba y preguntaba si seguía Badinas en el rancho. Ella le decía que sí, pero que podía despedirlo si quería. El negaba:

—Debe estar ya viejo para buscar trabajo en otra parte.

A pesar de la generosa disposición del Penquero el resentimiento de Badinas parecía hacerse más agrio y venenoso con los años. Era algo que el Penquero no entendía "El único daño que le hice fue prestarle un día aquellos cinco dólares".

Crecía el niño violento y temible. Las chicas del rancho le hacían la cruz como al diablo.

Los sábados se reunían todos los empleados menos Juan Badinas en el viejo comedor y rezaban el rosario bajo el retrato al óleo de Delgadina que presidía el testero con una expresión de veras angelical. La Serrana se sentaba en un sillón exactamente debajo del retrato. Y entornaba los ojos feliz. La vejez y la sensación de victoria la hacían razonable.

En los últimos tiempos le salieron pretendientes a la Serrana. Ella decía: "Todos me ofrecen su nombre pobre, pero honrado para pasar a ser en veinticuatro horas ricos y sinvergüenzas".

Como no tenía vanidad de mujer ella misma decía a las criadas que sólo se le arrimaban los hombres desde que supieron que firmaba los cheques del rancho.

Uno de los que se le acercaron fue Juan Badinas. La Serrana no le ponía mala cara. Malas lenguas dieron en decir que se veían por la noche a escondidas. Sea lo que fuere la Serrana no permitía a Juan la menor intervención en el orden del rancho y el encargado del ahijadero siguió con su empleo como siempre.

Paquito tuvo que ir a la escuela y fue, aunque no más de lo indispensable para cumplir con la ley. Así como sus compañeros iban en coche o en camión o en el autobús Paquito iba a caballo. La escuela no estaba lejos. El caballo de Paquito se llamaba *dappled* —en inglés—, que quiere decir "manchado". Entre jinete y caballo había buena relación y entendimiento.

Como es de suponer el *dappled* era la sensación entre los chicos y sobre todo las chicas. La abundancia de automóviles había hecho casi desaparecer los caballos y *dappled* y su jinete eran un espectáculo. Una niña le dijo un día:

—¿Es verdad que tu madre está enterrada en un *dump*?

El chico le rasgó la falda y se llevó un gran pedazo de modo que la chica quedó con los muslos y algo más al aire.

A pesar de todo de vez en cuando se oía el romance de Delgadina en el rancho y algunos *cowboys* inspirados le habían añadido estrofas que cantaban con la guitarra aludiendo a Delgadina con nombres y apellidos:

"... *Se murió en un martes trece*
Irene la del Penquero
y en la val de las Pedrizas
le hicieron el cementerio".

Eso de estar enterrada allí pasó a ser la parte fuerte del escándalo a pesar de haber sido el arenalito bendecido y cercado.

En su cumpleaños Paquito invitaba a los amigos de la escuela a una fiesta con pastel y velas y carreras de caballos en las que intervenían los empleados del rancho y cuyos premios entregaba después la Serrana solemnemente. A los chicos que andaban en los catorce años les gustaba aquella fiesta porque solían fumar y beber vino.

Una vez quiso Juan Badinas sentarse al lado de la Serrana para distribuir los premios. Ella no sabía qué hacer y no se atrevía a echarlo del estrado delante de la gente, pero Paquito se dió cuenta y dijo a Badinas:

—Cada cual tiene su lugar en el rancho y ese no es el suyo.

—¿Por qué?

—Por varias razones, la primera porque lo digo yo.

Algo vería Badinas en los ojos del muchacho para salir de allí sin replicar.

Terminados los estudios del High School no quiso ir Paquito a ninguna universidad. Poco después cumplió su abuelo la condena —había tenido varias reducciones de pena— y salió de la cárcel.

—Todas las desgracias se acaban alguna vez —decía la Serrana conduciendo el coche en que llevaba a su hermano al rancho.

—Todas no, porque hay algunas que no se remedian nunca —contestaba el Penquero pensando en su hija.

La Serrana invitó a los viejos conocidos de su hermano a ir a visitarlo. Y acudieron muchos. Hubo vino, pero no alegría. Algunos seguían viendo en el Penquero únicamente el pastor rústico que en un arrebato mató al viejo patrón. Juan Badinas no fue y eso le amargó la fiesta al Penquero.

Fue otra vez el viejo pastor a la ciudad a ver a Efraín, pero tampoco encontró allí nada que le interesara y al volver al rancho trató de establecer alguna clase de relación con Juan Badinas. Este se negaba a reconocerlo como su igual y mucho menos como superior.

Envejecía rápidamente, el pastor. Todo un invierno estuvo sentado al sol en una galería abierta al mediodía. Nadie iba a verlo. Paco se hacía presente en todas partes. Badinas y sus amigos jugaban a las cartas los domingos y nunca invitaban al Penquero.

A fines del invierno el viejo se puso mal. Gozó, sin embargo, de una mejoría de algunos días durante los cuales la Serrana avisó a Badinas y a sus amigos que fueran por las tardes a jugar con él a las cartas. El Penquero jugaba por fin con los mayorales. Cuando éstos se marchaban preguntaba a la Serrana si Badinas había ido a jugar con él por su propia voluntad o por mandato de ella. La Serrana le mentía piadosamente.

Se murió el Penquero sin que Badinas le devolviera los cinco dólares. La noche del velorio la Serrana pensaba todavía en aquellos dólares oyendo a Badinas cantar su "alabado".

Fuera del cuarto de la Serrana la noche iba de vencida y se acercaba el amanecer. Todavía se oían los rezos en la cámara

mortuoria y las risas en la cocina, fuera de la casa y en torno a las hogueras.
Fatigado Paco se retiró a su cuarto. Entró sin encender la luz, pero por las ventanas penetraba el reflejo de los faros de algunos coches cuando llegaban o partían.
Sobre la mesilla de noche tenía la foto de su madre joven y bonita. Aunque en las sombras no se veía, el reflejo de los automóviles producía a veces un relámpago que hacía brillar el cristal y las molduras metálicas. Desde allí se oía al rezador que repetía:
—Santo Dios, Santo Fuerte, Santo Inmortal, líbranos señor de todo mal.
Paco vió cerca de la puerta en el suelo un objeto alargado de contornos duros y simétricos: el ataud. Se asustó. ¿Por qué habían llevado el ataud a su cuarto? Luego pensó que en algún lugar tenía que estar y que no habían querido dejarlo en los pasillos a la vista de la gente. No le impresionaba el cadáver de su abuelo, pero sí el ataud y salió del cuarto, de espaldas. Fue al comedor que estaba en sombras también y no quiso encender la luz. En la puerta encontró a su tía, quien le dijo:
—Este velorio no es sólo un velorio para mi hermano sino también la boda de tu padre y de tu madre, el bautizo tuyo, el entierro de tu madre y todas las honras que en vida le negaron.
Cogió las manos de su sobrino:
—Se me ha ocurrido una idea. Traeremos aquí al pie del retrato de tu madre las flores del entierro.
Comenzaba a amanecer un día gris y nublado. Algunos *cowboys* de los que estaban cerca de las hogueras dormitando despertaban. Otros se habían metido dentro del portal y roncaban todavía.
Fue Paco una vez más a la cámara funeral. La gente seguía en sus puestos, las mujeres y algunos hombres con el rosario entre los dedos respondiendo mecánicamente al rezador que no era el mismo sino otro más pequeño, de cara arrugada. A aquel viejo lo llamaban el Lechuzo. Como el velorio era de casa rica todos los rezadores querían tener su parte.
El Lechuzo cantaba más que rezaba y hablando de las campanas del juicio final simulaba su sonido con la boca y llamaba al muerto, sin ceremonia alguna, el Penquero. Lo hacía tan inocentemente que a Paco no se le ocurrió tomarlo a mal.
El amanecer se hacía más claro. Por las ventanas que daban al norte el cielo era color violeta. Paco iba y venía. Los pies lo llevaban a veces hacia su cuarto, pero cuando llegaba a la puerta se acordaba del ataud y volvía sobre sus pasos. Le dis-

gustaba verlo. El rezador llegaba en su letanía al lugar donde decía: *Stella matutina*... Y era verdad que por la ventana del lado norte había una estrellita y la estaba mirando. Sin darse cuenta el rezador lo repitió dos veces y la gente respondió dos veces: *"ora pro nobis"*. Con las primeras luces del día todo parecía hacerse más ligero. Paco fue al cuarto de al lado que seguía lleno de mujeres enlutadas. En el suelo estaba todavía la guitarra rota y aplastada que Paco recogió y llevó a la chimenea un poco arrepentido de lo que había hecho. Ardió la guitarra con grandes llamaradas. Vió que por los pasillos la Serrana conducía a la gente que llegaba con ramos de flores y coronas no a la cámara mortuoria, sino al comedor y hacía que los Aranda las pusieran al pie del gran retrato de Delgadina. Paco sonrió pensando: "Mi tía que no quiere olvidar y hace bien. Yo tampoco olvidaré nunca".

Paco creía que comenzaba a sentirse distinto con la luz del día. Durante la noche había estado pensando que el Penquero tendría su premio en la otra vida entre ángeles y luminarias. Ahora a la luz de la mañana pensaba que no había vida eterna y que en la sepultura acababa todo. Sobre el Penquero se apelmazaría la tierra y crecería la hierba. Y pensando en la Serrana, que no quería olvidar, se le ponía un nudo en la garganta. Tenía ganas de que llegara la hora del entierro para que sacaran el ataud de su cuarto.

X

LA MONTAÑA

Axacayatl había bebido ya dos vasos de pulque y bailaba en el centro de la sala acompañándose con la vieja canción de guerra:

*Los escuadrones van llegando
y mi padre los espera
con la vena de la garganta
hinchada de ira.
Axayacatl, se llamaba Axayacatl,
se llamaba como yo, mi padre.
También tenía como yo
un lagarto en la pierna.*

Daba Axayacatl en el suelo con el pie izquierdo para llamar la atención sobre una mancha parda que tenía "encima del huesito". Decían que era la cabeza de un lagarto vivo que llevaba dentro de la pierna.

Nanyotl estaba triste. Había muerto dos años antes su marido, pero su padre vivía en la montaña entre la niebla de las cumbres cuidando los ganados de guajalotes y jabalíes domésticos y curtiendo pieles de venado. Axayacatl seguía bailando. Chimalpopoca, que estaba sentado en la tierra se burlaba:

—Me das asco. Pareces una niña.

Y añadía mirando a otro lado:

—Un día voy a cazar tu lagarto de un flechazo.

Estaban siempre riñendo. El tercer hijo, Ahuitzotl, callaba y fumaba con el vaso de pulque en la mano. Se levantó a bailar sin dejar el vaso ni la pipa de caña, con el ruido del atambor de piel de serpiente que sonaba lejos en honor del padre muerto y pensando en el abuelo que vivía en el monte.

Chimalpopoca reía viéndolo bailar. Se levantó también y cantó alegremente:

*El lagarto de Axayacatl
yo lo asaré en las brasas,
la paloma de Ahuitzotl
la estrangularé con una sola mano*

*y después iré a recostarme en el poste
con los bubosos y los sarnosos
y el poste me preguntará:
¿estás limpio y vienes a mí?*

Chimalpopoca sonreía y miraba al muro allí donde se entrecruzaban seis puñales de pedernal. Nanyotl la madre viendo a Chimalpopoca amenazar a su hermano se dijo: "Es vicioso y violento como era mi marido". Observando después la reacción de Ahuitzotl se dijo: "Es astuto y sagaz como mi marido muerto".

Aquella mañana habían estado los tres jóvenes en el teocalli y allí los sacerdotes les colgaron del cuello muñecos de pasta de maíz tostada. En lugar de los ojos tenían dos frijoles negros.

Nanyotl estuvo asomada a la ventana mirando la montaña y pensando: de allí vienen las brisas buenas y las otras, las brisas malas y ponzoñosas.

Era el otoño cuando las nubes cubrían el pico más alto y la gente de Cicalco decía que el padre de Nanyotl se había puesto el *quetzalli* en la cabeza. Si era amarillo, esperaban buenas cosechas de maíz. Si era rojo, guerras y catástrofes. Entonces algunos se agujereaban la lengua y escupían sangre al pie de los ídolos para calmarlos.

Aquel día el *quetzalli* era gris.

Cuando sus hijos se fueron Nanyotl salió de su casa y fue hacia la montaña con la esperanza de llegar allí antes de que descargara la tormenta de cada día porque si le sorprendía la lluvia tendría que pasar la alberca arenisca con la ropa levantada hasta la cintura. Veía los hilos de la lluvia y los rayos color rosa bajando en zig-zag.

Iba Nanyotl calzada con sandalias de piel de puma. En la montaña entre las nieblas vivía su padre. Había en el aire una gran pesadez. La montaña se ponía después del quetzalli gris el amarillo. "Señal —dijo Nanyotl— de buenos mantenimientos en el valle". Por el otro lado de la montaña un lecho de nubes ocultaba la llanura.

Nanyotl era joven y su piel estaba fresca y tierna. Delante de ella flotaba en el aire un vilano subiendo y bajando empujado por la brisa. El vilano parecía decir:

*En la hora incierta yo busco tu pecho
en la hora sin nombre el sexo se abre para mí
que traigo de lejos la simiente de los seres
en cuyas venas hablan los parientes
y los cuñados discuten entre sí.*

Llegaba del horizonte el fragor sostenido del trueno y el vilano seguía flotando delante de Nanyotl:

> El hombre pequeño y jorobado
> te espera detrás de un ahuehuete.
> Pasa cerca de él sin verlo
> y sube a la montaña donde el viejo
> el de la cara pelada
> esconde su propia cabellera.

Oía Nanyotl aquellas palabras y callaba. Sintió que la llevaban de la mano a alguna parte. Luego el aire se fue poniendo oscuro y perdió el conocimiento. Estuvo dos días y dos noches durmiendo como ella solía dormir, con el dedo pulgar metido dentro de la boca aunque era mujer que tenía hijos mayores.

Luego volvió a la ciudad.

Durante algunas semanas no se atrevió a salir de casa y cuando se atrevió comenzó a sentir las señales del embarazo. Como no tenía marido ni amante y la habían visto subir a la montaña la gente comenzó a decir (cuando vieron su cintura hinchada) que había sido fecundada por el viejo que curtía pieles de venado.

En el quinto mes Nanyotl tenía ya todas las señales de la evidencia y sus hijos se cambiaban en silencio miradas de asombro. Por primera vez en su vida los tres estaban de acuerdo: la madre era culpable. La mujer del héroe de Cicalco se envilecía y según la tradición, debía expiar su vileza. Si el hecho quedaba sin castigo el pico de la montaña que se ponía y se quitaba el *quetzalli* se enojaría y podía traer desgracias y miserias a la ciudad.

Las viejas cantaban por las calles y repetían el nombre de Nanyotl con gritos y gestos obscenos, en todas partes.

Pocos días después se declaró una epidemia que asolaba los guajalotes, los conejos, los grandes venados y los jabalíes domésticos. La alarma cundió y se hicieron sacrificios pero nada se remediaba. Entonces los sacerdotes dijeron que la diosa llorona Xochitl estaba ofendida por la conducta de Nanyotl. Llamaron a Chimalpopoca y le dijeron que era necesario llevar a la madre al Cu de Xochitl y abrirle los pechos y sacarle el corazón bullendo.

El joven fue a decirlo a sus hermanos y Axayacatl después de la reunión secreta que tuvieron habló aparte con su madre y le aconsejó que se escapara de la ciudad. Nanyotl huyó. Sombras dudosas la acompañaban por los caminos, pero cuando una mujer tiene que temer a sus propios hijos ya no teme nada más en el mundo.

Entre los árboles los buhos silbaban y ella se decía a sí misma: "Si ves la figura de un hombre alto y ambulatorio pero sin cabeza no tengas miedo, Nanyotl porque es Tezcatlipoca, el sarnosito de la media noche".

Fue por las sendas de los venados. En el fondo de un abismo encontró huesos humanos. Nanyotl se sentó y miró la montaña que subía detrás de ella formando el pico más alto de aquel macizo. Detrás decían que estaba su padre a quien ella no había visto desde hacía muchos años. Y de aquellas montañas salían los pájaros color de tierra que seguían en el llano a los ejércitos esperando la carne de los muertos.

Las nubes que bajaban de la sierra se dividían marchando unas hacia Cicalco y otras a las llanuras que acaban junto al mar. Nanyotl estaba cansada. El buho decía:

Cuando en la noche se oyen gemidos de niño
y no son niños sino viejos que van a morir
(y no pueden morir —y quieren y no pueden,
y lloran como niños). Cuando en el fondo del abismo
suben agarrándose a las peñas desnudas
las sombras de los que perdieron la esperanza.
Cuando la tormenta de la noche deja caer
sobre las piedras los deseos incompletos
de nuestros mayores y gritan en vano
los que no han comenzado a comprender,
oh, Nanyotl, acuérdate de tu fecundidad.

Oía el agua en un manantial, pero no se atrevía a acercarse porque tenía miedo al jorobado del mediodía que suele dormir al lado de las fontanas. Del lado del mar llegaba la niebla e iba rodeando poco a poco la montaña por su base. Entre los pinos las nubes bajas parecían ropas tendidas a secar. Nanyotl se decía: "Los dioses estropeados velan ahora por el hijo cuyas uñitas rosadas se están formando dentro de mi vientre".

Nanyotl veía en la niebla una procesión de caracoles, el primero de los cuales decía: "Los pies del niño serán como la fresa". Otro decía: "Serán cinco caracolitos dormidos. Cinco caracolitos por arriba y por debajo cinco yemas vegetales suaves como la vaina del guisante antes de ser arrancado de la mata". Al despertar Nanyotl veía la ciudad cada día más amarilla y triste. Por la mañana parecía muy lejos. Por la tarde se acercaba o al menos la luz daba esa impresión.

Apareció entre los árboles una osa que andaba arrastrando su piel colgante entre los ijares. La osa dijo:

—Soy vieja y bajo las estrellas los jaguares me atacan y bajo mi sombra las raíces de los arbustos se secan. Todos los habitantes de esta montaña tienen sus secretos. Algunos hacen reír y otros dan miedo.

—¿A ti? ¿cómo puedes tener miedo tú?

Decidió Nanyotl buscar el manantial. No lo encontraba y pensaba que tal vez no debía buscarlo porque estaba maleficiado. Cuando ya desesperaba, Nanyotl oyó el llanto de un niño. Siguió adelante. Al verse junto al agua fue a poner en ella las manos, pero vió que de la sombra del manantial salía un rabo velludo y al final una mano también cubierta de pelo que tanteaba en el aire. Nanyotl pensaba: "Hay una palabra que deshace el maleficio, pero yo no la sé".

Veía la mano velluda y viscosa, que tanteaba. Por debajo era gris y rosácea como la de los monos. Se sintió prendida por un pie y arrastrada hacia el agua.

Al día siguiente estaba Nanyotl sentada al lado del manantial como si no le hubiera pasado nada.

—¿Qué has visto durante la noche? —preguntaba el buho.

—Millares de dedos cortados que se agitaban a ras del suelo como lagartos recién nacidos.

Comenzó a oir otra vez el llanto de un niño y se alejó corriendo. Pensó que de aquel manantial salían las epidemias que de vez en cuando asolaban el valle.

Al medio día comenzó a oirse el lejano palpitar de los atambores de Cicalco que decían:

> Bom, bom, bom
> las hojas verdes de los elotes
> las de los nopales cortados en tiras,
> no bastan para curar a los apestados.
> Unos lloran como culebras
> otros lloran como coyotes,
> pero al final dan un gran suspiro
> y se quedan callados sonriendo.

Los atambores decían ahora que unos eran muertos de epidemias y otros de guerra. Las tribus del norte atacaban e invadían el país y aunque los jóvenes habían ido a la guerra no eran bastantes y tenían que ir también los viejos.

Nanyotl estuvo todo el día oyendo los atambores y mirando la llanura a lo lejos. En el centro del cauce seco del río había animales sedientos y el color de la ciudad bajo el sol parecía enfermizo. Los sacerdotes acordaron en presencia de los hijos de Nanyotl que mientras ella siguiera con vida o al menos con los dos pechos enteros y sin cortar, el rencor de los dioses continuaría. Caerían sobre el país no sólo guerras sino también hambres y epidemias. Porque el héroe de Cicalco había sido ofendido.

Concertaron los tres hermanos ir a la montaña. Cada uno llevaría una capitanía de cien hombres. Y los atambores de piel de serpiente se oían día y noche:

> Nanyotl está escondida en el monte
> disfrazada detrás de las sombras
> quiere conservar el fruto de su vientre
> pero Chimalpopoca con la cabeza de caimán
> Ahuitzotl con la cabeza de jabalí
> Axayacatl con la cabeza de águila
> van a ahogarla en el manantial
> donde llora de noche un niño.

La guerra duró poco. Terminó con la victoria de Cicalco. Los tres hermanos se encaminaron hacia la montaña con sus yelmos y sus armas de guerra seguidos de sus gentes. Uno se proponía cortar a su madre los pechos y perdonarle la vida. Otro ahogarla en el manantial. El tercero Axayacatl quería a su madre y se decía: "Yo he dormido de niño con la cabeza en su pecho mojado de leche. Los otros hermanos también, pero lo han olvidado".

Esperaba Nanyotl al pie del roble. Desde allí lo veía todo.

—El que va delante es Chimalpopoca. Lleva sangre en los labios.

Aunque era primera hora del día, la luz fue disminuyendo y aparecieron las estrellas. Nanyotl atribuía aquello a la intervención de su padre que después de morir seguía al otro lado del pico del *quetzalli* curtiendo pieles de venado. Se oía a Chimalpopoca subir por la vaguada seca:

—Ella envenenó las aguas —gritaba, sin creerlo— lanzó sobre las tierras las harpías sin dientes. Yo las vi. Una de ellas estaba revolcándose en el lodo cuando yo la cacé. Otra estaba en la puerta de mi casa. Se había hecho un agujero en la garganta y por allí escupía en el umbral.

Entretanto Nanyotl dió a luz, pero no se oía por ninguna parte el vagido del niño. Cuando la madre abrió los ojos encontró a su lado, de pie, un hombre vestido de corazas de cocodrilo y empenachado con plumas. Los animales huían atronando la montaña. El buho decía:

*Nanyotl ha parido un niño
pero la serpiente alada
ha salido del nopal
y se le ha puesto en la cabeza.
El niño es ya un hombre
y sabe como esperar a sus hermanos.*

El guerrero que acababa de nacer se ajustaba el yelmo a la frente. Nanyotl lo miraba pensando: "He parido al guerrero que las tribus del valle aguardaban hace mil años".

El recién nacido acumuló piedras sobre el abismo sujetándolas con lianas. Luego llevó troncos de árbol a un lugar desde donde pudieran rodar monte abajo. Se oían ya las voces de los que trepaban por la sierra.

El hijo de Nanyotl cortó las lianas, rodaron las piedras y la capitanía de Chimalpopoca quedó deshecha. Después hizo lo mismo con los troncos de árbol. Detrás bajaba él, atropellando los restos de la tropa por caminos rojos de sangre. El escuadrón de Chimalpopoca estaba aniquilado. Algunos que quedaban en pie corrieron hacia la ciudad.

Ahuitzotl vió también su tropa deshecha y sin acabar de comprender, se apartó y se quedó debajo de un árbol presenciando la catástrofe con los brazos cruzados. Axayacatl se acercó a Ahuitzotl y le dijo: "Mis soldados no pelearán contra Nanyotl nuestra madre".

El recién nacido hijo de Nanyotl volvió al lado de su madre que estaba junto al manantial seco. Y decía:

—Espérame aquí. Yo iré al valle, pero tú espérame aquí.

El hijo fue y encontró en las afueras de Cicalco algunos soldados heridos. Encontró también debajo de un árbol el cadáver de Axayacatl, que lo habían matado sus hermanos.

Chimalpopoca y Ahuitzotl recibieron al hijo de Nanyotl, su vencedor, con flores y cañas de humo aromático. Y decían: "Hemos matado a Axayacatl porque tenía un lagarto en la pierna". Después, aunque Axayacatl estaba ya muerto, Chimalpopoca (según decía Ahuitzotl) le disparó una flecha que le atravesó la pierna por encima del tobillo hasta asomar la punta roja por el otro lado.

XI

LOS INVITADOS DEL DESIERTO

La gente que se considera seria y que en Cíbola puede ser tan cómica como en otros lugares, se marchó entre las seis y las siete. Entonces el color local comenzó a aparecer. No es sorprendente allí que un *cocktail party* se prolongue hasta la media noche e incluso hasta el alba. En esos casos la señora de la casa improvisa un *buffet*.
Poco después de haberse marchado la gente grave, una muchacha con larga cabellera suelta comenzó a tocar en un piano de cola y a cantar en voz baja. Cuando se dió cuenta de que la escuchaban, se calló y se fue a otro cuarto, azorada. La reunión iba tomando interés. La gente, a medida que bebía, perdía sus inhibiciones y se atrevían a las confidencias personales.
En el grupo de Antonio había tres mujeres y dos hombres. Uno de ellos dijo que había conocido a Picasso en París, pero nadie parecía interesarse en Picasso. Otro pintor de origen escandinavo dijo que sólo había pintura en los países donde había cocina nacional y que la pintura moderna había perdido dulzura, suavidad y claroscuro. El gran pintor de la generación próxima tendrá que tener una visión felina o fracasará, añadía. Mientras lo oía, Antonio veía que la muchacha del pelo suelto había vuelto al piano y comenzaba a tocar tímidamente con un dedo.
Una de las señoras declaró que su marido era celoso, pero que a ella no le importaba. Otra dijo que su esposo no era nada celoso, paro le disparó un tiro con un rifle calibre 22 por razones pasionales. Este segundo caso dejó complejas dudas en el aire. La tercera, que estaba escribiendo un libro contra Freud, hizo sensacionales comentarios que es mejor no transcribir.
En el grupo más próximo al de Antonio alguien decía que había abandonado la escultura para dedicarse a las letras. Estaba escribiendo una obra monumental y andaba ya en el volumen dieciocho.
—¿Sobre qué? —preguntó alguien.
—Contra mi mujer.

La muchacha del piano probaba otra vez a tocar. Era demasiado joven para Antonio, como dijo cruelmente una señora respondiendo a su imprudente elogio. Antonio advirtió que no había alcanzado aun los cincuenta años, es decir, la edad de las pasiones. Esto hizo reír a otra señora ya madura. Dos mujeres se fueron del grupo y dos más llegaron. Antonio creyó que ganaba en el cambio hasta que una de ellas comenzó a hablar de la iglesia reformada de Zeus. Otra mucho más joven dijo que tenía que llamar a alguien por teléfono. Cada vez que preguntaba a la sirvienta dónde estaba el teléfono, ella que era sorda, sonreía y le daba otro martini. La invitada lo tomaba declarando al mismo tiempo que estaba arruinando su salud.

Casi todos los invitados eran poetas, pintores, novelistas o escultores. Durante los últimos treinta años han estado acudiendo en bandadas a Cíbola. A pesar de lo que Platón dice contra esos ciudadanos, las Cámaras de Comercio no han hecho objeción.

Entonces llegó Celia acompañada de un joven. Un italiano que según decía, pintaba, esculpía y escribía música.

Alguien declaraba que la gente no debe creer a los pintores cuando hablan de los precios obtenidos por sus obras. Otro, bastante viejo, iba y venía con una mirada febril y brillante y decía: "¿Es que aquí hay alguno que sea un verdadero pintor, un verdadero poeta? Yo no lo creo. Si los hubiera no podrían menos de darse cuenta de lo que pasa en esta tierra alta y misteriosa. ¿No saben ustedes que hay brujas, por lo menos una verdadera bruja en cada aldea de la montaña? Auténticas brujas. Yo las he visto. Yo sé cómo reconocerlas. Y apuesto lo que ustedes quieran a que entre ustedes no hay nadie tampoco que sepa cómo los rancheros castran sus corderos. Miles y miles de corderos cada año".

Antonio advirtió displicente que aquello era un problema para veterinarios.

—Es un error bastante generalizado. No hacen falta veterinarios —dijo el de la mirada vaga—. Eso se hace con los dientes. Sí, señor. Los rancheros mismos los castran con los dientes.

Un hombre viejo, de apariencia noble, dijo:

—Este señor está borracho. Pero lo que dice es la pura verdad.

Aparentemente pocos artistas de los que andaban por allí se limitaban a un solo género. Como los hombres del Renacimiento, el pintor escribía poemas, el poeta hacía escultura y el escultor componía música religiosa. Entre los artistas había también excelentes rancheros, pero no castraban los corderos ellos mismos. En sus maneras se advertía una cortesía vivaz. Los nervios de la gente dedicada a las artes en Cíbola son sensitivos y también los de los comerciantes y hombres de negocios. Celia se acercó al grupo inmediato al de Antonio con recelo. Había sido amante celosa y posesiva de uno de los invitados. En ese grupo un recién llegado preguntó, bajando la voz, si lo que se dice a veces sobre las colonias de artistas y sus irregularidades sexuales era verdad allí. Un hombre maduro, con la expresión de un pacífico padre de familia, contestó:

—Noooo. Eso lo decimos nosotros mismos para... atraer a los turistas.

La señora Spitzer enseñó sus colecciones de fotografías y acuarelas de catedrales góticas y monasterios románicos. Alguien soltó a reír —efecto retardado— recordando la atracción de turistas. La señora seguía mostrando sus álbums. Ella misma parecía una figura románica, pequeña, de movimientos lentos y con una especie de arcaica humildad. Antonio oía a Celia en el grupo de al lado hablar del mejicano don Godofredo. Tenía ella la costumbre de robarle a Antonio los temas pintorescos de conversación en público. No conocía al mejicano don Godofredo pero hablaba de él como si fuera su amigo y repetía lo que le había oído decir a Antonio. Decía que aquel hombre quería morirse y no sabía cómo. Llevaba años tratando de morirse —no de suicidarse sino de propiciar la muerte natural— en vano. Celia conseguía que la escucharan, pero sus amigos consideraban aquel tema de mal gusto. Quererse morir, bah. ¿Quién quería morirse en el mundo?

—Yo, —dijo la muchacha del piano de un modo heroico y miró a Antonio—. Yo, quiero morirme.

—¿Se puede preguntar por qué? —dijo alguien.

—Sí, pero yo no estoy obligada a responder. De modo que pierde usted el tiempo.

La muchacha, que a veces cuando volvía la cabeza parecía ocultar el rostro detrás de la gran cabellera color de ámbar, miró a Antonio con rencor y se fue al cuarto de al lado.

Al caer la tarde llegaron los Morton, un matrimonio ya maduro. Ella tenía fama de mal hablada. Poco después se presentó un inglés taciturno y flaco a quien todos conocían con el nombre de Sir Robert. No se sabía si el título era cierto o se lo daban como un respetuoso alias. Había mucho *bluff* por allí en materia de grandeza social.

Los Morton hablaban de las danzas que iban a celebrarse en Taos. Tenían preparado un picnic al final del cual sus invitados irían a casa de Sir Robert. Citaban a sus amigos en la plaza del pueblo indio de Taos. Con ese motivo el excéntrico Sir Robert, los Morton —sólidos e intrépidos burgueses— y Antonio hablaron largamente de Lawrence el escritor. Los Morton odiaban su memoria.

Iba y venía Sir Robert del brazo de Mrs. Spitzer —la anfitriona— con la que hacía largos apartes. La señora se escapaba de él para hacer conversación con los otros y atender a sus invitados.

Seguían viendo fotos y acuarelas.

Ya entrada la noche apareció un curioso tipo entrado en años disculpándose por llegar tan tarde. Iba vestido de una manera extraña. Chaqueta negra de terciopelo, pantalones azules de dril y botas de *cowboy*. Como dijo Mrs. Spitzer con cierta ternura, ese era el traje de gala que se ponía en las grandes ocasiones. Era alto, de piel curtida y cabello gris, casi blanco. Se llamaba Lauben. Ese curioso personaje besó a la señora en ambas mejillas y después a cuatro o cinco mujeres más, incluso a Celia, que parecía fatigada y borracha y que había logrado interesar a una pareja joven en el tema de don Godofredo. "¿Pero qué puede decir de don Godofredo si no sabe nada?", pensaba Antonio, celoso. Es verdad que don Godofredo era un mejicano viejo que quería morirse y no podía. Eso era todo lo que Celia sabía y debía estar inventando mentiras pintorescas para dar interés a su relato. Mentía mal, Celia. No tenía talento para el embuste.

El hombre flaco de la chaqueta de terciopelo —Mr. Lauben— dijo que llegaba tan tarde porque acababa de recibir por avión de Holanda un pato para la recría y había ido a recogerlo al aeródromo. Añadió que le había costado sesenta dólares, incluídos los gastos de transporte. El ganso era producto de un cruce entre una especie de Silesia y otra de Roterdam y podía mostrarlo si querían porque lo tenía en el coche. Celia miraba a Lauben con una mezcla de desdén y curiosidad. Antonio preguntó al viejo si se dedicaba a la avicultura y Mrs. Spitzer contestó por él:

—No, ni mucho menos. Es un especialista en física nuclear.

Entonces, ¿para qué quiere el pato? —se dijo Antonio—. Estaban al lado de una ventana. Arriba, sobre la colina gris iba asomando una luna grande y amarilla. Mr. Lauben dijo que era un investigador solitario, un franco tirador de la ciencia y que por nada del mundo trabajaría para ningún gobierno y menos para el norteamericano. Prefería dedicarse a criar gansos. Esta declaración fue seguida por un silencio dramático. La muchacha del pelo suelto se asomaba a la puerta, miraba a Antonio y parecía dispuesta a llorar. Antonio pensaba: "No la recuerdo yo a ella".

Ella lo miraba con una especie de rencor sexual, sin embargo. El hombre viejo de la mirada vaga iba de grupo en grupo y bajando la voz decía:

—¿Quieren ustedes decirme dónde hay un verdadero poeta que por lo menos sepa algo de nuestras brujas montañesas y de la castración tradicional de los corderos?

Nadie le contestaba. La muchacha del pelo suelto preguntó a Antonio qué le pasaba a aquel hombre que hablaba de las brujas. Luego, sin esperar la respuesta, añadió:

—Tengo que hablarle a solas.

—¿Al hombre de las brujas?

—No. A usted.

—Pero yo no la conozco a usted.

—¡Vaya si me conoce!

Le asustó un poco a Antonio aquel tono imperativo. Mr. Lauben volvió a hablar del pato y como si quisiera convencerlos con testimonios, fue a buscarlo al coche. Era un hermoso animal con un collar de plumas azules, el pecho blanco y amarillo y las alas grises. Después de explicar sus virtudes, algunas bastantes personales y privadas, Mr. Lauben lo sacó de su pequeña jaula. El pato quiso volar, pero se lo impidieron. Entonces comenzó a gritar como si lo asesinaran. Gritaba tanto que hasta la sirvienta sorda debío oirlo porque acudió en ayuda de Lauben. El se lo dió rogándole que lo tratara con cuidado. La sirvienta se llevó al animal. Antonio preguntó a Mr. Lauben por qué no quería trabajar como cosmólogo —así se llamaba a sí mismo— para el gobierno. Antes de contestar Lauben miró a la señora y sonrió de un modo intrigante:

—Por respeto al hidrógeno —dijo—. Lo que el gobierno está haciendo con el hidrógeno es digno de censura.

Antonio se preguntaba qué clase de respeto podía suscitar un gas aunque fuera tan noble como el hidrógeno. Mr. Lauben añadió:

—El hidrógeno, amigos míos . . . el hidrógeno es mucho más que un gas.

Comprendió Antonio que Lauben era la estrella de la fiesta, el huesped inesperado y tal vez inolvidable.

—El hidrógeno —siguió diciendo— es un elemento sagrado. Es, señores, y oigan ustedes bien porque estoy hablando en serio, la primera substancia generadora.

—¿Generadora de qué? —preguntó Antonio.

—Del cosmos, nada menos, amigos míos.
Dándose cuenta del escepticismo de los invitados, repitió:
—Créanme ustedes. Cuando yo digo que el hidrógeno es sagrado no lo digo a humo de pajas. Respeto sus reservas cualquiera que sean, pero debo repetir y repito que el hidrógeno se produce a sí mismo en el vacío. ¿No es eso bastante para conceder al hidrógeno los atributos de la divinidad?
Añadió que no debían dar a sus palabras un sentido figurado sino el mismo sentido llano y simple que tenían por raro que pareciera. La divinidad.
Para disimular la risa, Antonio se puso a hablar. Celia estaba un poco celosa, pero Antonio no sabía de quién. No tenía Celia ninguna gracia, hablando. Trató de resucitar el tema de Godofredo y como no lo consiguió se fue con su pintor-escultor-músico a otra habitación.
Dijo Antonio cubriendo con su voz la de Lauben, que en nuestro tiempo es necesario escuchar las cosas más absurdas y extravagantes con cuidado. Es decir, con respeto. Nadie sabe lo que puede haber detrás. Porque la extravagancia es el alma misma de nuestra era y puede contener las mayores verdades.
—No hay nada absurdo ni extravagante en todo esto —dijo Mr. Lauben— y no hay hombre de ciencia en el mundo que pueda contradecirme. Si yo tengo un respeto supersticioso por el hidrógeno es porque lo conozco al hidrógeno. No es el miedo a un gas inflamable. Mi miedo es un miedo metafísico, señores. Lo confieso. Mi temor es pura religión.
Después de comprobar que el silencio le era propicio siguió hablando:
—El hidrógeno es el aliento de Dios. El hidrógeno es el origen de la creación. Un accidente en la elasticidad del universo hace del hidrógeno helio y el helio en combustión produce luz. Con la luz, amigos míos, tenemos ya vibración, irradiación, termodinamización: el aliento divino. Permítanme que insista: la luz, manifestación del hidrógeno y del helio, es el aliento y el lenguaje de Dios.
Escuchaban algunos con la lengua en la mejilla, pero otros en serio. Alzó Mr. Lauben su puño en el aire y comenzó a hablar como un profesor en clase. Explicaba la relación del hidrógeno terrestre con el de los espacios interestelares. Hizo una pausa y habló de nuevo, pero ahora en voz baja:
—Miren ustedes. Aquí en mi mano tengo millones de átomos de hidrógeno, oxígeno, calcio, fósforo. Supongamos que uno de esos átomos es destruído. Ya está. Algo ha sucedido al margen de nuestra voluntad y ni ustedes ni yo nos hemos dado cuenta.

Nadie lo sabría si yo no lo dijera. Bien, señores. Si la tierra fuera destruída ese hecho sería todavía menos importante en la historia del universo porque no habría nadie que lo registrara, nadie que lo dijera. Y nuestro planeta con su satélite es precisamente la copia y reproducción en una escala colosal del átomo de hidrógeno. Un protón y un electrón. Nuestro planeta es el protón y la luna el electrón. Teniendo la misma estructura que el hidrógeno somos tal vez los hijos predilectos del hidrógeno y dejo las deducciones filosóficas a su albedrío.

En la ancha ventana la luna había acabado de salir detrás de la colina, amarilla y electrónica. De vez en cuando se oía en algún lugar gritar al pato de Mr. Lauben que sin duda estaba fatigado del viaje y nervioso. Mr. Lauben tomó el ancho búcaro de brandy de las manos de un invitado y lo sostuvo en el aire acercándolo a su pequeña copa de anisete. La muchacha del piano había vuelto a aparecer, miraba de reojo a Antonio y tocaba un poco más alto. Mr. Lauben continuó:

—Aquí está la tierra, aquí la luna. La tierra es sólo un protón y la luna un electrón. Los sabios del observatorio del Palomar —Mr. Lauben sonrió condescendiente— quieren descubrir el secreto de la creación en lo infinitamente grande. Tonterías. Los secretos del universo hay que buscarlo en lo infinitamente pequeño. Somos un átomo de hidrógeno. Este átomo está en el rincón de una galaxia heliocoidal que llamamos Via Láctea. Y es un átomo privilegiado porque a diferencia de Marte, Júpiter, Saturno y otros planetas el nuestro es un átomo de la misma naturaleza que la substancia original del universo y de lo que podemos llamar el aliento de la divinidad: el hidrógeno. Por eso nuestro planeta está habitado por el hombre, hijo de Dios.

Mr. Lauben bebió su anis y pidió más. La doncella no estaba por allí y la señora misma le sirvió de una botella antigua con cuello largo.

—La ciencia —dijo Lauben— no siempre toma una actitud correcta. Somos un átomo de hidrógeno y yo lo considero como dije antes, un privilegio. Me enorgullezco de respirar y vivir tan cerca del origen primero sabiendo que yo mismo soy una parte de ese origen.

—Bueno, pero el hidrógeno viene de algún lugar. ¿De dónde? —preguntó alguien.

—Ese es el milagro. Viene de sí mismo. Si quiere usted, puedo darle detalles más minuciosos y autorizados. El hidrógeno viene de sí mismo. Por el hecho de no tener principio ni fin el hidrógeno es la substancia de lo absoluto y de lo eterno. El hidrógeno es... —y aquí bajó más la voz y les pidió que no se asustaran de la palabra—, el hidrógeno es y permítanme que lo repita enfáticamente, no es el aliento de la divinidad sino Dios mismo.

En algún lugar el pato seguía protestando, Mr. Lauben preguntó por él, pero nadie contestó porque en aquel instante de las profundidades de su chaqueta de terciopelo surgió la sonería de una cajita de música. Escuchaban en silencio. Mr. Lauben se excusó y explicó que era un reloj musical que conservaba como recuerdo de una dama y que al mediodía y a la media noche tocaba el himno nacional de Ceylán. Siguieron escuchando hasta el fin. Una muchacha dijo que quería oirlo otra vez. Mr. Lauben se golpeó dos veces con el dedo en el plexo solar y la música volvió a oirse. La niña del pelo suelto se acercó a Antonio y le dijo misteriosa:

—No se vaya sin hablar antes conmigo.

—Hablemos ahora, señorita, si quiere.

—No, ahora no.

—¿Mañana?

—No. Tiene que ser a solas esta noche.

Fue a responder algo Antonio, pero ella se había apartado y se acercaba a otro grupo.

Mr. Lauben seguía en el uso de la palabra. Pidió que lo perdonaran por hablar de cosas tan inadecuadas en un *cocktail party* y volvió a decir que si la tierra tenía sólo un electrón como el hidrógeno otros planetas tienen nueve satélites y entre ellos debe prevalecer la fluorina con sus nueve electrones. Neptuno tiene uno sólo, como nosotros. Por eso debe haber allí tanta agua como en la tierra. La intuición de los antiguos hizo de Neptuno el rey de las aguas. Cada planeta con sus satélites es un átomo. Lo infinitamente pequeño se reproduce en lo infinitamente grande. Dicen que Mercurio y Venus no tienen satélites. No es verdad. Si me dejaran usar el telescopio de El Palomar encontraría esos satélites en menos de veinticuatro horas aunque Venus pasa por un estado demasiado flúido y nebuloso y no es aun un cuerpo sólido. ¿Cómo es posible que un protón esté sin su electrón? Lo mismo decían de Marte hace cincuenta años y ahora sabemos que tiene dos. Marte tiene dos protones y dos electrones, como el átomo del helio. Venus es un pequeño planeta. Mercurio más pequeño todavía. Pluto es distante, frío, oscuro y probablemente inhabitado y desierto. Incidentalmente el sabio que descubrió a Pluto vive cerca de esta casa. No tengo el honor de conocerlo, pero sé que vive en Cíbola. No hemos descubierto aún los satélites de Venus, amigos míos, porque tal vez no los ha producido aún —Mr. Lauben miraba la estrella en el cielo, protegiendo sus ojos del brillo de la luna con la mano, como si tratara de encontrar los satélites a simple vista— porque los sabios del Palomar malgastan su tiempo buscando la orilla del universo y tratando de ver quién va más lejos como si la astronomía fuera una carrera de caballos. Lamentable. Bueno, señores, aquí estamos los habitantes de la tierra entreteniéndonos en la desintegración de nuestro propio elemento y produciendo la bomba de hidrógeno y la de cobalto. Estamos desintegrando . . . Bueno, yo no. Ya les he dicho que me niego a la complicidad. La gente de los ciclotrones está desintegrando a Dios. O tratando de hacerlo. ¿No representa eso una arriesgada blasfemia? ¿No lleva implícita una aterradora responsabilidad? Eso es lo que yo me pregunto, señores.

El hombre de la mirada vaga que parecía caminar entre nubes se acercaba con un vaso de whisky en la mano:

—Un verdadero artista es lo que busco. Pero ¿dónde están? Al menos yo soy un verdadero agricultor.

Llegó Celia de la habitación inmediata y dijo alarmada:

—¡El pato, Mr. Lauben!

Los gritos del animal llegaban desde algún lugar remoto. Mr. Lauben se excusó y fue a grandes zancadas a la cocina. Se quedaron callados pensando que el pato podía estar en peligro. Poco después Mr. Lauben volvió con el pato bajo el brazo diciendo a la doncella que lo miraba desde la puerta:

—¿No puede usted distinguir entre un pato y otro pato? ¿No sabe usted que éste ha venido de Holanda, me ha costado sesenta dólares y no es para el horno sino para dedicarlo a la procreación?

La doncella sorda miraba sonriendo sin comprender. Volviendo a su tema Mr. Lauben aseguraba el pato bajo el brazo:

—La Vía Láctea es una de las mejores galaxias en el universo y yo considero un honor y un motivo de orgullo vivir en un planeta que forma parte de ella. Pero el riesgo y la responsabilidad de los que hablaba antes se extiende no sólo al sistema solar sino a la galaxia entera.

Fuera de la ventana, la bóveda celeste con sus brillantes protones y electrones giraba despacio, giraba indiferente.

Lauben se excusó, pidió permiso a Mrs. Spitzer para llevar el pato al rancho y a pesar de lo avanzado de la hora, dijo que iba a volver. Antonio se preguntaba: "¿Volver? ¿Para qué? Esta gente ¿cuándo duerme?"

La chica del pelo suelto veía salir a Lauben con una expresión rara, como si recibiera una ofensa personal.

—¿Quién es? ¿Y por qué hace experimentos nucleares con patos holandeses?

La señora de la casa como suele suceder cuando alguien importante se va, comenzó a hablar de él. Antonio pensaba: "Admira a Lauben con una admiración parecida a la que tiene por los ábsides románicos. Pero Lauben es más bien gótico". Mrs. Spitzer admiraba también a Lauben por sus cualidades morales aparentes y secretas. Las horas de la madrugada parecen invitar a las confidencias y Mrs. Spitzer comenzó a contar algo que le había sucedido a Lauben en Alemania.

A Lauben lo fusilaron los prusianos en la primera guerra europea. Mrs. Spitzer lo contaba sólo de tarde en tarde a los más íntimos. Celia se acercó, curiosa. La chica del pelo suelto miraba todavía a Antonio y pensaba: tengo que hablarle a solas esta noche.

Cuando Mrs. Spitzer había comenzado a contar el fusilamiento de Lauben con palabras conmovidas, apareció un pariente de la casa, hombre de cabeza apepinada que le quitó la palabra a la señora y siguió con la narración diciendo que ella se conmovía demasiado y que el relato requería un ánimo frío y neutral. Debía estar resentido con Lauben y odiaba el énfasis de Mrs. Spitzer. El nuevo narrador lo hacía mejor que ella.

A Lauben lo habían fusilado no en Alemania sino en las afueras de una ciudad francesa ocupada por los alemanes. ¿Cómo llegó Lauben a esa extrema circunstancia? Por una acumulación de pequeños hechos humorísticos. Era Lauben capitán de infantería. Estaba una tarde en el puesto de mando del sector frente a una mesa hecha con cajas de municiones. El coronel decía:

—Hay que confundir y distraer al enemigo. Hay que desconcertarlo con nuestros movimientos.

No era un hombre muy inteligente el coronel. Lauben preguntó qué podría hacer, y el coronel se echó el casco atrás con la caña de la pipa y dijo:

—Capitán Lauben. Use su imaginación con entera libertad. Bueno, quiero decir, en la medida en que lo permita la seguridad de la línea.

El sector de Lauben era bastante extenso. Cubría cerca de un kilómetro. Las posiciones enemigas se veían a unos doscientos metros y los centinelas se cambiaban tiros por aburrimiento.

Cuando Lauben salió de la cueva del mando encontró a un cabo de su sector y juntos fueron hacia la ciudad. Entre las ruinas de las primeras casas había un grupo de edificios todavía de pie y en la planta baja un comercio con el título "*Au magazine du Grand Pere*". Las ventanas estaban rotas y dentro no había nadie. Sacaron de aquellos almacenes dos o tres piezas de percalina color rosa, rollos de alambre telefónico, cuerda de cáñamo, amplificadores de radio y otras cosas y las llevaron a sus posiciones.

Trabajaron con aquellos objetos toda la noche. Pidió Lauben el parte meteorológico al estado mayor y le dijeron: vientos moderados del este. Poco después se puso el coronel al teléfono: —¿Se puede saber para qué quiere el parte *metereológico?* Lauben tenía ganas de decirle que no era *metereo* . . . sino *meteoro* . . . Por aquel detalle pensó que el coronel debía ser profesional ya que todos ellos cometen ese mismo error. Pero estaba Lauben de un humor escéptico y cuando se dispuso a hablarle y a faltarle al respeto se cortó la comunicación. Una granada había roto el hilo. Colgó Lauben pensando: vientos moderados del este. Era lo que le convenía.

Los soldados en sus guaridas trabajaban con tijeras, cuerdas y frascos de goma. Instalaron cada cien metros en el borde de la trinchera un amplificador conectado con un gramófono que tenía Lauben en su reducto. Para probar la instalación dijo con una pronunciación bastante precaria, las únicas palabras españolas que sabía a través de un proverbio chusco:

Los dineros del sacristán
cantando se vienen cantando se van.

Los altavoces enviaban estas palabras hacia las nubes desde donde descendían sobre el enemigo. La artillería se calló. Se acercaba el alba fría. Lauben se asomó a la trinchera exterior y estuvo atento a la dirección del viento. Delante se veían las alambradas y la tierra herida. Había un cadáver seco y mineralizado. Dió Lauben la orden de que lanzaran las cometas y en los bordes mismos de las trincheras aparecieron anchos bastidores color de rosa.

Sobre la tierra de nadie se iban levantando las cien cometas color de rosa con sus rabos ondulantes. Las primeras luces daban a la tela sobre el gris de la tierra tonos muy frescos. Eran todas las cometas del mismo tamaño, unos siete pies. Y debieron causar sensación en el campo enemigo. Lauben tendía el oído, pero no llegaba el menor rumor. Las ametralladoras se habían callado. En otros sectores despertaban los cañones, los morteros. En el de Lauben se habría oído el rumor de una mosca.

Dió orden Lauben de que pusieran uno tras otro en el gramófono los discos que había sacado del magazine du Grand Pere. Cinco valses de Strauss tocados por una dulcísima orquesta de cuerda. La música parecía también bajar del cielo. En tiempos de guerra y en las trincheras, la música produce un efecto sedante como en los convalecientes después de una operación. A todos les gustaba oir aquello. Los rabos de las cometas ondulaban a veces al compás de la música.

Sonaba otra vez el teléfono. Era el coronel quien dijo que oía los valses y veía las cometas y preguntaba si aquello era cosa del enemigo y qué extraña significación podía tener. Cuando Lauben le dijo la verdad añadiendo que había usado su imaginación y que el enemigo estaba desconcertado, el coronel mascando la pipa le dijo: "Usted es un imbécil". Lauben se excusó e insistió en que había usado su imaginación y conseguido una especie de armisticio por perplejidad. El coronel le pidió la altura exacta de las cometas y dijo que iba a hacer uso de ellas para trigonometrar el tiro de los morteros.

El ataque falló y como el fracaso tenía que pagarlo alguien, enviaron la policía militar y arrestaron a Lauben por lo de las cometas. Decían que lo condenaban a muerte por sospechas de inteligencia con el enemigo, pero en realidad fue por haber introducido un factor humorístico en el campo de batalla. Los generales estaban ofendidos. Ejecutaron a Lauben quien recibió seis tiros, pero ninguno mortal. Perdió el conocimiento. Al ver que tenía un balazo en la cabeza lo consideraron muerto y no le dieron el tiro de gracia. Pero la herida de la cabeza era sólo un rebote transversal. Eso fue lo que le sucedió a Lauben antes de descubrir la divinidad del hidrógeno.

La ejecución había sido por la tarde y como era invierno, se hizo pronto de noche. Cuando recobró Lauben el conocimiento se arrastró hacia lugares más seguros. Luego lo incorporaron a un convoy de heridos. Fue hospitalizado con un nombre falso y en menos de un mes estaba curado. La cosa se complicó cuando fueron a condecorarlo. Había que pedir informes a su unidad, pero en aquellos días se hizo la paz y Lauben se salvó. Si no, lo habrían fusilado otra vez. Eso creía al menos Mrs. Spitzer. (Y lo decía enfáticamente).

De aquella aventura conservaba el cosmólogo criador de patos algunas lesiones y cojeaba un poco. Todos parecían impresionados por el relato menos la chica del piano que soltó a reír. Mrs. Spitzer la miró reprobadora.

Lauben llegó a Cíbola en 1947 después de la segunda guerra. Pasó en Berlín los días amargos de la tenaza militar ruso-americana. Su esposa murió en Francia. Lauben había olvidado las miserias de la primera guerra incluído su propio fusilamiento.

Pasada la primera impresión del relato, Mrs. Spitzer preguntaba a los más próximos si querían café o té. Entretanto la luna electrónica estaba ya en lo más alto de la ancha ventana y parecía un poco más pequeña.

Se pusieron a hablar de la fiesta india de Taos que sería al día siguiente y de Lawrence el novelista inglés. Mrs. Spitzer lo había conocido en Italia cuando el escritor hacía imprimir por su cuenta "El amante de lady Chatterley".

Se acercó Celia a Antonio y se puso a hablarle de don Godofredo. Le dijo que el viejo mejicano lo buscaba aquellos días a sol y a sombra. Mrs. Spitzer y los Morton conocían también a don Godofredo porque durante los últimos años les había vendido leña para las chimeneas y estiércol para los jardines. Era el mejicano don Godofredo un carácter notable. Celia se extrañaba de su persistencia por encontrar a Antonio y éste declaraba: "Somos viejos amigos". Todos se ocuparon un rato del viejo mejicano que era un modestísimo *wet back*. El hecho de haber hablado en pocos minutos del átomo de hidrógeno, de la luna, de la cría de patos, de la divinidad, de la perplejidad como elemento de táctica militar y de don Godofredo definía bien aquellas reuniones nocturnas en la tierra de Cíbola.

La doncella aparecía en la puerta de la cocina con el rostro un poco desencajado por la fatiga. Miraba con el aire despegado de los sordos y volvía a marcharse. Mrs. Spitzer volvía al tema del escritor inglés y decía cosas originales y veraces:

—Lawrence era un niño un poco monstruoso. Un niño con barbas rojas. Como sucede con los niños, se enamoró de todo lo que veía. De su madre, de sus hermanos, del perro del vecino y de la veleta de la iglesia. No sé si ustedes me comprenden, pero se enamoró de veras, hasta no poder vivir. Era un amor sin solución y sin satisfacción. De ahí vino tal vez su necesidad de escribir.

Oyendo a Mrs. Spitzer la niña del piano se hacía la distraída. Se veía que todo lo que quería era estar a solas con Antonio. Y éste la miraba con una mezcla de deseo y de recelo.

Alguien dijo:

—Estaba un poco loco, Lawrence. Era introvertido y violento.

—No, exactamente. Lo que pasa es que era un hombre distinto, un hombre de genio y de pasiones que yo diría, meteorizadas, —rectificó la anfitriona.

Mrs. Spitzer se arrepintió de aquella opinión que no sabía

cómo explicar. Por fortuna nadie le preguntó. Y siguió hablando:

—¿Qué podía hacer don Lorencito? Contar sus amores. No crean ustedes que siempre era cómodo. El no sabía qué hacer para satisfacer sus ansias de enamorado perpetuo porque escribir no bastaba. Lawrence estaba perdido entre las nieblas del norte con un horizonte cerrado por la "experiencia útil" y por los "antecedentes": minas, fábricas, estaciones de ferrocarril, comercios, tribunales, iglesias, chimeneas. Sobre todo chimeneas. Todo húmedo, gris y resistiendo al contagio de su posible amor de meteoro. ¿Dónde hallar la solución de su problema? Y viajaba de un lado a otro buscándola. Buscando objetos para su amor constante,

Pensaba Antonio oyendo a Mrs. Spitzer que aquella mujer que en su juventud había bordado fundas de almohadón y hecho encaje de bolillos decía siempre algo inesperado. Mrs. Spitzer era con Lauben lo más interesante y tal vez lo único interesante en aquella reunión. La niña del piano y el pelo suelto lo sabía y se ofendía y miraba a Antonio con rencor.

—¿Dónde la he conocido? —se preguntaba Antonio, sin acertar a recordarla.

Y escuchaba con aire condescendiente a Mrs. Spitzer, quien decía:

—He conservado siempre una callada veneración por Lawrence. También Mr. Lauben. Hay que pensar en Lawrence sin literatura. Cada vez que abría la boca era para decir alguna verdad horrible, como suelen hacer los hombres enamorados y castos. Castos por obligación o por inclinación. A mí me decía: yo me marché de mi país, Mrs. Spitzer en plena juventud porque todo el mundo joven, es decir, adolescente, organizaba su vida sobre una base triste: el secretito sucio. Yo no estaba segura de comprender lo que quería decir ni a qué secretito se refería. Más tarde me lo explicó él mismo. La vida toda de Lawrence era amor. El amor es un fuego que da elasticidad a nuestra sangre y que pide ese contagio por el cual el hombre y la mujer se buscan. ¿No les parece? Pero la vida de cada cual en ese espléndido nivel comienza por el secretito sucio. Al menos en la vieja Europa católica de la que hay que excluir sólo a la Alemania pagana del norte.

Pensaba Antonio: La cosa es como ella dice aunque no tan compleja. Don Lorenzo fue un hombre de grandes deseos reprimidos, eso es verdad, que gozó de una adolescencia perpétua gracias a su amor sin objeto y después al amor de todos los objetos personificados en Frieda, la alemana suculenta y dulce. Lawrence había logrado mejor que otros dar esencialidad a las cosas más inertes y elementales y poseerlas en la hembra. Antonio seguía para sí: siempre tuvo Lawrence catorce años. Todo él era sexo, sexo que se desconocía, puro y noble. Los españoles llaman al sexo las "partes nobles". Lawrence era un niño espigado y pelirrojo que sentía como cada chico de catorce años la inmensa novedad de su vida. Parecía una antorcha encendida, con su mecha en la frente y sus barbas. Iba a todas las cosas sin ser contaminado por ninguna y todo era amor, en él. Lo más vil y lo más inefable era lo mismo. En segunda instancia el odio era amor, un amor que no lograba identificarse en el objeto. Un amor difícil que podría matar. Don Lorenzo adoraba a su madre, a sus hermanos y no hacía sino reñir con ellos. Amaba a los animales y los apedreaba. Amaba a los árboles en flor por cuyo tronco trepaba sintiendo a veces extrañas turbaciones. Su amante alemana Frieda fue la suma de todas aquellas polarizaciones difíciles. Y la relación desproporcionada entre la antorcha encendida de Lawrence y el objeto de ignición, siempre menor, daba a veces reflejos un poco bobos e insistentes. Pero la poesía auténtica no va sin una cierta dosis de tontería. Dulcinea, Ofelia, Margarita, tienen su buena dosis. Pues bien, la falta de localización del sexo o la localización incongruente hace el deseo virginal y angélico. La obra de Lawrence tiene un transfondo virginal y angélico y un poco bobo a la manera transcendente. Siempre, hasta cuando parece más adulta su voz. Por eso hay en su obra algo extraliterario y por decirlo así, meteórico.

La muchacha del piano miraba con el aire de estar pensando: Yo también era virginal y angélica y en cierto modo sigo siéndolo. Y en voz más baja se decía a sí misma: y boba. Tal vez un poco boba también. Con la condición de la poesía implícita, igual que Lawrence. Pero ¿por qué ha de parecerse Lawrence a mí?

Aparecía otra vez la doncella en la puerta de la cocina, se acercaba a Mrs. Spitzer y preguntaba:

—¿Qué le sucedía a Mr. Lauben con el pato? ¿Dónde está? ¿No había que asarlo al horno?

Mr. Spitzer respondía sonriendo:

—No, no. No piense más. Fue un pequeño malentendido, querida.

La doncella comprendía a Mrs. Spitzer por el movimiento de los labios. Y Mrs. Spitzer continuaba:

—Lawrence odiaba el secretito sucio de los europeos que los lleva a un individualismo decorativo y a hacerse, tal vez, enemigos de sí mismos y de los demás. La sociedad llega a ser una agrupación de histéricos y cada cual dice su palabra sin oir la del otro. Siempre tratando de mostrarse no hermanos ni amigos ni enamorados sino complejos, altivos e impasibles. Solos, únicos, inaccesibles e indiferentes. Divinos como el hidrógeno y como él bastándose a sí mismos. Don Lorencito se escapó y comenzó a proclamar la necesidad de socializar ese fuego de origen. En su proclamación había como el deseo sin órgano, el deseo latitudinario de los niños. Y acusaba a la sociedad, quien como las madrastras de los cuentos lo castigaba con el frío, el hambre, la soledad. Ah, y la calumnia de los tristes. Pero ese fuego comunicable es más fuerte que todas las intrigas y complots. Y don Lorencito ganó la batalla en sus libros y en su vida a su manera. Una batalla contra su país y contra todo el viejo mundo. No estaba solo, Frieda fue su agente angélico y volvían a quererse, amantes elementales y selváticos.

Mrs. Spitzer repetía la última frase sonriendo bobamente y en aquel momento llegó —todavía— gente nueva. Parece difícil que a las dos de la mañana lleguen personas que han sido invitadas para las cinco de la tarde, pero en Cíbola no es raro. Los que llegaron eran un matrimonio cuyo nombre aparecía a menudo en las crónicas sociales. Entraron disculpándose y explicando que volvían de otra fiesta y que habiendo visto las ventanas encendidas y coches en la puerta pensaron que todavía duraba el *party*. Eran ricos y se habían construído un palacio en la cima de una montaña en el lugar más alto de los alrededores. Lo hicieron para tener la población entera a sus pies. Pero en verano cuando había tormentas todos los rayos caían allí. Eran aquellos rayos el castigo de su vanidad. El marido los aguantaba como podía, pero la mujer se metía debajo de las camas y lloraba pidiendo perdón a Dios. La gente sabía estas cosas por los criados que no resistían más de un mes en aquel palacio y salían huyendo de las iras de Júpiter.

Mrs. Spitzer siguió con su tema. Entretanto la inmensa ventana rasgada iba mostrando sobre las colinas millares de estrellas. Todas parecían nuevas.

—En esta tierra de Cíbola —seguía la anfitriona— Lawrence pudo respirar un aire sin antecedentes. La tierra es seca y mineralizada, al revés que en su patria. El cielo limpio e inmenso. Los indios cuando quieren comprender alguna cosa del pasado o adivinar otra del futuro se desnudan y se ponen a bailar. Don Lorencito era un hombre raro. Todos tenían coche en Cíbola, menos él. Hasta el afilador de tijeras y el capador de gatos llegaban a ofrecer sus servicios en el coche. Lorenzo el de la barba roja no. En cambio tenía su buen nervio inglés, su mente más que alerta y más que lúcida y un caballo. Un caballo poco airoso, aunque descendiente de los que llegaron en el siglo XVI a Veracruz con Bernal Díaz. Y como es natural en seguida se convirtió en la conciencia de la felicidad de aquel pobre animal grande, calmoso y rojizo como él. Era una experiencia terrible. Ser responsable, amigos míos, de la felicidad de un caballo no era precisamente ser su amo aunque a menudo don Lorenzo fuera su jinete. Unas veces mandaba el caballo, otras no mandaba nadie y en la duda los dos parecían humillados por su interdependencia. Don Lorenzo entonces se sentaba debajo de un árbol y escribía en cuadernos escolares. Escribía sobre las cosas que hacía y las que hacían los otros a su alrededor. Con una inconsciente y feroz inquina contra el secretito sucio y su triste flor amarilla: la hipocresía sexual. Parecía bobo todo aquello pero la gran poesía nueva siempre da esa impresión.

Buscaba Antonio con los ojos a la niña del piano, quien retribuía su mirada con una lucecita de sobreentendidos en la suya. Y se decía: ¿dónde la he visto yo antes? Luego volvía a pensar en Lawrence: era un taumaturgo y cuando hablaba de una escoba, de una silla, de una ventana o una puerta esos objetos tomaban el calor de su palabra e iban convirtiéndose en objetos del ritual religioso del amor. El fuego de aquel hombre rojizo se contagiaba a la silla y a la baldosa. Y al caballo y al tambor del indio. Los indios eran sus amigos. Entre ellos no había secretito sucio. Al entrar en la pubertad comenzaban a amarse, sin más. Amaban la realidad y el misterio sin retórica y no cultivaban la flor amarilla de Europa. Cuando no les gustaba un dios lo insultaban y le decían "puto", "baboso" y cosas semejantes. Eran hombres dignos de esa cosa sencilla y nada afectada ni pomposa que es la vida. Sabían vivir, amar y morir sin palabras ociosas.

Pero había que oir a Mrs. Spitzer. A Antonio le gustaba escucharla porque parecía que decía sus propias palabras, lo que no dejaba de hacerle gracia. Viéndola modesta y regordeta sonreía y pensaba: qué raro. No parece el tipo de mujer capaz de entender a Lawrence. Pero ella seguía:

—Cuando tomaba don Lorencito a la mujer en sus brazos se creía el primer hombre de la humanidad abrazando a la primera mujer. Y luego lo contaba en largos libros. Sus palabras como su mirada y su tacto comunicaban el fuego primitivo no sólo a los seres y a las cosas sino también a las sombras de las figuras soñadas por los hombres del pasado. Unas quedaban encendidas y otras iluminadas nada más. Otras recibían aún el reflejo segundo del resplandor, que era como oro o como sangre. Y las cosas más nimias o las sombras más lejanas tomaban prestigio. La baldosa que fregaba, la mesa que pintaba, el pan que amasaba y también Quetzalcoatl y Osiris o Isis. Estos últimos eran como juguetes de persona grande un poco tontos también. La inocencia de Lawrence los salvaba, es decir, salvaba esa tontería.

La chica del cabello suelto estaba ahora semiderribada en un diván, con los ojos entornados y la línea de los labios un poco desdibujada por el sueño, pero seguía siendo muy hermosa. Antonio se acercó: "¿Y dónde podremos hablar a solas?" Ella dijo: "En su casa". Antonio se extrañó otra vez y dijo entre dientes: "Está bien. En mi casa". Comprendió Antonio por la manera de hablar la muchacha que tal vez no era la primera vez que iba. Pero entonces ¿cómo podía haberla olvidado él?

Sobre el piano se había instalado un gato gris-azul de pelo largo con un rabo que parecía la cola de un traje antiguo de gala. Antonio pensaba en don Godofredo. Lo pintoresco del pobre mejicano que quería morir y no sabía cómo, había sido maltratado por la imaginación de Celia. A Antonio el viejo mejicano le parecía a un tiempo humorístico y merecedor de un profundo respeto.

La luna en la ventana era una alusión al electrónico Mr. Lauben, que estaba ausente todavía.

Mrs. Morton trataba de desviar la conversación, pero Mrs. Spitzer insistía diciendo que Lawrence iba y venía silencioso y lo miraba y lo registraba todo con sus finos nervios. La reflexión más superficial de don Lorencito volatilizaba el hecho al que se refería, de modo que después de aquella reflexión no quedaba sino la esencia como después de la evaporación sólo quedaba el gas. Era como Rilke cuando dice que después del pájaro herido queda su vuelo. Y era además la conciencia viva de aquellas cosas en las que nadie reparaba. Allí donde nadie miraba allí miraba él. Lo que más llamó la atención de Lawrence en Mexico fue la industria de la muerte, los entierros, los juguetes macabros, las calaveras de azúcar, la sospechosa alegría con la que todos hablaban de la muerte. Los entierros, sobre todo los de los niños. Sir Robert contaba a veces: "Yo le dije a Lawrence que la preocupación gustosa de la muerte viene tal vez de la fe en la inmortalidad del alma de los católicos. El soltó a reír. Para probarme que no, le preguntó a un indio si creía que después de la muerte el alma iba a alguna parte y el indio dijo como siempre: pues quién sabe". También como el indio el hombre natural que era don Lorencito dudaba de todo y esa era su fuerza. A veces se miraba las manos y movía los dedos muy extrañado. "Pues quién sabe". Mrs. Spitzer con un oído atento a los ruidos del exterior porque esperaba oir el coche de Lauben preguntó a Antonio qué le parecía la novela de Lawrence sobre Méjico, "La serpiente emplumada". Dijo Antonio que la manera de entender las relaciones entre el español el indio y el mestizo era de una gran sutileza. "Yo creo que nadie ha logrado ver tan clara y simplemente las motivaciones secretas entre esos tres grupos".

Seguía hablando con los ojos puestos en la muchacha del piano que dormitaba sobre el diván y tratando de disimular la ternura que le inspiraba sobre todo cuando veía una de sus rodillas desnudas.

—Lawrence —añadía Antonio— definió bien al hacendado español de México, es verdad. El español y el indio se entendían o se mataban y no había problemas de color ni de credo ni de nación. Sólo había problemas de estómago y de glándulas viriles. Para eso, para poder vivir así, en una guerra constante secreta e incluso gustosa, había que tener fe elemental en la vida. El español la tenía. Por eso también el español se despreocupa de la muerte y busca el peligro. En cuanto a los mejicanos habían suprimido de sus leyes la pena de muerte porque en lugar de ser una amenaza era para ellos un aliciente y un atractivo. Detrás de ese gusto de la muerte violenta había en el español y en el indio la misma fe elemental en la vida. Quien no tenía esa fe era el mestizo que se avergonzaba de su mestizaje. Ni el europeo del secretito sucio, que se avergonzaba de sus deseos. El mestizo imitaba al europeo en todo, incluso en sus vicios. Sobre todo en sus vicios.

Era tarde y Antonio quería marcharse. La ternura por aquella muchacha del cabello suelto que dormitaba en el diván y le había prometido ir a su casa comenzaba a impacientarle.

Al levantarse y despedirse de Mrs. Spitzer se dió cuenta Antonio de que estaba un poco mareado por el alcohol. Antes de salir pasó junto a la niña que tenía los ojos cerrados, para hacerse presente. Luego se fue y esperó en el coche. Esperó algunos minutos.

La niña del pelo suelto llegó soñolienta y aburrida —medio escondida detrás de la cortina melada de su cabello—, se sentó a su lado y cerró la portezuela:

—¿Cómo ha encontrado mi coche entre tantos? —preguntó él.

—Tu coche está debajo de la luna. La otra vez estaba también debajo de la luna.
—¿La otra vez? ¿Qué vez?
—La otra —decía ella, soñolienta.
Antonio se decía: "Yo la conozco, esta voz". El coche estaba "debajo de la luna" realmente. Es decir que sobre el coche negro la luna color aluminio grande y luminosa como la pantalla de un cine parecía próxima y baja. Salió el coche como pudo empujando con el parachoques otro carruaje que estaba delante y cuando llegaron al camino Antonio volvió a pensar: "Esta chica me conoce a mí y yo la conozco a ella. ¿Cómo es posible eso?" No se atrevía a preguntarle.

Cuando llegaron a casa ella entró mirando alrededor con una curiosidad experta un poco impertinente. Parecía de una sensualidad un poco recatada en estado normal, pero bajo ciertas condiciones debía expandirse e invadirlo todo. Por un momento creyó Antonio que la familiaridad de aquella mujer estaba justificada de algún modo. En un arranque heroico le preguntó:

—¿Se ofenderá usted si le digo una cosa?
—No, yo no me ofendo nunca aquí y contigo. ¿Qué quieres decirme?
—Una sola cosa.
—¿Pero qué?
—Una pequeña pregunta: ¿Quién es usted?
Ella sonrió tristemente:
—Ya sabía yo que no te acordabas. Tú has sido mi amante.

Iba a decir Antonio que no, pero sonó el teléfono. Era Mrs. Spitzer que llamaba para decir que el picnic no iba a ser en Taos sino en Cochití y que era allí adonde debía ir el día siguiente. Recriminó a Antonio por haberse marchado y terminó diciendo que Mr. Lauben acababa de llegar y estaba más inspirado que nunca. Después de colgar el teléfono se quedó Antonio mirando a la muchacha. Ella dijo:

—Soy Eugenia. ¿No te acuerdas?
—No.
—¿Es posible?
—Si tú hubieras sido mi amante yo me habría casado contigo y ahora serías mi esposa.

Ella tenía un aire infantil y angélico y negaba. Luego dijo una cosa terrible:

—No. Tú eres demasiado honrado para eso.
—¿Yo?

—Los hombres como tú no se casan con mujeres a quienes han conocido en la cama. Y nosotros nos conocimos en la cama.

Ella era en todo caso una mujer desconocida y nueva para Antonio. Le daba la impresión de algo ignorado y virginal.

—¡Qué absurdo! —pensó.

Ella iba al cuarto de baño y se ponía a beber agua en el vaso donde tenía Antonio la brocha de los dientes. Había un poco de pasta dentrífica seca en el fondo. Bebió dos o tres sorbos. Antonio pensaba: "Las mujeres sienten menos repugnancia física que nosotros los hombres". Y creía que nosotros adoramos la limpieza y nitidez, pero a ellas no les importa un poco de suciedad. Un hombre sin afeitar, sudoroso, con los labios manchados de nicotina y el pelo lleno de polvo de los caminos no es peor recibido por una dama que el hombre exquisito. Y beber en su vaso manchado de pasta dentrífica de color verdoso no tenía importancia.

Luego ella se sentó al lado de la cama y dijo:

—No te acuerdas porque aquella noche habías bebido mucho y además tomado mezcalina, esa terrible droga mejicana. Pero fuiste mi amante y lo que es peor: yo con mis diecisiete años quedé embarazada. Podría haberte denunciado a ti y te habrían metido en la cárcel. Dos o tres años no te los habría quitado nadie. En lugar de eso fuí a la cárcel yo misma, es decir, mis padres me llevaron a un lugar especial para madres solteras donde estuve presa cinco meses día tras día.

—¿Tuviste el hijo?

—Sí. A pesar de la mezcalina fue un niño sano y hermoso.

—¿Dónde está?

—No sé. Se lo llevó un matrimonio para adoptarlo. ¿Tú sabes? A las madres no nos dicen donde está. Hay siempre una larga lista de matrimonios esperando los bebés nacidos ilegalmente. Mi padre habría querido aquel bebé tuyo y mío, tan hermoso. Eso me dijo. Yo soy hija única y mi padre no tiene todavía nietos. Pero no era posible. La sociedad, el buen nombre . . . etc.

Advertía Antonio como una secreta complacencia en la manera de decir todo aquello. No podía comprenderlo.

—No te asustes —dijo ella irónica otra vez— que no voy a exigirte matrimonio.

—No, no es eso. Pero resulta todo tan inesperado . . . Cuando te veía en casa de Mrs. Spitzer yo pensaba: ¿quién será esa criatura encantadora? Y te deseaba de veras.

Ella reía viéndolo a él tan confuso. Y volvía a hablar recordando su reclusión en el *home* para madres solteras. Era un lugar privado, disimulado y caro. La administración era cuidadosa y no faltaba en sus normas cierto rigor. No salían las chicas embarazadas sino una vez a la semana y en grupos de cinco. Iban juntas por la ciudad y naturalmente la gente que las veía tan niñas, encinta y en grupos sabían en seguida de dónde venían. A veces era difícil tolerar miradas y alusiones en las que había como un puerco comentario o una curiosidad humillante. Pero eso no era todo. Lo más humillante venía después. Al volver al *home* los médicos les sacaban sangre para hacer un *wasermann* nuevo. No se fiaban de ellas. No se fiaban de ninguna de ellas.

—Yo juraba —decía Eugenia— que no había estado con hombre alguno y el médico me escuchaba y decía: son regulaciones del hospital, señorita. Perdóneme, pero es inevitable y si se niega a dejarse extraer sangre, nosotros no podremos hacernos responsables de su salud y por lo tanto tendrá que abandonar la casa. En fin que no había más remedio. Cada vez que salía de paseo me costaba una buena sangría. Pero lo de la calle era no sólo triste sino grotesco. La gente sabe que existe ese *home* y aunque nadie trataba de humillarnos, la curiosidad era tan hiriente que yo habría querido que me tragara la tierra.

—¿Había muchas mujeres como tú?

—Unas doscientas en aquel hospital. A mí el hecho de ser madre no me avergonzaba, pero me deprimía mucho el estar escondiendo mi vientre hinchado y aquella diligencia de la reacción *wasermann* para saber si había cogido o no la sífilis.

Antonio a veces se sentía conmovido, pero a la luz del día que entraba ya por todas las ventanas su compasión era intelectual y reflexiva. No emocional.

Tenían mucho sueño y Antonio corrió las cortinas, desconectó el teléfono y dijo que había en la casa un cuarto con otra cama. Pero Eugenia no le contestó porque dormía ya. No quiso despertarla. Estuvo mirándola un momento y preguntándose si todo aquello sería verdad o lo inventaba ella por deseo de singularidad. Al parecer para ella la maternidad clandestina e ilegal era en cierto modo romántica.

Se fue Antonio a la otra cama, asombrado.

Despertaron hacia las dos de la tarde. Se veían el uno al otro con la familiaridad de un matrimonio viejo. Ella no tenía pudor físico alguno con Antonio y se mostraba completamente desnuda, de espaldas, de frente. Pensaba Antonio que aquel impudor parecía confirmar la verdad de todo lo que ella había dicho y que en algún lugar un hijo suyo comenzaba tal vez a hablar y llamaba papá y mamá a dos personas que no lo eran.

Más tarde al lado de Eugenia —en el amplio lecho— Antonio preguntó:

—¿Cuánto tiempo hace que saliste del *home*?
—Oh, casi un año.
—¿No me buscaste?
—¿Para qué? Yo no tengo derecho a pedirte nada. Sabía que estabas aquí y esperaba. Anoche te encontré por casualidad y ahora ya ves. Es mejor de este modo.

Se vistieron y poco después salieron juntos para Cochití. Antes bebieron y Antonio volvió a sentir los nervios gozosos. Conducía el coche ligeramente y a través de los vapores del vino sentía el mundo exterior, el sol, los grupos de turistas como ajenos y sin relación con ellos. Era agradable.

Pensó que sus amigos no habían llegado a Cochití aún. Eugenia hizo una vasta exploración y volvió diciendo que no había entre los turistas un solo conocido.

Las danzas indias de Cochití solían estar concurridas. Se veía a las muchachas con sombrillas de colores y a los frailes franciscanos de una misión próxima con sayales y sombreros civiles de paja. El sol del desierto era implacable. Detrás del cielo azul Antonio adivinaba, sin embargo, las estrellas. Eugenia comprendía que Antonio pasaba por estados confusos de conciencia. Y se decía: si me ofrece matrimonio no lo aceptaré. No nos entenderíamos y además no me gusta él como marido sino sólo como amante.

Vivían los indios igual que en los tiempos anteriores a la conquista con sólo alguna diferencia de indumento. Para sus danzas iban casi desnudos. Se pintaban el cuerpo y se ponían collares, cintas y otros objetos rituales, siempre los mismos.

Habían anunciado los bailes con una hora de anticipación y la gente se impacientaba esperando en la plaza. De la kiva salían gritos a coro y ruido de tambores que entretenían la impaciencia de los turistas. En las afueras un indio dirigía las tareas de estacionamiento y cobraba por cada coche un impuesto de veinticinco centavos. A través del alcohol los rumores llegaban amortiguados a los oídos de Antonio. Eugenia pensaba: "Yo debía beber también un poco y ponerme a tono con él".

Aquí y allá aparecían mujeres con sayas de colores chillones y hombres con el pelo largo recogido con una cinta color corinto.

Pasaban algunos viejos adustos y herméticos. Se veían también niños gordos y silenciosos sentados en los umbrales. "Yo sé —pensaba Eugenia— lo que es hacer un hijo de esos y parirlo". No podía menos de asombrarse, sin embargo, viendo el tamaño de aquellas cabezas y recordando por donde habían salido. Siempre le parecía montruoso e increíble.

Algunos perros del poblado, muy flacos, pasaban olfateando con el rabo caído y uno de ellos se detuvo y miró lánguidamente a Antonio. Con el primer cambio de miradas se entendieron. Tal vez el perro sabía que Antonio estaba un poco borracho y que su embriaguez podía tomar formas sentimentales. Estaba Antonio contra el muro de adobe en la orilla de la sombra. Eugenia a su lado. Por el adobe tostado veía ir y venir una hormiga roja desorientada.

Se oían otra vez en la kiva los gritos guturales. Una kiva es un recinto excavado como un ancho pozo y señalado sobre el suelo con una cerca de piedra de no más de dos metros de altura. La mayor parte de la kiva está, pues, debajo de la tierra. Allí tenían los indios sus reuniones importantes. Por encima del recinto circular techado con viga y adobe sobresalía un madero muy largo en dirección diagonal. Nunca pudo saber Antonio para qué usaban aquel madero largo como el mástil de una nave.

—¿Vendrá Lauben? —preguntó.

—Sí, claro —dijo Eugenia—. ¿Tú concibes a los poderosos Morton sin él?

—¿Y la Spitzer?

—Sí, todos vendrán.

Ella le preguntó quién era Godofredo del que oía hablar a Celia y a Mrs. Spitzer y muy sorprendido y complacido Antonio descubrió al viejo mejicano al otro lado de la plaza. Era un anciano de bigotes caídos que iba con su cargamento de *hot dogs*. Llevaba un séquito de moscas en el aire. Era muy viejo. Ochenta y tres años, pero él decía que no representaba más de ochenta.

—¿Ese hombre? —preguntaba Eugenia, ofendida.

Ni triste ni alegre iba don Godofredo por la plaza ofreciendo pan y salchichas. Entre la gente que lo conocía tal vez era Antonio el único que le daba tratamiento: don Godofredo. El lo agradecía. Pero Eugenia se mostraba de veras decepcionada. "¿Es posible —decía— que un hombre como tú tenga relaciones como esas? Antonio sonreía y decía: "Vamos, no seas cursi".

Frente a Antonio el perro flaco —uno de esos perros de los indios, que no ladran— seguía mirándole lánguidamente y Antonio pensaba que debía obsequiarle con un *hot dog* de don Godofredo. Desde el primer momento tuvo esa intención y el animal se dió cuenta. Antonio miraba al perro y le encontraba un parecido con su propio padre por la relación de la nariz con los ojos. Quería Antonio obsequiar al animal, pero eran necesarios una serie de movimientos. Primero ir al viejo y hacerse presente. ¿Qué le parecería a él? ¿Qué diría si Antonio le compraba un *hot dog* y se lo daba al perro? Se lo preguntó a Eugenia y ella soltó a reír. El problema le parecía cómico y trivial.

Seguía pensando Antonio: "el pobre don Godofredo tiene bigotes caídos como los chinos, la piel brillante de sudor". El peso de la mercancía le hacía curvarse un poco, pero como era alto no resultaba demasiado desairado. Se conocían desde hacía un año. Cuando Antonio lo encontró por primera vez estaba el viejo en circunstancias diferentes. No es que don Godofredo fuera rico, pero las condiciones de su vida eran más cómodas.

Eugenia volvía a hablar del *home* de las madres solteras y decía a Antonio que era como un monasterio de poseídas del demonio. Como un convento medioeval de aprendizas de bruja. Antonio pensaba también en aquel *home* donde nació su hijo, un hijo a quien no conocería nunca. Pero volvía a dudar de lo que había dicho Eugenia. Y pensando en aquello miraba a don Godofredo. Seguía el viejo por la parte opuesta de la plaza ofreciendo su mercancía sin gran convicción, como si no le interesara su propio negocio. Lo veía Antonio aunque no mirara, porque el vino le ponía ojos laterales y occipitales como los de las moscas y las mariposas.

—Poseídas por el diablo —repetía ella—, bueno, en mi caso por ti, que eres un ángel.

Los tamborcillos sonaban más lejos. Se oía también los cláxons de los automóviles. Antonio volvía a ver a don Godofredo al otro lado de la plaza y le contaba a Eugenia quién era. Lo conoció en un buen hospital donde a Antonio le habían operado de apendicitis. Don Godofredo estaba allí como paciente, pero no se sabía exactamente lo que tenía. Antonio creía que no tenía enfermedad alguna.

Se hicieron amigos. El era mejicano y por lo tanto compatriota de Antonio, al menos por el idioma. En aquellos días del hospital el viejo le contó cosas curiosas. En confianza, porque con Antonio podía abrir su pecho sin cuidado. Los dos eran latinos. Eso de la latinidad lo había aprendido don Godofredo en Cíbola y era la manifestación más frecuente y discreta de su preocupación racial.

—También yo soy latina por mi madre —dijo Eugenia.

Allí estaban pues dos latinos uno a cada lado de la plaza de Cochití y media latina más con su pelo suelto sobre un hombro. Una mujer india muy gorda pasaba despacio sin ver a nadie. Tenía el pelo negro y grasiento, joyas baratas en el cuello. Todos llevaban aquel día sortijas con grandes turquesas azules. Antonio volvió a mirar a don Godofredo y siguió hablándole a Eugenia: Durante ochenta y tres años don Godofredo trató de resolver el problema de su vida. Decía que no lo había conseguido nunca. Antonio comentaba: a su edad el buen viejo continúa con la espina dorsal erguida y los ojos sin amargura. ¿Qué más quiere?

—Es verdad —asentía Eugenia volviendo a pensar que no comprendía cómo un hombre *distinguido* se interesaba por aquel viejo bum.

—No seas injusta. No es ningún *bum*, don Godofredo. El viejo mejicano nunca había tenido papeles de identidad. Entró en los Estados Unidos hacía sesenta años por la puerta falsa. Una noche se acercó a la orilla mejicana del Río Bravo, se desnudó, se ató la ropa a la parte superior de la espalda y comenzó a nadar. Poco después salió por la orilla norteamericana. Sin papeles.

Esto era en 1890. En 1943 don Godofredo seguía sin documentación. Y decía a Antonio:

—Yo fuí uno de esos que ahora llaman *wet backs*. ¿Usted sabe lo que quiere decir? Espaldas mojadas. Las mías hace tiempo que están secas.

Y reía bajo sus bigotes amarillos.

De la kiva llegaban chillidos agudos a coro. El perro hambriento seguía mirando a Antonio y a Eugenia y esperando. Comprendía que Antonio era su amigo y no esperaba nada de ella. Sin embargo, Eugenia se inclinó de pronto sobre el animal y lo acarició. Vió que detrás de la oreja tenía una llaga y la examinó casi como un veterinario. Sus preciosos dedos oprimieron los bordes de la herida a ver si estaba infectada. El perro gimió un poco y ella lo dejó:

—Pobrecito —dijo.

Luego pidió a Antonio que siguiera hablando del mejicano. Don Godofredo al llegar a los Estados Unidos se puso a hacer las faenas más humildes como es natural en un *wet back*. Anduvo a pie los caminos. De vez en cuando le recogía algún camión conducido por hispanos con quienes podía entenderse.

—¿A qué has venido? —le preguntaban.

—A pelearle a la vida, hermano.

Fue a California pasando por New México y Arizona. En todas partes trabajó como peón. Sin papeles no podía pretender hacerse comerciante o industrial aunque hubiera tenido medios.

Encontró americanos que le ayudaron. Una familia lo tuvo escondido en su *farm* para que no lo encontraran los policías. Trabajaba recio en el *farm* y le pagaban menos que a un obrero americano, pero escapó a las pesquisas de los agentes de inmigración.

—También en mi casa —dijo Eugenia— hemos tenido a veces *wet backs* de esos. Son buen negocio ¿sabes?

Había otros mejicanos en el *farm* y caballos y una guitarra colgada en el muro. Godofredo cantaba sones huastecos y una muchacha solía escucharle. Al final hacía comentarios muy elocuentes:

—Con la mera canción me represento al caballo andandito por el valle y en el cielo una luna grande y las estrellitas completas.

Se enamoró Godofredo de la muchacha que veía tantas cosas, pero no pudo casarse por falta de papeles. Sin embargo, el cariño es el cariño y fueron felices. Tuvieron un hijo que hoy está en Australia y tiene hijos también. Desde Australia lo invitaron a ir a vivir con ellos, pero sin documentos de identidad don Godofredo no podía embarcar y Australia cae lejos para ir nadando. Se quedó en los Estados Unidos "peleándole a la vida".

A la mujer le gustaba que además del son huasteco cantara aquello de

L'águila siendo animal
se retrató en el dinero . . .

Y pasaban las horas lindas debajo del emparrado sobre todo cuando los patrones se iban de vacaciones a Dallas.

A la plaza de Cochití seguía acudiendo gente. Los amigos de Eugenia y de Antonio no llegaban aún. Los turistas se instalaban en grupos y cuando los gritos de la kiva sonaban Eugenia volvía los ojos allí un poco inquieta. Los indios eran pacíficos, pero sus gritos recordaban a veces las antiguas cabalgadas de guerra. Eso decía Eugenia con un ligero escalofrío gustoso.

Antonio seguía pensando en el viejo. Durante la primera guerra europea estuvo en Arizona. A muchos los hicieron soldados, pero no a él que carecía de papeles. Todo según se mire tiene su lado bueno. Se quedó en Phenix sin documentos. Hacía trabajos duros. Una vez fregó por dentro una caldera de vapor y tuvo que aguantar cuatro días con agua a la rodilla y gases malsanos que le cortaban el resuello. Pero vivía e iba rodando mundo y conociendo gente. Los de California le parecían ricos y pagaban bien, pero eran demasiado presumidos. Los de Arizona pagaban menos y eran más llanos aunque no apreciaban tanto el son huasteco. Al fin halló en la tierra de Cíbola un verdadero paraíso: "Aquí me quedaré para bien o para mal", se dijo.

—Es verdad que es un paraíso esta tierra —afirmó Eugenia— y yo creo que la comprendo un poco mejor después de haber salido del *home* de las poseídas.

Antonio no sabía qué pensar. Y seguía refiriéndose a Godofredo:

—Al principio el mejicano no hallaba trabajo y aceptaba las "chapuzas" que salieran. Una vez entró como auxiliar del enterrador de Roswell.

Le sucedió un caso que en aquellos tiempos no era demasiado extravagante. En una taberna que se llamaba *"The blue pig"* mataron a un italiano. Cosas del vino y de la marihuana. "Por separado —decía Don Godofredo con modales muy finos— ni la marihuana ni el vino hacen demasiado mal, que yo sepa. Pero si se juntan, ¡ay, amigo mío! ¡El féretro!

A pesar de eso el cuerpo del italiano fue al cementerio sin féretro y tenían ya Godofredo y su jefe la sepultura abierta cuando llegó el médico forense y dijo: "No me lo entierren todavía, que tengo que dar el informe". Reconoció al pobre italiano y después se pusieron los tres a tomar unos tragos. A Don Godofredo no le faltaba nunca, gracias a Dios, su tequila al alcance de la mano. Su jefe el sepulturero tenía whisky. Invitaron al médico, hallaron los licores sabrosos y dieron fin a las botellas.

Allí mismo al lado de la tumba se quedaron los tres dormidos. Godofredo y su jefe despertaron ya de noche, en la oscuridad. La borrasca estaba todavía latente y tenían la idea confusa de un trabajo que habían dejado a medio hacer. Tomando en las sombras al médico —dormido aún— por los pies y la cabeza lo depositaron suavemente en la huesa y comenzaron a cubrirlo con tierra. El médico despertó y se puso a patalear y a dar voces. Decía que era al italiano a quien había que enterrar y no a él. Godofredo se disculpaba:

—Bueno, señor doctor. No se ponga así, que una equivocación la tiene cualquiera.

Eugenia reía. "Eso lo inventas tú". Antonio juraba que no, que se lo había contado el mejicano.

—Tú inventas cosas absurdas —insistía ella mirando a Antonio de un modo acariciador.

Antonio seguía:

—Aquel trabajo era un poco deprimente y en plena juventud le daba una reputación que no le ayudaba mucho con las "viejitas". Porque se había enamorado otra vez. También comenzó la cosa con un son huasteco. El le debía mucho a la guitarra. Para él era una desgracia enamorarse según decía porque sin papeles no se podía casar. Y aquella vez la viejita le prevaricó y se fue con otro. Pensó Godofredo seguirlos, pero en tierra de gringos se ve feo echarle bala a un rival. Y aunque quisiera no podría comprar un revólver sin papeles.

Para entonces Godofredo había ahorrado un poco de dinero y se fue a una aldea próxima donde compró dos burritos. Y una guitarra nueva. Con los animales acarreaba leña y la vendía. En la primavera vendía también estiércol para los jardines porque en los Estados Unidos todo tiene su valor.

Con la guitarra se hacía reparar de las viejitas. Y seguía con la ilusión de resolver el problema de la vida. Que no se veía fácil. Entretanto recordaba a la primera mujer que se le había muerto y cantaba melancólicamente para sí la canción del pavo real cuyo árbol se había caído. La hermosa ave no tenía donde posarse

y ahorita duerme en el suelo
como cualquier animal.

Los burros los tenía en un pequeño establo sin puerta y los chicos entraban a veces y los desataban. Luego los montaban y corrían con ellos por el pueblo. Godofredo gritaba:

—No me los maltraten, que tienen más luces que ustedes.

Al ver que no les hacían caso perdía la paciencia y decía a los chamacos cosas tremendas usando su antiguo repertorio de Chihuahua.

—¿Qué repertorio? —preguntaba Eugenia.

El decía palabras españolas duras y ásperas cuyo sentido a ella le gustaba aunque no las comprendía.

Más tarde cuando murieron los burritos compró Godofredo una *troca* vieja con motor Ford. Habría podido comprarla antes pidiendo el dinero a un banco, pero sin papeles no se lo habrían dado. Así tuvo que aguantar hasta tener los fierritos en la mano. Y le salió más barata. Todo tiene su pro y su contra.

Con la troca tenía más ocasiones de ganar dinero, pero prefería estarse de plática y de trago con los amigos hablando de lo difícil que se ponía la vida.

Godofredo era pacífico y razonable, pero había tenido sus prontos y en una ocasión estuvo a punto de estallar. Un tejano le dijo en un bar: *you, dirty mexican!* Y Godofredo tenía ya la mano en el bolsillo y el cuchillo en la mano. Pero reflexionó: un hombre que saca un cuchillo en el bar arriesga algo con la justicia. Si ese hombre es un *wet back* está perdido. Se aguantó los nervios, dejó su mano quieta vió que el tejano estaba briago y mirándolo al entrecejo le devolvió el insulto: "Calla, cochino tejano". Tal vez porque el otro no entendía español o porque tampoco llevaba papeles no se ofendió. Poco después bebían juntos. "El no tener papeles —decía a veces don Godofredo— vale de freno y todo hay que considerarlo". Cuando lo encontraban en la calle y le preguntaban: ¿cómo va, Godofredo? él suspiraba y respondía: "Como el chango de la milpa, hermano. Peleándole".

La pelea no fue muy dura. Otros *wet back* que se habían hecho con papeles estaban menos tranquilos. Siempre andaban con líos de policía y consulado. Uno de ellos que era un lince denunció una mina en tierra de navahós y estuvo a punto de hacerse rico, pero sin saber por qué ni por qué no apareció un día enterrado en el aire. Es decir muerto, empaquetado y atado a lo alto de las ramas de un árbol seco, es decir, sin hojas. Un árbol muerto también. Había una tribu que hacía así los entierros de la gente que le caía mal. Y aquel pobre hombre —pensaba Godofredo— no habría denunciado la mina ni entrado en dificultades si no tuviera papeles. En cambio Godofredo iba y venía sin meterse con nadie. Y entre trago y suspiro y algún son huasteco se dió cuenta de que comenzaba a tener el pelo blanco.

—Yo creo —decía— que en la tierrita natal de uno los años no pasan tan veloces. Parece que era ayer cuando crucé el río.

Y habían pasado ya cincuenta años. Sin embargo, la vida seguía sin resolverse.

No pocos de sus amigos y conocidos de Cíbola iban desapareciendo. Godofredo se veía entrar en la vejez y comenzó a pensar que cuando le llegara el turno necesitaría una muerte tan decentita como la habría tenido en Chihuahua. Se puso a ahorrar. En aquel tiempo iba con la guitarra a los bautizos y a las bodas. En las bodas cantaba: *El cascabel:*

> *Yo tenía un cascabel*
> *con una cintita malva*
> *se lo regalé a mi amada*
> *para que juegue con él.*

Y en los bautismos tocaba jarabes tapatíos y otras alegrías. Poco a poco vió crecer sus pequeñas reservas y ya en plena vejez un día sintió un dolor en el costado. Consultó sus haberes y se dispuso a hacer las cosas bien. Vendió la *troca* y la choza donde vivía, se compró un rosario y un libro de rezos aunque no sabía leer y se fue al hospital[1] Era el hospital de una pequeña ciudad a la orilla del desierto. Allí lo conoció Antonio. Don Godofredo tenía también un cuarto para él sólo, porque el morir —como decía él— requiere cierta *privacy*. Por la ventana abierta del cuarto de Antonio —en el hospital— entraba un aire limpio de altura. En aquellos días Antonio se pasaba el tiempo leyendo y esperando que le dieran de alta.

Recordaba todo esto gozosamente Antonio en la plaza de Cochití acompañado de Eugenia y viendo a don Godofredo arrastrar los pies entre los grupos de turistas. Hizo una pausa en su narración. Cerca de Antonio una joven mamá desabrochaba el pantalón de su niño y éste hinchaba las mejillas, contenía el aliento hasta ponerse rojo y por fin hacía un pequeñísimo pis. Bajo los tambores indios Antonio recordaba aquellos incidentes del hospital y se los contaba a Eugenia, quien a su vez y sin poner verdadera atención se veía a sí misma en el *home* de las poseídas con el vientre más hinchado cada día y oyendo decir a una compañera de quince años: "Yo voy a parir *triplets*, uno negro otro blanco y otro chino". Porque había tenido relaciones con aquellas tres razas. Eso decía.

Pero Antonio continuaba:

—La gente se aburre en los hospitales. A veces dormía yo de día y por la noche estaba desvelado. Don Godofredo, que dormía poco, no aguantaba la cama y por la noche se levantaba y andaba como un fantasma con su larga camisa y su rosario al cuello. Antonio le oía dar voces en el corredor. Las luces de los pasillos estaban apagadas. Los enfermeros de guardia debían haberse retirado. Todo parecía en reposo. Y en la noche don Godofredo gritaba:

—Yo tengo que morir al estilo de mi pueblo. Pero los médicos, las enfermeras y las monjas no hacen nada. Todos andan por ahí con inyecciones, oxígeno, fotografías del hígado y del corazón para los americanos del East. Y a mí nada. Ya llevo aquí siete días y como si no. El pobre mejicano a vivir y a callar.

Extrañó a Antonio que en su discurso el viejo protestara porque nadie hacía nada, según él, para empujarlo a la muerte.

—Ni un triste sinapismo —decía— ni unas sanguijuelas. ¿Cómo voy a morirme si no me sangran ni me dan jarabes? Y entre tanto cada día que pasa corren los fierritos.

Entonces Antonio no conocía aún a don Godofredo. Por la voz y por su afición a los sinapismos y sanguijuelas suponía que debía tener muchos años. Todas las noches salía a hacer discursos por los corredores y a insultar a la administración. Cuando alzaba demasiado la voz tenían que intervenir las enfermeras de guardia para que no molestara a otros pacientes. Don Godofredo se dejaba llevar a su cuarto llamándolas "chulitas lindas".

Antonio llamó a su enfermera y le preguntó qué tenía aquel viejo y cuál era su achaque.

—Ninguno. Senectud —respondió ella—. Cuando vino, el médico lo reconoció, lo aceptó en el hospital y Godofredo se acostó en su cama creyendo que la senectud es una enfermedad como el tifus. Y quiere que le demos inyecciones. Es tan viejo el pobre que podría morirse cualquier día, pero no tiene enfermedad ninguna. ¿Por qué van a echarlo del hospital si él quiere estar y aquí se encuentra bien? Lo malo es que con sus discursos les despierta a ustedes.

Don Godofredo fue a visitar a Antonio una mañana. Vestía un pantalón azul de ranchero, la camisa del hospital y zapatillas. Colgado del cuello llevaba un rosario enorme con cuentas del tamaño de nueces. Al oir a Antonio preguntarle por su salud el mejicano pareció sorprendido:

—¡Usted es español!

—¿Cómo lo sabe?

—Porque habla golpiado.

Tenía don Godofredo sus bigotes entre amarillos y blancos. Por el lado por donde fumaba se veía una brecha tostada y teñida por la nicotina. "Es la primera vez que estoy enfermo en mi vida —repetía—. Me ha atrapado eso que llaman la senectud sobre tal parte —se señalaba el costado— y algunas noches me dan cuatro o cinco ataques al corazón y tengo que salir al corredor y protestar contra el hospital porque no me hacen caso. En mi tiempo cuando a un hombre le pasaba eso lo sangraban".

—¿Cuántos ataques le han dado esta noche?

—Siete.

—¿Por eso salió y comenzó a hacer discursos?

—No son discursos. Es que los ataques se me suben por aquí a la cabeza y entonces tengo que salir a llamar *sonobiches* a los empleados. Ni un mal termómetro me han puesto. ¿Cómo voy a morirme si no me ponen termómetros ni llaman al cura para la unción? Pero en este país no se puede esperar otra cosa. Es un país perdido, ¿no le parece a usted?

Antonio le dijo que sí e iba a añadir algo cuando Godofredo lo miró como dudando y dijo:

—Usted no está todavía para morir, digo yo.

—No creo, por ahora.
El viejo sacó un cigarrillo que llevaba envuelto en un papel de periódico y tardó bastante en encenderlo. Pensó Antonio si sería marihuana. Luego dijo el viejo:
—Es hora de que me muera, ¿no le parece? Llevo más de veinte años solo y sin familia. Aquí donde me ve, entré en esta tierra gringa con el agua al cuello. Por eso —añadió bajando la voz— no puedo decir todo lo que me pasa por la cabeza. Sesenta años sin papeles en los Estados Unidos, se dice pronto. Cuando les canto las verdades a estos *sonobiches* tengo que reprimirme porque estoy sin papeles. No digo que me haya ido peor que a otros. Al menos no me enterrarán los indios en las ramas de un árbol. Eso es un relajo que en Chihuahua no se hace ni con los cerdos. Pero en fin, soy tan viejo que ya casi ni amigos tengo. Todos se han muerto. Ya ve. Días y semanas me paso en mi cuarto mirando a la pared y nadie viene a verme. Pero no me quejo.
—¿Dice que no se queja?
—Bueno, me quejo de los médicos y de las enfermeras. Pero no hay que echar la culpa al país sino a algunos *big goons* de esos que hay en todas partes. Los Estados Unidos son buena tierra. Trabajando, se vive. Cualquier cosa que haga uno le pagan y por poco que sea, siempre es más que en otras partes. Usted comprende. La comida, el traje, el techo para cobijarme nunca me faltaron. Y algún son huasteco cuando se terciaba. Pero el tiempo pasa. Ultimamente me dió un desamparo a la entraña y dije: Godofredo, la campanita ha sonado. Cuando vine aquí, pues, pensé que ya no saldría sino con los pies por delante. Y aquí me traje también el dinero. Todo lo que tengo. ¿Ve? En esta cartera.
Mostraba una de piel a medio curtir que llevaba entre la camisa y el pecho. Se pasaba los días en la cama, de codo en la almohada y mirando a la puerta. Para facilitar la entrada de la muerte dejaba todo el día la puerta abierta de par en par. Pero la muerte no llegaba. Quien llegaba de vez en cuando era la enfermera con la comida. El viejo decía a Antonio:
—Los médicos pasan por delante y ni siquiera me echan una mirada. Cada día se me va un puñado de pesos. No he pagado todavía, pero la cuenta corre, hermano. Y aquí me tiene. Que si senectud que si no senectud. ¿Y las enfermeras? Mucho *lipstick* en el hocico y todo es traeme vasos de *orange* y de *tomato juice*. El hombre que necesita una muerte honrada con sus jarabes y sus responsos, a callar y a vivir.
De vez en cuando palpaba la cartera para convencerse de

que seguía en su lugar. Se levantaba y volviendo la cabeza contra la puerta continuaba:

—En la vida cada cual necesita la ayuda de los otros. ¿Qué voy a hacer? Vendí la casa. No me quedan amigos ni enemigos. Un hijo que tuve se ha olvidado del santo de mi nombre aunque aquí, en la cartera, tengo las señas. Cuando voy por ahí me miran como si me hubiera caído de la luna. En la barbería se ríen cuando les digo que pongan las guías del bigote bien tiesas de modo que duren hasta el sábado siguiente. Antes, cuando andaba con la *troca,* me ponían multas de parqueo. Cada día menos fierritos con la leña y el estiércol y tenía que dedicarme a limpiar *alleys* y a llevar la broza a los vertederos. Hace años que perdí el gusto de la mujer. Sólo me queda el gusto del vino y del cigarro. Y el frío en invierno y el calor en verano. Y ni un mal "adiós Godofredo", que hasta parece que el nombre les hace reír. Yo conozco al sepulturero de este pueblo que es mi cuate y antes de venir le dije: toma este peso que te lo doy de ribete para que me pongas lejos de los condenados judíos y protestantes gringos y también de los indios navahos. El sepulturero lo tomó y dijo: a tu salud beberé, que es la primera vez que un parroquiano me hace la cortesía. Fue y me enseñó el lugar donde tenía abierta la huesita. Le dije que la alargara por la parte de abajo porque al morir uno se estira. Usted dirá que esas son manías. O tal vez no diga nada, porque usted es latino como yo. ¿No es natural que un hombre piense en estas cosas? Y por aquel trabajo le di dos *quarters* más que bien lo merecía porque yo sé lo que es ese trabajo, que lo hice en Roswell.

Siguió hablando, pero cuando llegó el médico a ver a Antonio el viejo mejicano lo miró con recelo y se fue sin decir nada.

Aquella noche volvió a salir por los corredores. "He vivido —gritaba— entre indios, chinos, italianos, en toda clase de trabajos y faenas. En Arizona me desperté una mañana con un *gila monster* encima de mi tripa. Pero nunca había visto nada como esto. Eh, vecino español. ¿Duerme?" Antonio le dijo que no y que podía entrar si quería. No se hizo rogar. Entró diciendo: "Ya falta poco para el amanecer y me he despertado muy flojo porque he soñado que peleaba con Satanás y estoy que no valgo un *penny.* Pero que conste que he quedado encima. Hoy me duele la senectud sobre esta parte —y señalaba una axila—. No mucho. Pero ya ve. Entretanto otros que han venido después que yo mueren y se van, que yo he visto pasar la civiera por delante de mi puerta".

Le dijo Antonio que la culpa no era de nadie sino de él mismo porque no sabía morirse. Con el reposo y la buena alimentación se había puesto sonrosado y fuerte. Estaba su naturaleza menos dispuesta a la agonía que nunca. Le insistía Antonio en que no había aprendido a morirse y le extrañaba —decía— porque es la cosa más fácil del mundo. El viejo se dió cuenta de que Antonio le hablaba en broma. Lo miraba y no sabía qué responder. Al fin dijo:

—Lo que usted me dice es una vacilada. Morirse no es cuestión de saber o no. Pero lo que pienso yo es otra cosa. Y lo pienso en serio. Se me ocurre si harán falta papeles para esto de morirse como Dios manda. ¿Cuál es el dictamen de usted?

Antonio le dijo que no tenía experiencia porque no se había muerto nunca. Don Godofredo se ofendía un poco: "Ustedes los gachupines, y perdone la palabra, que la digo con amistad, siempre están de broma". Antonio le dijo que hablaba en serio. En un país extranjero nunca se sabe cómo se nace o cómo se muere. Morir es una cosa que hace todo el mundo tarde o temprano. Y aunque nadie tiene experiencia todos lo hacen bien. Perfectamente lo hacen, es verdad. Sin embargo, podría ser que tuviera razón don Godofredo y que la muerte tal y como la deseaba requiriera formalidades. Cuando él nació apuntaron su nombre en alguna parte, en México. Si la muerte había de ser del todo decente allí tenían que apuntarla en buena letra cuando llegara. Don Godofredo decía intrigado:

—Eso es verdad, que el señor cura puso mi nombre en un cartapacio cuando nací.

—Y en el registro civil: Godofredo tal y tal...

—No, señor. Godofredo no. Mi nombre era Martín González para servirle.

—Ah, ¿ve usted? Nació Martín y quiere morir Godofredo. Eso no es razonable. Tal vez la muerte lo busca a usted por su nombre de nacimiento: Martín González.

Se sobresaltó un poco Godofredo, palpó su cartera y preguntó:

—Pues ¿qué voy a hacer?

—Lo primero llamarse Martín González. Bueno, eso se llama, pero no lo sabe nadie más que usted y yo. ¿Cómo demuestra que es el mismo Martín González nacido hace ochenta y tres años en el estado de Chihuahua?

—Ya caigo, hermano. Siempre los papeles. Para morirme necesito papeles también. ¿Y qué remedio tiene eso?

Antonio se encogió de hombros:

—Tal vez lo mejor que podría hacer sería irse a México.

Quero decir, a Chihuahua. Seguramente en su tierra lo conocen.

—Demasiado hermano.

Se veía que comenzaba a escuchar con recelo. Aquellos consejos no eran los que él esperaba. Salió del cuarto diciendo que le hacía un gran favor y que entre los latinos había que ayudarse, pero que a Chihuahua no iría.

Aquella noche se escapó del hospital antes del amanecer. Suponía Antonio que no pagó la cuenta, pero no quería aventurar hipótesis. Don Godofredo era honrado a su manera. Tal vez la pagó aunque en ese caso no comprendía Antonio por qué tenía que salir por la ventana —el cuarto estaba en la planta baja— y no por la puerta como los demás.

Desde entonces Antonio no había vuelto a ver al mejicano sino dos o tres veces en la calle. Se cambiaron saludos y cada cual siguió su camino.

Días antes don Godofredo lo había llamado por teléfono y ahora lo hallaba en la plaza de Cochití. Estaba ya el mejicano cerca de Antonio porque había ido dando la vuelta a la plaza. Cuando llegó a su lado Antonio le dijo:

—¿Qué hay de bueno, don Godofredo?

El viejo se quedó un momento paralizado por la sorpresa:

—Nada de Godofredo. Soy Martín González, pero me alegro mucho de verle a su mercé y a la señora que lo acompaña. No esperaba encontrarlo sino el jueves en su casa como quedamos por teléfono. El señor cónsul escribió allá y me documentó muy bien. Antier mismo llegaron los papeles y aquí mero los tengo.

Mientras hablaba miraba a veces un poco receloso a Eugenia. Le dijo Antonio que podía hablar sin cuidado porque la señora no entendía español y Godofredo añadió bajando la voz: "¿Sabe usted que podría volver allá, digo a Chihuahua? Con la cabeza levantada y con mi mero nombre paterno. Ha llovido desde entonces y el campo está despejadito". Antonio le preguntó por vez primera si había cruzado el río Bravo en 1890 huyendo de la justicia de su país y don Godofredo lo miró de un modo sombrío:

—¿No se lo dije, hermano? —Antonio negó—. No es que yo escapara a la justicia. Pero en la juventud a cualquiera le da un ramo de coraje sobre todo siendo yo un tantito macho.

—Ya veo. ¿Y qué es lo que hizo?

Don Godofredo miró a Antonio sin decir nada y después a Eugenia. Luego volvió a su senil alegría:

—Ya escampó en Chihuahua, hermano. Podría volver allí con mi cara descubierta como un caballero.

Frente a Antonio y a Eugenia estaba todavía el perro sentado, con las narices vibrantes. Don Godofredo sacó del bolsillo algunos papeles y los mostró. Allí constaba su naturaleza civil. En el lugar donde ponía "¿Reclamado por algún juzgado?" la respuesta estaba en blanco. No tenía don Godofredo 83 años sino 86. Al hacerle aquella observación el viejo dijo:

—Pero no me echarían más de ochenta por el semblante.

Le devolvió Antonio sus papeles y le dijo que su situación era regular. "A usted se lo debo", respondió el viejo, y se puso a hablar de su salud. Algunas noches le daban hasta quince ataques al corazón. La anterior había contado dieciséis y un pasmo. Antonio no podía imaginar qué era lo que Godofredo llamaba ataque al corazón ni pasmo. Dijo el anciano que tenía pensado ir a otro hospital mejor y le pedía consejo aunque tal vez teniendo los papeles en regla todos los hospitales eran lo mismo y la muertecita que buscaba a Martín González encontraría a Martín González en la lista de la portería y no a Godofredo. Le dijo Antonio que volviera al mismo hospital del año anterior y el viejo se apresuró a decir que no sin explicar por qué.

Antonio compró por fin un *hot dog*. Seguía el perro con interés las diligencias de la compra. Don Godofredo no quiso cobrarle nada. Eran dos latinos y él nunca haría negocio con un hermano. Esta circunstancia imprevista complicaba las cosas. El *hot dog* era un obsequio y Antonio no debía desestimarlo.

Dentro de la kiva seguían oyéndose los tamborcillos y los gritos a coro de los indios. La plaza estaba completamente encuadrada por una multitud de turistas. Y el perro miraba lánguidamente. Don Godofredo parecía vigilarlo también. Antonio desenvolvió el *sandwich* y arrojó el papel al suelo. Estaba impregnado de grasa. El perro fue a lamerlo. Don Godofredo decía:

—Tiene su poquito de mostaza y chile. Andele, que está bueno.

Preparaba Antonio el terreno diciendo que no tenía mucha hambre y que le daría una parte al animal. "No me diga —protestó el viejo—, eso es comida de personas y no de perros. Pero volviendo a lo de antes, hermano. ¿Puedo contar con usted?"

—Hombre, claro que sí.

Seguía Antonio preocupado por el *hot dog* que parecía crecer terriblemente en su mano. Eugenia se daba cuenta y reía. Nunca había tolerado Antonio la carne picada y menos las salchichas. Miró de reojo al perro y vió que con una mano sujetaba el papel contra el suelo mientras con los dientes lo iba rompiendo. El pobre animal debía tener un hambre antigua. Preguntó Antonio a don Godofredo qué era lo que podía hacer por él.

—Todavía no ha llegado el momento y cuando llegue no tendrá que darse mal rato. En el *mortuary home* de la avenida Sur tengo entregados cien pesos y allí lo harán todo.

Fue explicando los servicios que le habían prometido: una corona malva y una cinta con letras doradas diciendo: *descansó en el Señor*. Una ambulancia Buick y una buena foto para enviarla a Australia. En relación con esa foto necesitaba la intervención de Antonio, quien debía recoger la foto y mandarla por correo. El viejo le daría las señas y otros detalles. Añadió después de vender dos sandwiches a unos chicos:

—Usted hará lo que promete, porque usted ha venido de la madre patria. A mí, la verdad sea dicha, en Méjico los españoles no me caen bien. Pero aquí es otra cosa. ¿Qué dice su mercé?

El momento de las danzas indias parecía haber llegado. Alrededor, en las terrazas de las chozas indias iban apareciendo mujeres, niños, viejos. Aquí y allá se oía el estallido de un pequeño petardo y la pólvora quemada tenía un olor a infancia.

—¿No resultará un poco triste esa foto para sus hijos? —preguntó Antonio.

—¡Qué triste ni no triste! Aquí hacen las cosas bien. Ya pueden hacerlas por cien pesos gringos. En la lista de los alicientes que me dan entra una rasurada con jabón de olor y el engomado del bigote. No será ni triste ni nada, hermano. Tampoco me pondrán en una caja sino en un buen sofá con un brazo colgando como si estuviera echando la siesta. Y el periódico caído en el suelo allí merito como si acabara de leerlo. ¡Yo que no pude aprender las letras de chamaco! Parece una vacilada, hermanito. Todo eso que han dicho lo harán porque los gringos son cumplidores, pero necesito su ayuda para lo tocante a la foto porque tendrán que poner mi nombre . . . y usted comprende. Si ponen Martín González mis hijos dirán: pues éste no es el padre, que se llamaba Godofredo. Y si les digo que pongan Godofredo ¿qué pensarán los gringos del *mortuary home*? Eso se vería feo en la vida de un difunto. Haga el favor de poner mi nombre su merced así: Don Godofredo, occiso tal día y tal día a la edad de tantos y cuantos. También quiero si no le sirve de molestia, que antes de enterrarme avise a los amigos que tengo en Isleta y en otras partes. Yo le daré las señas. Para que vengan y me echen una buena rezada, que buena falta me hace. Pronto será, digo yo, porque ahora la senectud me da por este otro lado. Yo le adelantaré los fierritos que debe gastar en la convidada. No quiero serle a su mercé gravoso, compadre. Ni vivo ni muerto.

—No, hombre. Lo que sea lo compraré yo —dijo Antonio—. Si puedo hacer algo más lo haré y no digo que con gusto por lo triste de la ocasión.

Don Godofredo lo miró complacido: "Así hablamos los latinos". Antonio aprovechando aquel instante de efusión dejó caer el sandwich y el perro que comprendió la intención, lo atrapó y se fue lejos a devorarlo. Pero don Godofredo se alegraba de aquel incidente que le permitía mostrarse generoso. Y le regaló otro *sandwich*.

En aquel momento la fiesta india comenzaba.

Los tamborcillos se oían más cerca y los indios iban saliendo en dos largas filas bailando con pasos menudos, los rostros inclinados hacia el suelo. Todos tenían largas cabelleras sujetas con cintas y brazaletes de hierba trenzada. Don Godofredo no se interesaba por aquellas danzas. "Es cosa para los recién casados en su *honey moon*. ¿Es el caso de su mercé" añadió mirando a Eugenia.

Antonio dijo que sí.

—¿Es ella también latina?

—Por la madre nada más. Es de una familia antigua que vive por la parte de Pecos.

Dijo el apellido. Resultó que Godofredo había conocido al padre de ella quien era ranchero y echaba un "peal" a un novillo mejor que nadie en todo aquel condado. Echar un peal, según Godofredo, era enlazar el garrón —así lo explicaba a Eugenia— con la reata.

Ni ella ni Antonio entendieron aquello, pero no pidieron aclaraciones. El viejo ponía salsa picante en el *hot dog* con un pincel. Antonio repetía: "Gracias, ya está bien, no se moleste". Y el buen viejo daba otra capa con mano temblorosa repitiendo:

—Espere su mercé que entre nosotros es lo que yo digo: hoy por ti mañana por mí. El padre de la señora era un poco encarnizado para la peonada, eso sí. Pero noble de verdá.

Le advirtió Antonio que debía darle las señas de sus hijos y de sus amigos de Isleta.

—Sí, señor, ya lo tenía pensado.

Entregó por fin el *hot dog* a Antonio, le prometió ir a verlo el jueves siguiente y se alejó pregonando su mercancía. Antonio esperó que estuviera lejos. El perro esperaba también el segundo *hot dog* y se puso a comerlo a los pies de Antonio. Reía

Eugenia y acariciaba al perro inspeccionando otra vez su oreja. Los indios entraban en la plazuela. Antonio vió llegar a los Morton y salió con Eugenia a su encuentro. Morton repetía una vez y otra que aquellas fiestas indias lo dejaban flojo y exhausto como las corridas de toros que había presenciado en México. Pero que a su señora le apasionaban .Ella tenía a la luz del sol una nariz vegetal de zanahoria. Debía darse cuenta y para proteger su rostro sacó de alguna parte una sombrilla azul. El reflejo daba a su nariz ahora un tono tumefacto. Era una fealdad la suya de un millón y medio de dólares. En aquel momento aparecieron otros conocidos y amigos. El grupo era confuso de siluetas y neto de colores, como pintado a la acuarela. Antonio se sentía un poco ebrio aún y el perro escuálido seguía a su lado moviendo el rabo. Los indios estaban en el centro de la plaza. Se oían los tamborcillos por todas partes. El pavimento de la plaza era de tierra apelmazada por la intemperie y en un lado formaba una depresión donde había un charco de lluvia estrecho, triangular y azul como la hoja de un cuchillo.

Seguía don Godofredo dando su segunda vuelta a la plaza visiblemente cansado. Se le veía abrir la boca para pregonar sus *hot dogs* pero no siempre salía la voz de su pecho. Antonio contó a los Morton lo que sabía de aquel hombre evitando los detalles demasiado cómicos porque no quería que se rieran de él.

La luz cruda hacía más pequeña a Mrs. Spitzer que se acercaba a la plaza. Iban los indios cubiertos a medias con pieles de búfalo y sobre la cabeza llevaban el testuz entero de uno de esos animales y los cuernos, lo que aumentaba considerablemente la estatura. Las mujeres muy vestidas y aderezadas llevaban polainas y zapatillas de piel blanca de corza. Como siempre, los indios bailaban sin sentir su cuerpo, incansables e indiferentes. Cada movimiento tenía una intención, cada cambio de ritmo un sentido. Junto a los tambores había un grupo de hombres ya maduros que a veces gritaban en falsete produciendo trémolos agudos.

Morton un poco desviado de la plaza y cerca de los coches declaró que era hora de comer y algunas mujeres abrieron sombrillas y otras se sentaron en cojines que sacaron de los coches. Eugenia se cuidaba de la comodidad de Antonio como si fuera su dulce esposa. Él la miraba con una mezcla de deseo y de ironía.

Seguían los tambores sonando. Antonio vió que el perro de los indios se acercaba otra vez. Mirando a don Godofredo que andaba por el otro lado de la plaza Morton dijo:

—A sus años debe ser incómodo ganarse la vida.

Advirtió Antonio que no era la vida lo que se estaba ganando sino la muerte y añadió que aquel hombre había sido más feliz en sus largos ochenta años que todos ellos. Era Godofredo un hombre a quien Lawrence habría admirado, un hombre sin falsas estructuras morales ni prejuicios y ni siquiera ambiciones —al menos sus ambiciones no iban más lejos que su propia sombra—. Esos hombres son meritorios y saben vivir y gozar noblemente de la sencillez de la vida. Porque la vida es sencilla y gozosa para ellos.

Algunos turistas tardíos se instalaban alrededor buscando los lugares de sombra. Los indios en dos largas filas, seguían bailando. Lejos don Godofredo atendía a su negocio y Antonio aguzaba el oído tratando de alcanzar alguna frase de los indios que rezaban a coro en su idioma. A veces alzaban los brazos doblados sobre sus cabezas sin exaltación alguna, pero cumpliendo un rito necesario. A veces miraban todos juntos al suelo y hacían gestos con las manos como si le hablaran a un hombre caído en la tierra o a la tierra misma.

La tarde avanzaba. Se sentía llegar la noche. La señora Morton hablaba de si se podía entrar o no en la kiva. Todos creían que era imposible especialmente para una mujer. Morton decía:

—Tal vez nos dejarían entrar, pero ¿para qué?

No creía en el misterio de los indios. Eugenia decía que ella creía demasiado y se fatigaba también en aquellas fiestas con una fatiga que era igual que la de los museos. Mientras hablaba la Morton la miraba con cierta ironía festiva y luego le dijo:

—¿Dónde estaba usted esta mañana? La llamé tres veces por teléfono a su casa.

Eugenia no contestó y la Morton miró significativamente a Antonio. Lo único agradable en la Morton era que todo lo que hacía la gente si era por amor o por voluptuosidad (lo que para ella era igual) lo disculpaba y lo protegía.

Así transcurrió la tarde y cuando comenzaba a oscurecer vieron aparecer algunos indios con antorchas encendidas. Iban en ileras avanzando, subiendo la escalera de adobe de un edificio, instalándose al borde de una terraza, para seguir evolucionando. Las antorchas producían mucho humo y el fuego lo iluminaba —al humo— por debajo. Fue entonces cuando el viejo Lauben llegó en su viejo Rolls que quemaba mal la gasolina y lanzaba de vez en cuando explosiones secas como disparos de rifle. Mrs. Spitzer que desconfiaba ya de que su amigo llegara, se alegró como una niña pequeña.

Vió Antonio a don Godofredo que después de haber vendido su mercancía se acercaba. Llevaba la tabla colgando al costado y a veces la hacía descansar en el suelo y se apoyaba en ella. Iba a despedirse. Don Godofredo era muy cortés. Antonio consultó con los Morton y luego digo al anciano:

—Espere aquí y venga con nosotros. Yo le llevaré después a su casa.

Don Godofredo vacilaba. Antonio añadió:

—Mis amigos son gente que entiende a los latinos y los aprecia.

Esto último le convenció. Y dijo a Eugenia que su padre el que echaba el peal a los novillos era un caballero de los que ya no se encontraban en la tierra de Cíbola. Tenía el mejicano sus maneras afables y fáciles. Saludó a los presentes de un modo discreto.

Cuando la danza de las antorchas terminó, todos se disponían a buscar sus coches y a salir, pero se oyó fuera de la aldea una trompeta que daba sonidos vacilantes e inseguros aunque tan fuertes que debían herir el tímpano de los perros porque el que estaba al lado de Antonio alzó el hocico y comenzó a aullar.

—Ahí está Sir Robert —dijo Morton.

Fue Eugenia a saludarlo. Era uno de los amigos a quienes ella besaba —en lugar de dar la mano— en los labios cuando lo encontraba. A la luz de los faros antes de ponerse en marcha los coches vieron al inglés montado en un caballo muy flaco. Iba a pelo, es decir, sin silla ni riendas y llevaba sólo un ronzal atado a la cabeza del animal. Don Godofredo dijo instalándose en el coche al lado de Antonio:

—Ese señor es el inglés. He oído decir que no está muy regular de los sentidos, pero yo no quisiera levantarle un testimonio. ¿Cuál es su parecer?

Sir Robert soplaba con fuerza en su trompeta y otra vez le contestaban aquí y allá los aullidos lastimeros de los perros. Aquel hombre ya viejo invitaba a sus amigos y los convocaba. Llevaba detrás una larga procesión de coches. El caballo iba con paso desmayado y lento al que se acomodaban los automóviles. De vez en cuando al llegar a un cruce el inglés tomaba el camino transversal y los coches lo seguían despacio como en un entierro. Eugenia había montado en la grupa del caballo de Sir Robert y Antonio decía a Godofredo para que no se escandalizara:

—Es sobrina del inglés, mi esposa.

—No me diga nada que yo sé las costumbres del señorío.

Y no me choca. La decencia de los ricos es diferente de la mía, señor y a mi siempre me pareció bien.
Cada vez que se movía sonaban monedas en sus bolsillos.
Y añadía:
—Esta vez tengo el barrunto de que la senectud hará su trabajo. Con mi buen nombre de Chihuahua no habrá equivocación. Es lo que usted decía, hermano: si yo nací Martín ¿cómo voy a morir Godofredo? Todo requiere su buen entender. Y ahora no me faltan papeles.

Oyéndolo Antonio imaginaba a la muerte acercándose a los registros de entrada de los hospitales y preguntando los nombres de los pacientes en busca del *wet back*.

Llegaron a la vivienda del inglés. Era una casa enorme con aspecto de rancho desmantelado en tiempos de guerra. A no ser por algunos detalles que revelaban riqueza como la marca de una bebida o el criado sirviendo en el bar, se habría dicho que el dueño estaba arruinado. En algunos muros gruesos de adobe había grandes boquetes hechos por la incuria y el tiempo. Pero al lado había también alfombras ricas. Sir Robert parecía taciturno y triste. Como buen inglés ponía un cuidado exquisito en aprovechar todas las oportunidades que se le ofrecían para callarse. En lugar de responder a algunas de las preguntas que le hacían miraba a veces de un modo lleno de sobreentendidos y lanzaba una exclamación bastante libre —tal vez procaz— en español. Mrs. Morton torcía el gesto y decía que el inglés era un "liberado". Quería decir liberado de los convencionalismos.

Don Godofredo iba y venía en silencio, también. A pesar de lo que había dicho a Antonio no había visto nunca gente tan difícil de clasificar.

Había un tal Wood que decía que los hombres debían dejar a las mujeres la dirección de la familia en general las iniciativas todas. Viendo a don Godofredo le preguntó:

—En su casa ¿quién lleva los pantalones? ¿Su mujer o usted?
—Yo soy viudo, señor.
—En mi casa, mi mujer.

Esto hizo al mejicano mucha gracia.

Wood llevó a Antonio a saludar a su esposa y dejaron solo a Godofredo unos instantes. Entretanto Eugenia iba y venía del brazo de Sir Robert y a veces lo dejaba un momento para acercarse al piano y tocar algo tímidamente con un dedo. Cuando Antonio volvió al lado del mejicano éste se lamentó:

—Hermanito yo le agradezco que me haya traído aquí, pero

parece que los gringos me ningunean. El dueño no se me acercó tan siquiera a darme un triste parabién.

Antonio le explicó que habiendo tantos invitados el inglés los dejaba en paz y a sus anchas. Luego fue al bar y le sirvió al viejo un buen vaso de whisky pensando que con aquello se pondría a tono y no pensaría cosas incómodas.

En la sala contigua se oía música. Era la misma música de los indios de Cochití con sus tambores y sus gritos guturales. Se habría dicho que estaban dentro de la sala. Sir Robert para desafiar la astucia de los indios les había "robado" su música llevando cautelosamente un micrófono y un aparato registrador. Los indios prohibían por razones religiosas que nadie hiciera fotos o copiara o recogiera el sonido de sus tamborcillos y sus cantos. Por esa razón vigilaban a los turistas con cuidado. Para Sir Robert no había nada más gustoso que romper una prohibición. Pero exageraba un poco su propia victoria. Con el aire más lúgubre del mundo se acercaba de uno en uno a sus amigos y decía en voz baja:

—¿Qué le parece a usted la música?

Luego se iba a otro grupo a hacer la misma pregunta.

Tenía don Godofredo candelitas en los ojos y en la voz. Había aprendido el camino del bar. Antonio le preguntó:

—Qué, don Godofredo. ¿Le ningunean?

—No, señor. Esto se pone cuero. Gente de distinción. Nosotros los latinos siempre gustamos de estas cosas como usted sabe.

Al ver a Eugenia repitió los elogios a su padre el del peal.

Eugenia preguntó a Antonio con intención: "¿No tienes prisa por volver a casa conmigo?"

—No, realmente.

—¿Soy yo poco para ti? —insistió ella un poco ofendida.

—Sí, es cierto.

—¿Por lo del **home** de las vírgenes locas?

—No. Por el interés que demuestras por mí. Una mujer que puede acostarse tan fácilmente con un hombre como yo no puede ser gran cosa.

—¿Cómo tú? ¿Quién eres tú si se puede saber?

—Un pobre diablo que rueda por el mundo. Un artista sin nombre, sin estudio, sin clientela, sin talento y sin futuro.

—Un parásito, según decías el día que te conocí.

—Eso es. Un parásito que debió haber muerto en Europa hace tiempo, pero vive todavía y va en busca de una mujer rica.

Ella lo miraba en éxtasis: "Por eso me gustas, porque lo reconoces. Yo soy una mujer rica. Pero no me casaría contigo.

Te quiero demasiado y no sería bueno casarnos. Sin embargo, te quiero irremediablemente y tú sabes por qué. Porque he hecho el ridículo por ti".

—Parir no es hacer el ridículo.
—En las condiciones mías era un ridículo mortal.
—No te moriste, sin embargo, que yo sepa —decía Antonio con media sonrisa irónica.

Eugenia se alejaba con expresión soñadora y profundamente satisfecha. Satisfecha de sí misma, claro.

Sir Robert se acercó a don Godofredo. Hicieron conversación y el mejicano dijo mirando los muros y los techos:

—Esta casa hace cincuenta años era convento. Después los frailes se fueron a Arizona y vino a vivir aquí con sus bienes la cofradía de Nuestra Señora de la Merced.

Interesado el inglés le hacía preguntas y don Godofredo dijo que recordaba un caso memorable de la cofradía que vivió en aquel lugar. Algunos invitados se acercaron. Eugenia no perdía sílaba. Y don Godofredo contaba a su manera:

—Esto, dicen que pasó, que yo no lo vi. Pero tengo un compañero que estuvo presente y me lo contó. Hay una cofradía de la Virgen de la Merced con sus hermanos y su mayordomo. Hace cuarenta años radicaba aquí, en esta casa, pero ahora no sé dónde ha ido a parar. El mundo cambia como saben sus mercedes. Lo mismo que las otras cofradías ésta tenía su virgencita linda a la que no le faltaban algunos bienes permanentes para el gasto. Por entonces tenía Nuestra Señora de la Merced una docena de telares y un rebañito de ganado de lana que abastecía de carne a casi todos los conventos del condado.

Oyéndolo hablar Sir Robert decidía que aquel hombre sabía contar. Pensaba Antonio que el viejo tenía instinto social y elegía sus temas sabiendo que interesaban a aquella gente sofisticada y novedosa:

Don Godofredo seguía:

—Hace años en Mesa del Cuervo, que es un lugar a dos leguas de aquí, había otra cofradía de Nuestra Señora de la Buena Leche que tenía también su ganadito y su virgen y su iglesia. Nosotros los latinos somos aficionados a esas cosas, como ustedes saben. Pues un día la Cofradía de la Merced recibió aviso como que la otra cofradía de la Buena Leche necesitaba un macho cabrío para cubrir el ganadito en tiempo de la ahijadera. Y el mayordomo contestó con una carta diciendo que el que ellos tenían era el cabrón de Nuestra Señora de la Mercé y que no podían prestarlo sin tomar antes el parecer de la cofradía. Bueno y ustedes perdonen la expresión, pero así decían ellos.

Antonio contenía la risa con dificultad y el mejicano seguía muy serio:

—Entonces esperaron a que se reunieran los cofrades y dieran dictamen. Ya se sabe. Unos que sí y otros que no. El mayordomo dijo que el cabrón de Nuestra Señora había costado a la cofradía noventa pesos y no podían prestarlo gratis. Pedían a los de la Buena Leche que dieran algo como trueque y cambio. Los de la Merced dijeron que podían prestarles un cantor de coro para las fiestas de la Virgen de la Merced. Porque tenían un fraile que cantaba muy bien. El fraile cantaría en el coro los tres días de las fiestas a cambio del préstamo del macho cabrío. Así quedó arreglado. Pero cuando llegó el día el fraile no pudo cantar. Se ponía a cantar y en lugar del *miserere* le salía un balido muy lastimoso: "meeee...". En cambio en el corral de la cofradía de la Buena Leche se oía al cabrón de Nuestra Señora cantar por la noche con una voz celestial. Yo no digo que lo viera, pero el que me lo dijo lo había visto. Nadie entendía aquello, No es que cada cual no hiciera su faena. El cabrón por su lado... padreaba con perdón de las señoras presentes. Sólo que además cantaba. Yo no lo vi. Digo lo que me dijeron.

La gente callaba como si esperara más de don Godofredo y él añadió:

—Por ahí corren historias de todas clases y unas son conformes y otras no tanto. Cada cual con sus luces puede sacar la verdad, digo yo. Pero en esta casa se alojaba hace cuarenta años la cofradía de la Merced, de eso respondo, porque vine más de una vez a sacar el estiércol.

Bebió de un trago medio vaso y Antonio pensaba: "bebe demasiado". A partir de aquel cuento Godofredo se sentía a gusto en su piel. Sir Robert le ofreció otro vaso. El viejo mejicano iba y venía hablando medio español y medio inglés. Pasó lo que tenía que pasar. Hacia la media noche perdió el conocimiento y cayó al suelo. Fueron a recogerlo y lo extendieron en un diván. Después de la primera alarma dejaron solos al mejicano y a Antonio. Don Godofredo volvió en sí y comenzó a decir que aquella vez iba en serio y que por fin le llegaba la hora. En buena ocasión y entre amigos. Antonio trataba de quitar importancia al accidente, pero viendo que el mejicano se molestaba acabó por decirle que tenía razón y tal vez se moriría aquella misma noche. Esta perspectiva tranquilizaba a don Godofredo. Y decía:

—Ya sabe lo que hablamos en Cochití. Pero como me quedarán algunos fierritos se me ocurre que además de la foto que mandará su mercé a Australia podrá encargar una lápida con mi nombre para la sepultura. Mi nombre de Chihuahua, pero también Godofredo. Martín González y Godofredo, con la fecha debajo.

Antonio que había bebido bastante dijo que pondría dos fechas, así: "Nació en el año 1860 y tuvo a bien morirse . . ."

Pero el viejo hacía un gesto de impaciencia:

—No hay que poner "murió" sino "falleció". Además sería bueno poner la enfermedad para que se enteren los que pasen por allí el día de Todos los Santos. Murió de . . . un convite. ¿Qué le parece?

Encontraba Antonio aquella ocurrencia excelente. El mejicano seguía hablando. El placer de morir parecía darle a don Godofredo la vida, como a los místicos. Los tamborcillos seguían sonando. Dijo Antonio a don Godofredo que tratara de descansar un poco y que luego lo llevaría a su casa.

El mejicano decía satisfecho:

—Tantas gracias. Y ahora tenga la bondad de llamar a Sir Robert, que quiero agradecerle la fineza.

Los tamborcillos indios seguían sonando en un rincón de la gran sala desmantelada. Sir Robert estaba con Lauben quien le hablaba de la divinidad del hidrógeno en voz baja. El inglés decía: *"Rather interesting"* y miraba de lejos a Godofredo. Entonces Lauben se apasionaba y seguía hablando con gestos y miradas un poco dislocados.

Por una ventana entraba la respiración seca del ancho y alto desierto.

XII

EL CARIAMARILLO

Al pie de la montaña que echa humo había árboles grandes y chicos. En los lugares más altos se veían chocitas de paja y adobe. A veces subían los curas indios del valle y cantaban la canción del Cariamarillo:

Oh, padres castrados. ¿Debo haceros agravio?
¿Debo reteneros injustamente la víctima?
Yo tengo mi patria en Arevareva
junto al timbal hecho de madera de yuca
en el octavo lugar, allí donde se esconde
el diácono para el baile de los enmascarados.
Allí desciendo yo junto al arroyo
en el octavo lugar y en el día octavo.
En Tezimolco hemos comenzado a cantar.
¿Por qué no se aproximan ellos todavía?
Todos esos hombres me pertenecen
desde el día de la promesa.
A mí, el fuego, que soy el padre y la madre
de los dioses cojos y de los sanos y los enteros.
Déjalos que vengan delante de la puerta
y hagan su petición ellos, a pares.
Suene ya el timbal de yuca, la concha
y el cuerno de carrizo. Agítense las sonajas
y vengan ya las máscaras para la danza
del dios caliente, del Cariamarillo.

El cura indio se acercaba a una rompiente. Abajo, el arroyo echaba fumarolas pestilentes. Se oía un grito que podía ser de un animal mordido o de una persona con el hueso de la pata astillado. Era un hombre peludo con el cuerpo rojo y la cara amarilla. Veía al cura y gritaba:

—¿A dónde vas, mensajero del cuervo?

No decía nada, el cura. Y el hombre fue a su lado:

—Mira, toca. Pon tus manos aquí, friega mi piel con ortigas, escúpeme en el pecho y frótame con la mano. Yo no pinto de rojo mi cuerpo como tú. Yo no pinto mi cara de amarillo, como tú. Estos colores son los colores del fuego.

No estaba loco el cura aunque lo parecía por su manera de bizquear y por los gestos de sus manos cuando no hablaba. Por fin dijo:

—He venido a buscar madera de yuca porque se han cumplido ya los cuatro años. Hemos matado al fuego viejo porque lloraba y gemía y ahora hay que sacar el fuego nuevo para los hogares del imperio. El fuego nuevo que chisporrotea al comenzar y luego, cuando se levanta la chamarasca, ríe. ¿No eres tú Navalatl?

En lugar de contestar el hombre rojo y amarillo gritaba:

—Sacerdote de los convenios estériles, cara de ceniza, boca de golondrina, vuelve a la ciudad y guarda las gallinas enfermas.

Alzaba una pierna en el aire, bailaba y decía al cura y a sus acompañantes:

—Ese fuego que puede apagarse, no lo entiendo. Volved a la ciudad a engordar a los perros pelados, a los que tienen la piel como la palma de la mano. Comedlos para que aúllen en vuestro vientre.

Los sacerdotes se retiraron a sus chozas. Fuera, Navalatl seguía dando voces. Los sacerdotes escuchaban rascándose y fumando cañas aromáticas. La montaña que echa humo decía:

Todos los fuegos del valle
se han apagado, pero el mío
es un fuego que dura eternamente...

Estaba ya el sol en lo alto cuando Navalatl se calló. Desde allí veía muy lejos la ciudad:

Ellos tienen palabras embusteras
y cuando las calientan con su fuego
—con su fuego canijo—
dicen que son verdad.

Esas verdades las proclamaban los príncipes y también las brujas que reían al pie de las pirámides.

Una de las harpías lleva el cuerpo
de los pies a la cabeza
pintado de negro y rociado con ullí
Suenen los timbales, suenen las trompetas de concha
suenen las sonajas.
Por ti, oh Xiucteculli,
el que cuece las sabandijas y las salamandras
el que calienta el agua
para el baño de los prisioneros.

El cura salió de la choza y se puso a mirar a Navalatl pensando que antes de sacar el fuego nuevo del imperio había que apagar también ritualmente el que asomaba a los ojos, a la lengua, al corazón secreto de aquel hombre. El dios Xiucteculli se ofendería si fuera sacado el fuego nuevo dejando una sola brasa del viejo. El cura preguntaba a Navalatl cómo era su fuego.

—Mi fuego no tiene nombre. Si digo el fuego no he dicho nada. Si digo el volcán no he dicho nada.

El cura callaba y su nariz se torcía con una sonrisa contenida. Navalatl lo agarró por un hombro:

—Ríete de una vez —le dijo— o te mataré antes de llegar a la ciudad.

Los diáconos se acercaron para proteger al cura. Eran seis. También a los seis se les quería torcer la nariz con una risa contenida. Navalatl mató al sacerdote y a cinco más. El sexto diácono escapó. Corría desde Arevareva hasta la ciudad y cuando llegó vió que los timbales de todos los oratorios decían lo mismo:

> Se ha fatigado el fuego
> el fuego se ha cansado de arder
> de cocer el maíz para los ancianos
> de encender las cañas aromáticas para los jóvenes.
> El fuego se ha cansado de arder
> Ayer echaba humo y chisporroteaba
> diciendo: me duelen las uñas.
> Los trasgos y los duendes domésticos
> se quejaban por los rincones
> y el fuego estaba ya viejo y no daba calor
> y nosotros queremos el fuego niño
> éste que va a nacer antes de la medianoche.

El diácono llegó al teocalli principal, puso las manos en el suelo y dió la noticia:

—Han sido muertos el sacerdote de Arevareva y cinco de los que le acompañaban. El que los mató se llama Navalatl y tiene fuego en las manos en los ojos y en su misma palabra.

El emperador le pidió que pintara a aquel hombre extraño en un trozo de tela blanca.

—Muy fuerte y valeroso tiene que ser —dijo— para matar él solo con sus manos a seis personas.

Le explicaron el hecho y cuando el emperador creyó conocerlo en todos los detalles, llamó a sus consejeros. Todos juntos decidieron que a Navalatl había que llevarle a la ciudad, matarlo, apagar el fuego de sus palabras y el de sus ojos antes de sacar el fuego nuevo.

Después que salieron el emperador se miraba en una lámina de cobre brillante como un espejo y decía:

—Ese Navalatl ha hecho bien matando al sacerdote. A los diáconos no, porque son los siervos de mi sobrino.

Otros curas y muchos soldados volvieron a la montaña que echaba humo. Navalatl los veía acercarse y decía:

—Vivís como las gallinas atadas por la pata con una cuerda de color. Para vivir como los hombres tenéis que conocer el fuego que no tiene nombre. El mío.

Los azcatlcoyotl ululaban porque se acercaba la noche. Al amanecer llegaron más hombres de la ciudad llevando consigo unas andas de oro con dosel de plumas. Hicieron regalos a Navalatl y le dijeron que el emperador lo quería ver. Que debía ir a la cámara del emperador.

Vió Navalatl que a ninguno de ellos se le quería torcer la nariz con la risa contenida y aceptó. Lo pusieron en las andas y fueron bajando a la ciudad. A su paso los ermitaños de otros teocallis pequeños salían y hacían sonar las caracolas marinas. Llegaron al valle y fueron directamente al teocalli del mercado viejo. Cerca estaba el palacio.

Las gentes tenían los ojos apagados. Los mercaderes llevaban colgada del cuello una imagen hecha con pasta de maíz cocido.

Cuando llegó Navalatl a la presencia del emperador éste dijo:

—Hombre de la cara amarilla, te pido que me escuches. No podemos sacar el fuego nuevo mientras tú no te apagues. Debes ser apagado cuanto antes porque las parturientas no tienen fuego en su casa, las cañas aromáticas no pueden ser encendidas para los fumadores y todos comen fría la carne y crudo el maíz.

No sabía Navalatl qué decir. Por fin habló:

—Yo no puedo apagarme.

—Mis soldados te apagarán, entonces.

—¿Tus soldados? —el emperador afirmó con un movimiento lento de cabeza—. Mientes, emperador. Tus soldados no pueden llegar a mí, no pueden tocarme sin quemarse.

Hizo el emperador un movimiento con un manojo de plumas que llevaba en la mano izquierda, indicando que debían sacar a aquel hombre de su presencia y quemarlo vivo, pero uno de sus hechiceros advirtió:

—En todo caso hay que sacar fuego nuevo para quemarlo

a él. Y el fuego nuevo no se puede sacar mientras Navalatl esté vivo y ardiendo.

Un sacerdote advirtió que podían abrirle el pecho y sacarle el corazón con las uñas, pero recordó el emperador que en los días del fuego nuevo no se podía derramar sangre ni de hombres ni de animales.

—Que lo aten a un poste en el patio del teocalli —dijo el mismo emperador—. El suelo de piedra, los muros de piedra y antes de cinco días habrá muerto sin comer ni beber.

Así lo hicieron. Alrededor de los teocallis los hombres esperaban el fuego con sus antorchas apagadas para llevarlo por los caminos a sus poblados. En los cruces de caminos esperaban también otros hombres para encender sus teas. Pero el fuego niño no nacía. Y todos se impacientaban.

Pasaron cinco días y el emperador preguntó si había muerto Navalatl. Le dijeron que no. El pueblo se amotinaba pidiendo el fuego nuevo. Los sacerdotes llevaron a Navalatl otra vez delante del emperador. Un hechicero salió al centro de la sala rascándose el vientre y dijo a Navalatl:

—Piensa en los pobres, en los campesinos más pobres del valle.

—Los pobres no te preocupan —respondió Navalatl—, pero habla por ti el fuego de la piedad temerosa.

Un guerrero salió dando en el suelo los tres golpes de Huitxilopoxtli:

—La patria está en peligro por falta de fuego.

Dijo otras cosas sobre la tristeza y la dificultad de la falta de fuego.

—Eres —le respondió Navalatl— el fuego de las alarmas huecas y pomposas.

El guerrero levantó el montante, desnudo. Era el arma tan grande como el que la esgrimía, con dos filos de obsidiana. El emperador, disimulando la risa, contuvo al guerrero y dijo que Navalatl era el "hombre inextinguible" y que había que tratarlo con respeto. Luego añadió:

—Mis parientes y amigos están oyéndote con paciencia. Eres un hombre rústico de la montaña y vienes aquí dándoles lecciones. Sin embargo, ellos callan. Yo callo. ¿No te dice nada nuestro silencio?

—Sois —dijo Navalatl, tranquilamente— el fuego de la soberbia sin objeto que se consume calladamente y que escupe en la escudilla de las adivinaciones.

Otro consejero dijo a Navalatl con aire amistoso que era verdad que todos tenían dentro el pequeño fuego, pero gracias

a la pequeñez de ese fuego todos vivían en armonía sin quemarse los unos a los otros.
—Tú eres el que cuida el calor de los convenios estériles. Te conozco. No eres necesario y cuando mueras nadie te echará en falta.
Gritaba el brujo con una voz tan aguda que parecía de mujer:
—Es todo el imperio el que espera.
—El imperio no te importa. Sólo te importa en este momento hacer un papel lucido delante del emperador y aguardar que te den la concha de carrizo. Y la bandera verde.
En aquel momento se oyeron gritos en la calle. El emperador volvió a levantar en el aire el manojo de plumas y decidió terminar la cuestión:
—Tu lugar —le dijo a Navalatl— no está en el valle donde queremos vivir en paz con nuestro pequeño fuego doméstico. Tú vivías hace ya cuatro años cuando sacamos el fuego nuevo y el fuego niño salió sin que sucediera nada. Hoy mismo te llevarán en andas a la montaña. En cuanto hayas salido de la ciudad los sacerdotes de Xiuctleculli irán a los teocallis y harán lo mismo que hicieron hace cuatro años. No pasará nada y todo el mundo matará sus perros y sus guajalotes y se pondrá a bailar en la plaza. Y el fuego nuevo será alegre y cantarín.

Dió una pluma amarilla a Navalatl como signo de homenaje. Los atambores de la ciudad comenzaron a sonar otra vez y Navalatl salió a la calle y subió a las andas. Lo llevaron a la montaña de Arevareva y cuando la noche comenzaba a cerrar llegaron al lado del volcán. Se veían desde allí los fuegos domésticos de la ciudad. El cura y los diáconos cantaban:

Ya están las víctimas preparadas
para el Cariamarillo
ya están las víctimas dispuestas,
ninguna llora, ninguna clama,
ninguna pide clemencia.
El fuego nuevo arde
y los sacerdotes vuelven a poner
a los ídolos en su lugar.
Alegraos, hombres del pueblo
viejos que no tenéis bastante calor
por la mañana ni por la noche.
Acercad vuestro cuerpo a las brasas
para que callen dentro de él
los azcatlcoyotls de la inquina.

Arrojaron a Navalatl dentro del cráter del volcán y después el sacerdote, los soldados y los diáconos echaron a correr monte abajo. La montaña temblaba y se oían temerosos truenos. Un resplandor rojizo iba encendiéndolo todo. Al llegar abajo oyeron una voz:

—¿Adónde van esos hombres, digo, los de la palabra tibia? Era Navalatl. Un soldado hacía sonar la concha de carrizo llamando al arma, pero los otros, en lugar de acudir, huían monte abajo y corrían por los caminos tropezando con los que llevaban porciones vivas del fuego nuevo.

En el valle las casas se derrumbaban. Los hombres tenían que abandonarlo todo y huir al campo para no morir abrasados. Se veían las vertientes de las montañas convertidas en torrentes rojos que iban bajando a la llanura y avanzaban sobre la ciudad. Navalatl reía detrás del humo.

El fuego llegaba a las primeras calles e iba arrasando viviendas, jardines, santuarios. Los jóvenes huían, pero a muchos viejos los alcanzaba la lava y los engullía.

La ciudad quedó arrasada. Los que pudieron escapar volvieron algunos meses después. Se ponían a reconstruir sus viviendas temerosos y esperanzados mirando siempre a la montaña y preguntándose si el hombre inextinguible volvería a bajar o se encontraría a gusto para siempre en las alturas de Arevareva.

FIN

Albuquerque, N. M. (USA) 1961

DATE DUE

GAYLORD　　　　　　　　　　　　　　　　PRINTED IN U.S.A.